Rettet die Vögel – wir brauchen sie

Die Herausgabe dieses Buches
dient der Aktion
»Rettet die Vögel – wir brauchen sie«
des Bundes für Umwelt und
Naturschutz Deutschland e. V.,
Oskar-Walzel-Straße 17, 5300 Bonn

Rettet die Vögel -
wir brauchen sie

Horst Stern
Gerhard Thielcke
Frederic Vester
Rudolf Schreiber

Herbig

Inhalt

© 1978 by F. A. Herbig Verlagsbuchhandlung
München · Berlin
Herausgeber: Rudolf L. Schreiber
Alle Rechte vorbehalten
Gestaltung des Schutzumschlages
und Buchlayout: Berthold Faust
Bildbeschaffung: Norbert Jorek/Rudolf Schreiber
Produktionsteam: Rolf Bünermann,
Reinhard Eusterwinter, Uwe Köppermann
Verlagsredaktion: Dr. Bernhard Struckmeyer
Gesamtherstellung: Mohndruck,
Reinhard Mohn GmbH, Gütersloh
Printed in Germany 1978
ISBN 3-7766-0872-2

Die Veröffentlichung dieses Buches dient in erster Linie der Vogelwelt, in zweiter Linie den Menschen, denn wenn die sensiblen Warnzeichen der Natur, die Lebenslichter der Vögel, zu flackern beginnen, ist auch der Mensch in Gefahr.

Diese Erkenntnis, die unbestritten ist, muß uns wach machen und zu neuem Denken und Handeln bewegen. Vor den erschütternden Fakten einer zum Teil aussterbenden Vogelwelt und den daraus resultierenden Problemen für das Gleichgewicht der Natur ist es müßig zu fragen, wer für ihre Erhaltung zuständig ist. Wir alle sind es!

Die Beherrschung der Technik und unsere Erfolge dürfen nicht darüber hinwegtäuschen, daß auch wir nur ein Teil der Natur sind. Blindes Vertrauen auf unsere Fähigkeiten und unseren Erfindergeist ist nicht angebracht. Die Situation ist ernst und zwingt zu Maßnahmen. Da dies aufgrund mangelnder Information weiten Kreisen noch nicht bewußt ist, möchten wir – neben unseren umfangreichen Umweltschutzmaßnahmen – mit diesem Buch einen aufklärenden und Verständnis weckenden Beitrag zur Erhaltung der Vogelwelt leisten. Denn nicht Absicht, sondern Unwissenheit ist die Ursache für viele Gefährdungsfaktoren der Vogelwelt.

Die Zeit zu kritischer Auseinandersetzung mit den ökologischen Problemen ist da. Möge dieses Buch ein Beitrag sein, unser Bewußtsein zu schärfen und neue Wege zu finden, die uns helfen, nicht gegen die Natur, sondern mit der Natur zu wirtschaften. Hierzu bekennen wir uns.

 Lufthansa

Wenn die Vögel bedroht sind,
ist auch der Mensch in Gefahr

Täglich wird der Bestand der Vögel in der Bundesrepublik reduziert. Sie sterben nicht an Hunger, Krankheit oder hauchen ihr Leben als Beute der Falken aus. Sie scheitern im Überlebenskampf an den Veränderungen der Umwelt und den weltweiten Folgen der Industrialisierung. Fahrende Autos, Überlandleitungen oder vergiftete Nahrung sind Gefahren, die in ihrem natürlichen Warnsystem nicht programmiert sind. Der überall gegenwärtige Mensch mit seinen technischen Hilfsmitteln nimmt ihnen die Chance zum Überleben. Zu hohe Verluste und zu wenig Nachkommen führen zum stetigen Rückgang von Vogelpopulationen. Von den ehemals 238 in der Bundesrepublik brütenden Vogelarten sind 19 bereits ausgestorben. Weiteren 86 Arten droht das gleiche Schicksal, wenn nicht unverzüglich Hilfsmaßnahmen eingeleitet werden.

Was bedeutet das für uns? Brauchen wir die Vögel, oder können wir auch in einer Welt ohne Vögel leben? Welche Ursachen liegen der fortschreitenden Dezimierung zugrunde, und was können wir dagegen tun? Fragen, auf die dieses Buch vor dem ernsten Hintergrund, daß ein Aussterben der Vogelwelt auch den Menschen in Gefahr bringt, eingeht.

Die Welt der Vögel ist auch die unsere. Die Zerstörung ihrer Lebensgrundlagen trifft nicht nur sie, sondern auch uns. Vögel reagieren jedoch sensibler auf Umwelteinflüsse und sterben schon an Ursachen, die der Mensch noch gar nicht registriert. So ist zum Beispiel der Einsatz von DDT in den USA, in der Bundesrepublik Deutschland und in vielen anderen Ländern verboten worden, als man entdeckte, daß sich die Giftstoffe im Gewebe bestimmter Vogelarten anreichern und so zu deren Tod führen. Ihr Tod hat den Menschen rechtzeitig gewarnt. Doch nicht immer sind die Ursachen so einfach zu erkennen oder gar abzustellen.

Die Hauptprobleme ergeben sich aus dem vernetzten Zusammenwirken verschiedener Umweltfaktoren und der vielfältigen Zerstörung ihrer Lebensräume. Auf diese Lebensräume mit ihren unterschiedlichsten Bedingungen haben sich bestimmte Vogelarten im Laufe der Entwicklung eingestellt und spezialisiert. So hat sich jeder Vogel seinen Platz im Gefüge der Natur erobert und erfüllt eine bestimmte Funktion. Wenn jetzt die Veränderung ihrer Lebensräume durch den Menschen zu ihrem Aussterben führt, ist das Gleichgewicht der Natur und somit auch unsere Lebensgrundlage gefährdet.

Am Beispiel der Vogelwelt lassen sich diese Zusammenhänge anschaulich verdeutlichen. Es werden deshalb in diesem Buch die Lebensräume der Vogelwelt in der Bundesrepublik aus der »Vogelperspektive« abgehandelt. Aus ihrer Sicht – in ihrem Interesse – beziehen wir kritisch unseren Standpunkt.

Diese Position hat dazu geführt, die bei uns vorkommenden Vogelarten den einzelnen Lebensräumen zuzuordnen. Die Grenzen sind jedoch fließend, da viele Vogelarten in mehreren Lebensräumen zu Hause sind oder sich auch gegebenenfalls in einen anderen einordnen lassen. Uns kam es auf eine für jedermann nachvollziehbare Einteilung an, die es ermöglicht, die Probleme der Lebensraumzerstörung mit ihren vielfältigen Auswirkungen auf die gesamte Umwelt zu verdeutlichen. Die Vogelwelt dient als thematischer Leitfaden, um auf Ursachen und Folgen hinzuweisen.

Nach einer Einführung in die Vogelwelt und einem Kapitel über Ökologie von Dr. Frederic Vester folgt eine Zusammenfassung der heutigen Umweltprobleme von Dr. Horst Stern. Zusätzlich berichtet Dr. Stern über die Probleme der Lebensräume jeweils am Anfang der Kapitel. Die darin vorkommenden Vogelarten mit ihren Wechselbeziehungen zur Umwelt werden im Anschluß daran in kurzer Form abgehandelt. Am Beispiel besonders gefährdeter Arten wird von Dr. Gerhard Thielcke auf spezielle Ursachen der Bedrohung und Möglichkeiten des Schutzes eingegangen.

Das Buch ist ein Beitrag zur Aktion »Rettet die Vögel – wir brauchen sie« und dient zur Aufklärung der breiten Öffentlichkeit über die heutige Umweltentwicklung.

Dabei geht es nicht darum, das Rad der Geschichte zurückzudrehen oder gar den Untergang heraufzubeschwören. Wir wollen aufklären und Verständnis wecken für die Zusammenhänge in der Natur. Denn viele Ursachen, die zum Aussterben der Vögel führen, sind nicht zwangsläufig oder unvermeidbar, sondern sehr oft auf mangelndes Wissen zurückzuführen. Doch ist das Interesse erst einmal geweckt, können sich gewiß nur wenige der Faszination der artenreichen Vogelwelt entziehen. Nur das emotionale Engagement vieler wird eine tragfähige Basis sein, wirkungsvolle Maßnahmen für den Vogelschutz zu realisieren. Hier setzt das Buch an. Wenn es dazu beiträgt, breiten Kreisen Zugang zur Vogelwelt im Zusammenhang mit der allgemeinen Umweltentwicklung zu verschaffen, hat es seinen Zweck erfüllt.

Doch wir erhoffen uns mehr als nur den Kommentar »interessant«. Wir möchten jeden Leser und Betrachter als engagierten Mitstreiter für das Anliegen gewinnen, das uns alle angeht: eine Zukunft in einer überlebenswerten Umwelt.

Rudolf L. Schreiber
Herausgeber

Verkehrsopfer Waldohreule.

Vögel – ein Thema mit 8600 Variationen

Die Welt der Vögel ist eine Welt voller Wunder mit 8600 Variationen. So viele Vogelarten wurden bisher auf der Welt gezählt. Jede einzelne von ihnen ist, wenn man sie näher betrachtet, ein faszinierendes Meisterwerk der Natur.

Von den kleinsten Kolibris, die nicht viel größer als eine Hummel sind, könnte man zehn in einem normalen Brief von zwanzig Gramm verschicken. Die größten Vögel dagegen, die Strauße, werden fast drei Meter hoch und über drei Zentner schwer.

Jede Vogelart auf der Welt hat sich auf irgendeine Weise spezialisiert. Da gibt es Vögel, deren Lebensraum das Unterholz von Wäldern ist. Sie haben sich so diesem Raum angepaßt, daß sich ihre Flügel im Laufe der Jahrmillionen zu Stummeln zurückgebildet haben.

Andere dagegen haben die Luft zu ihrem Lebensraum erkoren und segeln monatelang ausdauernd über die Meere oder jagen mit unvorstellbarer Geschwindigkeit ihre Beute.

Es gibt Vögel wie die Spechte, die sich ihre Wohnungen in die Bäume meißeln, oder andere, wie die Uferschwalbe, die sich Gänge in die Erde graben.

Die Außenkanten der Eulenfedern sind aufgefasert. Dadurch fliegen die Eulen lautlos.

Die einen tauchen mit ihren Schwimmhäuten mehr als siebzig Meter tief unter Wasser, die anderen fliegen in zehn Kilometer Höhe über die Gebirge. Vögel leben im Wüstensand der Sahara und in den Kältezonen der Antarktis. Wohin auch immer menschliche Pioniere vordrangen, trafen sie auf Vertreter der Vogelwelt – in den höchsten Bergregionen der Welt genauso wie auf der unvorstellbaren Weite der Weltmeere.

In der Bundesrepublik brüten heute noch rund 220 Vogelarten. Allein über sie läßt sich Erstaunliches und Faszinierendes berichten.

Nicht ein Vogel gleicht dem anderen. Jede Art zeichnet sich durch unterschiedliches Aussehen und unterschiedliche Verhaltensweisen aus. Diese Variationsbreite der Natur drückt sich darin aus, daß es perfekte Flieger, Schwimmer, Taucher, Navigatoren, Kletterer, Architekten, Handwerker, Fischer, Turnierkämpfer, Grundbesitzer und sonstige Berufe in der Vogelwelt gibt. Sie alle spielen irgendeine Rolle im Kreislauf der Natur und sind dementsprechend als Perfektionisten ausgerüstet. Sie sind bestens ausgestattet zum Fliegen, haben unübertroffene Werkzeuge zum Picken, Meißeln, Knacken, Fangen, Stochern, Zerreißen und vieles mehr.

Doch manch Verblüffendes bringt erst moderne Technik an den Tag. So hat kürzlich ein amerikanisches Team von Wissenschaftlern einen auf die Beute stoßenden *Wanderfalken* gefilmt. Eingesetzt wurde hierbei eine speziell für die Raumfahrt entwickelte Kamera, die dem bewegten Objekt automatisch folgt.

Als früherer Steppenbewohner setzt sich die Feldlerche nicht auf Bäume, sondern markiert im Fluge singend ihr Revier aus der Luft.

Der Film zeigte, was das menschliche Auge kaum erfassen kann. Ein herabschießendes Etwas, einen tropfenförmigen Körper mit angelegten Flügeln, der, wie die Messungen ergaben, bis zu 350 km in der Stunde erreichte. Doch der rasend schnelle Sturzflug auf die Beute ist nur eine Form des Jagens. Wenn die Tagjäger, wie Wanderfalken, Habichte, Bussarde, Sperber und Milane, sich den Platz für die Nacht suchen, werden sie in der Jagd von den Eulen abgelöst.

Eulen haben sich auf den nächtlichen Beutefang spezialisiert und dafür bestimmte Fähigkeiten entwickelt. Wenn Stare, Tauben oder Krähen immer noch eine relativ große Chance haben, dem heranschießenden Wanderfalken zu entkommen, wenn sie ihn frühzeitig entdecken, dann sieht es für die Maus als Beute der *Schleiereule* in dunkler Nacht schlechter aus. Nicht daß die Eule die Maus nachts hervorragend sehen kann. Sie hört sie. Nur zwei Geräusche braucht eine Eule von der durch das Laub huschenden Maus zu hören, um blitzartig Entfernung und Richtung berechnen zu können, in der die Beute läuft. So jagen also Eulen nach Geräuschen. Und das lautlos. Denn wenn die Eule herangleitet, ahnt die Maus nichts. Kein Flügelschlag, kein Rauschen ist zu hören. Weiches Gefieder und ausgefranste Außenkanten an den Schwungfedern verhindern die Fluggeräusche.

Andere Vogelarten vollbringen oft auf ganz andere Art und Weise unglaubliche Höchstleistungen. So z. B. die *Feldlerche*, die hoch in die Luft steigt und dabei ihr faszinierendes Lied schmettert. Diese Leistung ist vergleichbar mit der eines Marathonläufers, der bei anstrengendem Laufen gleichzeitig aus voller Kehle singt.

Bei der Feldlerche hat die enorme Kraftanstrengung einen tieferen Sinn. Grundsätzlich muß man davon ausgehen, daß Vögel ihr Lied singen, um ihr Revier abzugrenzen. Je höher also ein Vogel sitzt, desto weiter ist sein Gesang zu hören und desto mehr Nachbarn wissen, daß dieses Revier besetzt ist.

Die Feldlerche jedoch macht von dieser bequemeren Art, auf der höchsten Spitze im Revier zu sitzen, keinen Gebrauch. Sie besiedelte früher Steppengebiete, in denen es keine Bäume und Büsche gab. Das ist der Grund, weshalb sie sich auch in unserer Gegend zu ihrem mitreißenden Gesang hoch in die Luft schraubt.

Spechte wiederum sind keine großen Flieger und keine imponierenden Sänger. Sie haben sich vollkommen auf das Leben auf Bäumen eingestellt. Wie der *Mittelspecht* beispielsweise. Für sie sind der Baumstamm und die dicken Äste interessant, an denen sie herumklettern und geschickt, sich mit dem Schwanz abstützend, die Rindenspalten nach Insekten absuchen. Außerdem sind Spechte perfekte Baumeister. Mit ihrem Schnabel meißeln sie ihre Bruthöhlen in das Holz. Der Mittelspecht wählt hierzu am liebsten Eichen aus. Weshalb das so ist, konnte bis heute nicht geklärt werden.

Eine andere Vogelart, die an Binnenseen und Küsten lebt, ist die *Küstenseeschwalbe*. Sie kann normalerweise nicht schwimmen, trotzdem stürzt sie sich ins Wasser, um ihren Nahrungserwerb, den Fischfang, zu betreiben. Dabei fliegt sie suchend über die Brandung. Kunstspringer würden vor Neid erblassen vor der Leistung dieses Vogels, der fast ohne einen Spritzer ins Wasser eintaucht.

Im Frühjahr, wenn die Zeit der Partnerwahl gekommen ist, vollführt die Küstenseeschwalbe ein außergewöhnliches Zeremoniell: Die Partner eines Paares schenken sich Fische als Hochzeitsgeschenk.

Doch das Erstaunlichste, was es über die Küstenseeschwalbe zu berichten gibt, ist ihre Leistung als Zugvogel. Im Herbst eines jeden Jahres verlassen sie ihre Brutplätze in Grönland und anderen nordischen Ländern, überqueren den Atlantik und ziehen an der Westküste Afrikas entlang in die Antarktis.

In der Zeit, in der bei uns tiefer Winter herrscht, erlebt die Küstenseeschwalbe dort ihren zweiten Sommer. Im Frühjahr geht es dann wieder zurück in die nordischen Brutgebiete. Auf diesen Wanderungen müssen sie mehr als 40 000 km im Jahr zurücklegen. So fliegt eine Küstenseeschwalbe einmal im Jahr fast um die Erde.

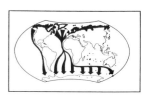

Die Küstenseeschwalbe zieht von ihren Brutgebieten im hohen Norden bis in die Antarktis.

11

Vögel – die perfekten Flieger

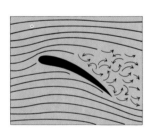

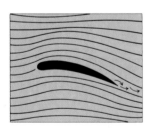

Unten: Beim Segelfliegen entsteht über dem Flügel ein Teilvakuum und unter dem Flügel ein Überdruck. Dadurch erhält der Vogel Auftrieb.
Mitte: Zum Höhersteigen stellt er die Flügelvorderseite aufwärts. Das Entstehen von Wirbeln . . .
Oben: . . . verhindert der Vogel durch Abspreizen einer kleinen Feder an der Flügelvorderseite.

Für den Winterurlauber am Mittelmeer oder auf Teneriffa ist das Sonnenbad zu Weihnachten selbstverständlich. Er denkt kaum noch darüber nach, daß für ihn ein uralter Menschheitstraum Wirklichkeit geworden ist; einfach fortfliegen, wenn das Wetter bei uns ungemütlich wird. Flugzeuge machen es heute für den Menschen möglich, was unsere Vorfahren neidvoll den Zugvögeln überlassen mußten.

Nur wenige andere Tiergruppen sind so sehr auf das Fliegen eingestellt wie die Vögel. Dazu waren viele Anpassungen notwendig, die sich im Verlauf von vielen hunderttausend Jahren entwickelt haben. Eine dieser Grundausstattungen ist den Vögeln buchstäblich in die Knochen gefahren, denn viele ihrer Knochen sind hohl, weil es beim Fliegen auf ein möglichst geringes Körpergewicht ankommt. Andere Körperteile sind auf Spitzenbelastung eingestellt, so die Brustmuskeln, die die Flügel bewegen. Bei manchen Hochleistungsfliegern ist dieser Brustmuskel so groß, daß er ein Drittel des gesamten Körpergewichts ausmacht. Welche Anforderungen das Fliegen an den Vogel stellt, läßt schon die Zahl der Flügelschläge ahnen. Manche Kolibriarten bringen es auf zweihundert in einer Sekunde.

Bei einer solchen Arbeitsleistung muß der ganze Körper ständig reichlich mit Sauerstoff versorgt werden. Dazu haben die Vögel ein im Tierreich einzigartiges Luftsacksystem entwikkelt, das einen Teil ihres Körpers ausfüllt und sogar bis in die hohlen Knochen reicht. Über die Luftsäcke nimmt die Vogellunge auch beim Ausatmen Sauerstoff auf. Dadurch wird die eingeatmete Luft viel besser ausgenutzt, als das anderen Tierarten möglich ist. Außerdem wird durch schnelles Atmen viel Sauerstoff aus der Luft aufgenommen. Ein fliegendes Rotkehlchen atmet zwanzigmal schneller als ein Mensch in Ruhe.

Der vom Blut aufgenommene Sauerstoff wird blitzschnell durch den Körper gejagt. Die Pumpe dafür ist das Herz, das bei einem Rotkehlchen achtmal so schnell schlägt wie beim Menschen.

Für das Fliegen sind also schnell ablaufende Körperfunktionen und besondere Anpassungen notwendig. Erst beides zusammen hat aus dem zaghaften Gleiten und Flattern der ersten Vögel vor Millionen von Jahren vollkommenes Fliegen gemacht, das jede menschliche Flugmaschine in den Schatten stellt.

Die Geheimnisse des Fluges

Es sieht so einfach aus, wenn sich ein Vogel in die Luft erhebt. Doch wie kompliziert das Fliegen tatsächlich ist, wurde deutlich aus Filmaufnahmen in Zeitdehnung, die den schnellen Ablauf des Vogelfluges überschaubar machten. Die acht Kohlmeisenbilder auf dieser Seite zeigen dies deutlich.

Der fliegende Vogel muß mit drei Kräften fertig werden: Die Schwerkraft zieht ihn unerbitt-

Ein junger Vogel, den man am Flügelschlagen hindert, fliegt am Tage, an dem seine Geschwister ausfliegen, genauso gut wie sie. Nur schwierige Flugmanöver, wie das Landen, werden beim erstenmal nicht vollkommen beherrscht. Hier wird offensichtlich dazugelernt. Das Fliegen selbst ist dagegen angeboren.

Das Fliegen mit schlagenden Flügeln, wie es die Bildserie von der Kohlmeise auf dieser Seite zeigt, ist viel schwieriger als Segelfliegen. Deshalb sind auch Flugzeuge, die das Schlagen der Vogelflügel nachahmen, über kleine Modelle nie hinausgekommen. Dagegen wird der Segelflug mit starren Flügeln wesentlich besser beherrscht. Der Flügel eines Vogels und eines Flugzeugs ist oben konkav und unten konvex. Beim Vorwärtssegeln fließt die Luft über den Flügel schneller hinweg als unten am Flügel vorbei. Dadurch ent-

lich nach unten zurück auf die Erde. Der Luftwiderstand bremst seinen Flug, und die Luftwirbel, die durch die eigene Bewegung entstehen, bringen ihn zum Absturz.

All diesen Einflüssen müssen die Vögel durch Flügelbewegungen und Federstellungen in Bruchteilen von Sekunden begegnen.

Der Schwerkraft wirkt der fliegende Vogel mit dem Abschlag seiner Flügel entgegen, wie ihn das vierte, fünfte und sechste Kohlmeisenbild zeigen. Der körpernahe Teil des Flügels sorgt dabei für den Auftrieb. Die Federn an der Flügelspitze

Beim Aufschlag dreht der Vogel die Flügelfedern so, daß die Luft zwischen den Federn durchströmen kann, beim Abschlag legt er sie übereinander, so daß der ganze Flügel eine Fläche bildet.

treiben den Vogel vorwärts. Sie werden nach oben gebogen, wie das fünfte und sechste Bild deutlich erkennen lassen, und bekommen damit eine den Luftwiderstand überwindende Propellerwirkung.

Es ist leicht einzusehen, daß der Vogel beim Flügelabschlag nach oben gedrückt wird; aber wie verhindert er die entgegengesetzte Wirkung beim Flügelaufschlag? Er dreht die Flügelfedern, wie wir eine Jalousie öffnen, und läßt dabei die Luft durch den Flügel hindurchströmen. Beim Abschlag stellt er die Federn wie die Lamellen einer geschlossenen Jalousie: Der ganze Flügel bildet damit eine Fläche und erzielt mit dem Abschlag den größtmöglichen Auftrieb.

Fliegen ist angeboren
In der letzten Zeit vor dem Ausfliegen der Jungen flattern die Jungen häufig im Nest auf der Stelle. Das macht auf uns den Eindruck, als ob sie das Fliegen lernen müßten. Doch das ist nicht richtig.

steht über dem Flügel ein Teilvakuum und unter dem Flügel ein Überdruck. Beides zusammen gibt dem Vogel den Auftrieb. Zum Höhersteigen stellt er die Flügelvorderseite aufwärts. Das Entstehen von Wirbeln hinter dem Flügel, die den Vogel leicht zum Absturz bringen könnten, wird durch Abspreizen einer kleinen Feder an der Flügelvorderseite verhindert.

Zum Segeln sind jedoch nicht nur die richtige Konstruktion und richtiges Verhalten notwendig, sondern auch bestimmte Luftströmungen in Form von Aufwinden. Sie entstehen an Berghängen und an Schiffen auf dem Meer durch die Ableitung des Windes nach oben. Der Steinadler nutzt sie zum Segeln im Gebirge, die Silbermöwe neben Schiffen. Aufwinde entstehen auch durch die unterschiedliche Erwärmung der Erde. Mäusebussard und Steinadler können sich in Aufwinden kreisend ohne einen Flügelschlag so hoch in die Luft schrauben, daß wir sie kaum noch als Punkte am Himmel erkennen können.

Vögel –
die Anpassungs- und
Überlebenskünstler

Die Küstenseeschwalbe, die als vollkommener Flieger und Weltumsegler ihre Nahrung aus dem Wasser fischt, ist nur eine Variation des Themas »Fliegen und Tauchen«. An unseren Bächen und Seen leben Vögel, die ebenso wie die Fische auf das Wasser angewiesen sind. Ein besonders schöner Vertreter dieser Arten ist der bunt schillernde Eisvogel. Er lebt an Bächen und Flüssen. Dort beobachtet er von einem über das Wasser ragenden Ast oder auch im Rüttelflug, bei dem er wie angenagelt in der Luft steht, was sich unter Wasser bewegt.

Sobald er einen Fisch in der für ihn geeigneten Größenordnung oder ein Wasserinsekt entdeckt, stürzt er sich wie ein Stein ins Wasser, packt die Beute mit seinem Schnabel und schnellt wie ein Korken wieder an die Oberfläche.

Fliegen stellt hohe Anforderungen an das Gefieder eines Vogels, noch mehr aber das Tauchen. Schon ein kleiner Schaden an den Federn kann die Wärmeisolation des Vogels empfindlich stören und ihn zu einem sicheren Todeskandidaten machen. Deshalb sind ständiges Putzen und Einfetten des Gefieders für Wasservögel besonders wichtig. Sie beschäftigen sich damit einen großen Teil des Tages. Das Fett liefert dafür die Bürzeldrüse, die bei tauchenden Vogelarten sehr groß ausgebildet ist.

Die Möglichkeiten des Nahrungserwerbs sind auch im Wasser vielfältig. Es gibt hier nicht nur Fische und große Insektenlarven, sondern auch eine Vielzahl kleiner Pflanzen, Krebse und Schnecken. Um eine solche Nahrungsquelle voll ausschöpfen zu können, hat die bei uns vorkommende Löffelente einen besonderen Schnabel entwickelt. Bei der Nahrungsaufnahme steckt sie ihn ins Wasser und saugt das Wasser mitsamt der kleinen Lebewesen in den Schnabel. Während an den Schnabelwinkeln das Wasser wieder hinausläuft, bleibt die Nahrung an den Zahnleisten der Schnabelränder und an der Zunge hängen. Die

Der Eisvogel stürzt von einem Zweig wie ein Stein ins Wasser und taucht dem eben entdeckten Fisch nach.

besondere Form ihres Schnabels mit der löffelartig verbreiterten Filteranlage hat ihr den Namen Löffelente eingebracht. Löffelenten können nur da leben, wo sehr große Mengen von Kleinlebewesen vorkommen. Dort ist das Nahrungsangebot allerdings so groß, daß sich die Enten gegenseitig keine Konkurrenz machen. Im Gegenteil, sie schwimmen gern zu mehreren dicht beieinander hin und her und wirbeln sich damit die Nahrung zu.

Wie alle Enten und viele andere Wasservögel auch hat die Löffelente zwischen den Zehen Schwimmhäute. Sie ermöglichen beim Zurückstoßen der Füße ein schnelles Schwimmen.

Die Federn der Löffelenten leuchten in so auffälligen Farben, daß man annehmen könnte, sie hätte natürliche Feinde nicht zu fürchten. Das trifft jedoch nicht zu. Sie muß sehr wachsam sein, um sich ihren Feinden jederzeit durch schnelle Flucht entziehen zu können. Gegenüber Raubsäugern wie Fuchs und Marder ist das einfach, weil diese nicht fliegen können. Kaum ist der Vogel vor einem Fuchs aufgeflogen, ist er vor ihm auch schon in Sicherheit. Anders ist es, wenn Greifvögel auftauchen. Sie können selbst fliegen – ja, sie fliegen sogar schneller als ihre Beute. Doch sehr schnell fliegen können Seeadler, Wanderfalke und Habicht nur für kurze Zeit. Auch sie sind darauf angewiesen, ihre Beute zu überraschen. Der wachsame Vogel hat also gute Chancen, seinen Feind frühzeitig zu entdecken und zu fliehen oder sich zu verstecken. So verhalten sich die auffälligen Vögel.

Viele Wasservögel haben zwischen den Zehen Schwimmhäute. Diese gestatten schnelles Schwimmen.

Die Löffelente filtert winzig kleine Pflanzen und Tiere aus dem Wasser. Sie findet nur in Gewässern mit hohem Nährstoffgehalt genügend Nahrung.

Andere setzen auf »Nummer Sicher«, besonders solche, die in wenig deckungsreichen Landschaften leben, wie die Lerchen. Ihre Rückenfarbe ist dem Boden so gut angepaßt, daß sie für das Greifvogelauge nahezu unsichtbar sind, wenn sie regungslos auf dem Boden sitzen. Nicht anders ist es mit den rindenfarbigen Baumläufern und dem Ziegenmelker. An einem Baumstamm hängend, ist ein Baumläufer ebenso unsichtbar wie ein tags auf einem Ast schlafender Ziegenmelker. Auch alle tagsüber in Bäumen schlafenden Eulen haben ein tarnfarbiges Federkleid. Wenn sie das nicht hätten, könnten sie leicht die Beute des Habichts werden. Ganz besonders wichtig ist die Tarnfarbe für Vögel, die am Boden oder im Gebüsch brüten. Viele verlassen sich auf ihre Tarnfarbe so sehr, daß sie einen Feind bis unmittelbar an das Nest kommen lassen, ohne das Nest zu verlassen. Sehr oft haben sie damit Glück, weil sie mit ihrer Gefiederfarbe vortrefflich an ihre Umgebung angepaßt sind. So sind die Weibchen fast aller Entenarten unscheinbar gefärbt, während ihre Männchen durch besondere Farbenpracht auffallen. Beim Odinshühnchen ist dagegen das Weibchen prächtiger als das Männchen, denn bei ihm sind die Rollen vertauscht: Nur das Männchen brütet.

Während sich erwachsene Vögel mit schnellen Flügelschlägen vor Feinden in Sicherheit bringen können, sind flugunfähige Vogeljunge sowohl durch Raubsäuger als auch durch Greifvögel und Nestplünderer bedroht, also viel mehr Gefahren ausgesetzt. Nicht gesehen und nicht gehört werden ist für sie zum Überleben unerläßlich. Deshalb sind die Küken vieler Nestflüchter durch ihre Tarnfarbe nur schwer zu erkennen, wenn sie sich bewegungslos auf den Boden drücken. Das tun sie sofort, wenn sie einen Greifvogel erspäht haben oder wenn sie die Alarmrufe ihrer Eltern hören.

Kleinvögel, die im Wald leben, verfügen sogar über ein eigenes Alarmsystem. Taucht ein Sperber auf, stoßen sofort alle, die ihn entdeckt haben, ein langgezogenes ziiii aus, das bei verschiedenen Vogelarten ganz ähnlich klingt. Jeder Vogel, der einen solchen Alarmruf hört, stürzt in Deckung oder verhält sich ganz ruhig, bis die Gefahr vorbei ist.

Weit verbreitet ist auch eine Verhaltensweise, mit der Eltern durch auffälliges Benehmen einen Bodenfeind vom Nest oder von den Jungen fort-

locken. Zu besonderen Fähigkeiten hat es darin der Sandregenpfeifer gebracht, der mit hochgestellten Flügeln scheinbar todkrank zuckende Bewegungen macht, sich mit gespreiztem Schwanz, abgestellten Flügeln und ausgestrecktem Hals wie tot auf den Boden legt oder wie eine Maus kreischend umherrennt. Dabei hält der Vogel den Fuchs oder den Menschen ständig im Auge und wahrt gerade so viel Abstand, um dem womöglich zuspringenden Fuchs gerade vor der Nase fortfliegen zu können. Hat der Vogel den Räuber weit genug vom Nest oder von den Jungen fortgelockt, fliegt er zurück zu seiner Brut und läßt den verprellten Nesträuber zurück.

Nicht nur die Färbung von Alten und Jungen ist das Ergebnis einer langen, erbarmungslosen Auslese, sondern auch die Farbe und Fleckung der Eier. Die Eier sind um so besser getarnt, je weniger wehrhaft die Vogelart und je offener der Neststandort ist. So müssen die Eier des Bodenbrüters Kiebitz mit der Umgebung verschmelzen, während sich die Waldohreule, die den ganzen Tag ohne Brutpause im Nest sitzt, auffallend weiße Eier leisten kann.

Schließlich soll aber auch der zu seinem Recht kommen, der mißtrauisch ist, wenn Wissenschaftler auf alle Fragen eine Antwort wissen. Warum das Ei der Singdrossel so schön und auffällig sein kann, ist unbekannt.

Mit dem Ei sind wir am Anfang eines Vogellebens angelangt. Jedes Ei birgt in sich ein Wunder, das Wunder Vogel.

Durch auffälliges Benehmen lockt der Sandregenpfeifer einen Nesträuber von seinem Nest fort.

Der Ziegenmelker, der tagsüber schläft, ist wie ein Stück Rinde gefärbt. Auf einem Ast sitzend, ist er als Vogel kaum zu erkennen.

Oben: Das Ei des Bodenbrüters Kiebitz ist sehr gut getarnt.
Mitte: Die Waldohreule, die tagsüber meist schlafend auf ihren Eiern sitz, kann sich auffallend weiße Eier leisten.
Unten: Warum die Singdrossel so prächtig gefärbte Eier hat, ist unbekannt.

Frederic Vester

Leben –
das große Abenteuer

Seit Jahrmillionen entsteht Leben aus Leben – und wird auch Leben durch Leben vernichtet. Und doch hat sich heute einiges entscheidend verändert: Immer häufiger ist z. B. schon das Leben im Ei bedroht – nicht weil natürliche Feinde darauf lauerten, sondern weil lebensfeindliche Umweltfaktoren einwirken. Faktoren, die nicht einmal im Sinne der Auslese zwischen guten und schlechten Anlagen unterscheiden. Seit Beginn der Neuzeit sind bereits 360 Tierarten ausgestorben. In immer rascherer Folge. Weitere 1 200 stehen kurz davor, weil die Ökologie, der Haushalt der Natur, aus dem Gleichgewicht geraten ist.

Ein neuer Erdenbürger

Zum ersten Mal erblickt er das Licht dieser Welt. Billionen von Lebewesen haben es schon vor ihm getan, und viele werden es nach ihm tun. Auch wenn dieses Küken schon längst wieder zu Staub zerfallen ist. Das Leben geht weiter. Seit vier Milliarden Jahren hat dieses Leben es geschafft, sich allen Widernissen zum Trotz auf diesem Planeten zu behaupten und sogar noch weiterzuentwickeln. Heute wissen wir, daß das nur möglich war, weil alles Leben auf der Erde bis in die kleinsten Mikrodimensionen hinab miteinander verzahnt und aufeinander eingespielt ist. Kein Lebewesen kann für sich allein existieren. Nur die enge Vernetzung zwischen allen Lebewesen macht ein Überleben möglich. Das gilt auch für den Menschen. Mit Haut und Haar ist er in dieses Wechselspiel eingebettet. Jeder Bissen Brot, jeder Zug sauerstoffhaltiger Luft, jedes Kranksein durch Bakterien oder Viren erinnert daran. Doch

das meiste von dieser Vernetzung sehen wir nicht. Kaum sind wir uns z. B. der ständigen *Hilfe* jener Mikroben bewußt. Ohne sie könnten wir nicht verdauen, fehlten uns lebenswichtige Vitamine, und Haut und Schleimhäute wären nicht geschützt. Ähnlich ist es mit vielen Kräutern und Samen, Insekten und Würmern und nicht zuletzt den Vögeln, deren Existenz auch für unser Leben so nötig ist wie das tägliche Brot. Die Freude an ihrem Gesang, an ihrem bunten Gefieder ist nur ein Hinweis dafür. Vielleicht sind wir deshalb darauf programmiert, sie schön zu finden, weil wir nicht wissen, wie sehr wir sie brauchen:

Ihre Wohnstätten, Hecken, Bäume, Feuchtgebiete, stabilisieren auch *unsere* Ökosysteme. Wenn wir ihnen diese Wohnstätten entziehen, dann schaden wir uns selbst. Ihr Tod, der Rückgang ihrer Zahl warnt uns vor Gefahren, vor Umweltgiften, die wir verursachen. Gifte und Gefahren nicht nur für sie. Sie sorgen für Vielfalt in der Natur, sie stabilisieren Nahrungsnetze und halten die Insektenarten im Gleichgewicht – und diese wiederum die Vögel. Beschneiden wir diese Vielfalt, so töten wir auch sie. Damit bringen wir Gleichgewichte zu Fall, kostenlose Kontrollen – und müssen nun auch deren Arbeit übernehmen. Müssen mit teuren giftigen Insektiziden reparieren und überbrücken, und richten doch nur ein um so größeres Chaos an, ja töten weitere Glieder dieses Netzes und bringen es endgültig durcheinander.

Erst allmählich beginnen wir das Geheimnis solcher Vernetzungen zu lüften. Die Wissenschaft, die sich damit befaßt, ist die Ökologie. Sie hat gezeigt, daß Eingriffe des Menschen in hochkomplizierte Systeme nicht ohne Folgen bleiben. Ja, daß zunehmend gerade das gefährdet wird, was die Basis allen Lebens ist: das im Laufe der Jahrmillionen eingespielte Gleichgewicht der Natur. Seine Zerstörung wäre auch für den Menschen tödlich.

Die Gefahr einer solchen Zerstörung war früher kaum gegeben. Lange Zeit konnten wir unbesorgt mit der Umwelt hantieren. Sie war groß, ja gewaltig, gemessen an der Zahl der Menschen. Sie konnte ausgleichen, puffern, sich erholen. Inzwischen hat die Menschendichte eine Größe erreicht, die es nicht mehr erlaubt, einfach planlos wie bisher vor sich hin zu wursteln. Die ersten Rückschläge – auch wirtschaftlicher Art – bekommen wir zunehmend zu spüren.

Die Einbeziehung der ökologischen Zusammenhänge in alles Planen und Handeln ist lebensnotwendig geworden. Die Zeit ist vorbei, wo Eingriffe des Menschen von den unendlichen Reservaten an Raum, Luft und Wasser, Tier- und Pflanzenwelt kostenlos ausgeglichen wurden. Sie wirken plötzlich auf den Menschen selbst zurück und führen ihm damit eindringlich vor Augen, was er eigentlich ist: ein Produkt der Natur, das von ihren Störungen genauso betroffen ist wie alle anderen Lebewesen auch.

Kein Lebewesen kann für sich allein existieren. Nur das enge Zusammenwirken aller Lebewesen macht ein Überleben möglich.

Mit einer Handvoll Regeln hat es das Leben seit Milliarden von Jahren geschafft, sich allen Widernissen zum Trotz auf diesem Planeten zu behaupten – und sogar noch weiter zu entwickeln. Lebewesen, die gegen diese Regeln verstoßen, mögen zunächst andere vernichten, doch letztlich schaufeln sie sich selbst das Grab. Ein Gesetz, mit dem die Biosphäre sich seit eh und je von Störenfrieden befreit hat.

Die einstmals unendlichen Reservate von Raum, Luft und Wasser mit ihrer Lebewelt können die Eingriffe des Menschen nicht mehr ausgleichen. In vielen Fällen sind wir gezwungen, eine neue Steuerrolle zu übernehmen, damit das Zusammenwirken zwischen Mensch und Umwelt – die einzige Garantie auch für unser eigenes Überleben – nicht zusammenbricht.

Lebensquelle Sonnenlicht

Die Sonne. Sie ist die direkte Quelle aller Energie. Tag für Tag strahlt sie gewaltige Energiemengen auf die Erde ein. Und fast die ganze Menge strahlt die Erde wieder ab – sonst müßte sie ständig wärmer werden. So werden 30 % dieser Energie schon gleich von der oberen Atmosphäre wieder zurückgeworfen und 46 % – nach Umwandlung in Wärmestrahlung – von der Erdoberfläche. Von den restlichen 24 % werden 23 % für die Verdunstung von Wasser verbraucht, und 1 % finden sich in der Bewegung der Winde, der Wellen und Meeresströmungen. Nur knapp ein Dreitausendstel, nämlich 0,027 %, werden über die Fotosynthese durch das Blattgrün der Pflanzenzelle aus dem Sonnenlicht absorbiert. Dieser Teil erhält die gesamte Biosphäre – Pflanzen, Tiere und uns selbst – am Leben.

Unsere Erde mit ihrer Biosphäre, mit dieser empfindlichen und doch so zähen »Lebenshaut«, die sich um den Planeten spannt, ist eine recht selbständige Einrichtung. Mit den Schätzen, die sich auf ihr befinden, hat das Leben schon mehrere Milliarden Jahre gewirtschaftet. Sie reichen auch für eine dauerhafte Weiterexistenz von Leben aus. Eigentlich ist sie nur in einem Punkt von außen abhängig: in der Versorgung mit Energie. Denn diese muß sie von einem anderen Himmelskörper beziehen, der Sonne.

Ihre Leistung ist gigantisch: Tag für Tag strahlt dieses Superkraftwerk eine Energiemenge von 4000 Milliarden Megawatt auf die Erde ein. Zum Vergleich: Dafür brauchte man fünf Milliarden Kernkraftwerke – alle 170 Meter eines (!), sozusagen die gesamte Landfläche der Erde als ein einziger Kraftwerkpark.

Die Lebewelt, das sieht man aus diesem Vergleich, braucht offenbar für ihre Existenz nur einen winzigen Bruchteil dieser von der Sonne eingestrahlten Energie. Aber selbst der ist nicht unbeträchtlich: Alle Lebewesen zusammengenommen fangen so viel Sonnenenergie ein, daß man damit bequem 20 000 Weltstädte von der Größe New Yorks versorgen könnte. Mensch und Tier brauchen allerdings einen Mittler, um neben Licht und Wärme auch sonst von der Sonne zu profitieren: die Pflanzen. Nur sie wandeln die Sonnenenergie mit Hilfe raffinierter Techniken in chemische Energie um. In eine Energieform, die dann auch der Mensch über Produkte wie Brot, Obst, Gemüse und Fleisch (indirekt über pflanzliches Tierfutter) für sich verwertet. Kurz: Energie in gespeicherter Form, die nach Bedarf abgerufen werden kann.

Außer für die Nahrungsproduktion ist die Sonnenenergie aber noch für eine andere Arbeit wichtig: als Antrieb für die natürlichen Kreisläufe. So gäbe es ohne die Sonneneinstrahlung keine Wasserverdunstung und damit auch kein Süßwasser. Denn dieses entsteht ja zunächst ein-

Pflanzen wandeln die Sonnenenergie in chemische Energie um. Erst in dieser Form wird sie als Energiequelle für den Aufbau von Mensch und Tier verwertbar. Im Grunde könnten beide ohne Sonnenlicht leben – und tun es auch vielfach. Denn die Pflanzen haben es für uns eingefangen – gespeichert in Form von Nahrungsenergie zum jederzeitigen Gebrauch.

mal durch Verdunstung von Meerwasser. Es gäbe auch keine Wolken, die uns vor allzu viel Sonne schützen, keinen Schnee und keinen kühlenden Regen. Es gäbe zwar das Meer, aber keine Bäche und Flüsse. Der gesamte Wasserkreislauf würde stillstehen, die Pflanzen verdorren.

Ähnlich ist es mit dem Wind. Er kommt dadurch zustande, daß die Luft von der Sonne unterschiedlich erwärmt wird. So entstehen Druckunterschiede, die durch Luftbewegungen wieder ausgeglichen werden. Fällt die Erwärmung weg, so fehlen auch die Luftdruckunterschiede, und es herrscht Windstille. Auch damit wäre das Leben erloschen. Denn Wind sorgt für die Verteilung von Sauerstoff, Feuchtigkeit, Temperaturausgleich, für die Bestäubung der Blüten und die Verbreitung von Sporen und Samen und spielt so eine wichtige Rolle für das Gleichgewicht in der Biosphäre.

Und auch mit dieser Bereitstellung verschiedener Energieformen ist die Bedeutung der Sonne für das Leben auf der Erde noch keineswegs erschöpft. Die wechselnde Stärke des Sonnenlichts ist die Grundlage für viele biologische Rhythmen: für den Wechsel zwischen Tag und Nacht, den Schlaf-Wach-Rhythmus, der unsere psychische Erholung steuert; für den Rhythmus der Jahreszeiten, für Winterschlaf, Haarwechsel und Brunftzeit; für die Vogelwanderungen – auch als Richtungsweiser –, für das Grünen im Frühling und das Blätterfallen im Herbst.

Die meisten Lebewesen benutzen diese Lichtschwankungen als Taktgeber für zahlreiche innere Vorgänge, die die Voraussetzung für höhere Lebewesen sind. Sie hätten sich ohne solche Rhythmen wohl niemals zu ihrer Leistungsfähigkeit und Vielfalt entfalten können.

Die Sonne ist der Motor für die Wasserverdunstung und die großen Klimakreisläufe, ohne die trotz der riesigen Weltmeere das Leben auf dem Lande längst verdorrt wäre.

Die Sonne dient auch als Kompaß für viele Tiere. Sie lockt und verjagt sie. Viele Zugvogelarten benutzen den Sonnenstand als Orientierung für ihre Flugrichtung, die Bienen als Wegweiser zu ihren Naschplätzen.

Lebensquelle Wasser

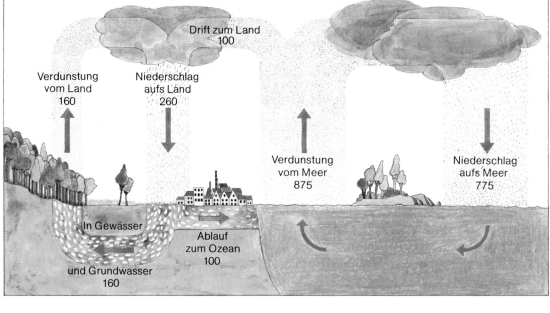

Der Wasserkreislauf. Eine gewaltige interkontinentale »Arbeit«, angetrieben durch die Kraft der Sonne und gespeist aus den Weltmeeren. Über dem Ozean und seinen Wolken und Regenfällen spielt sich bereits 80% des gesamten Wasserumsatzes ab – sozusagen eine riesige Pufferzone. Sie verstärkt den Wasserkreislauf über dem Land, das die von dort empfangene Wassermenge über die Flüsse wieder an das Meer zurückgibt.

Wasserkreislauf der Erde in Milliarden von Kubikmetern pro Tag

Beim Wasser, dem wohl kostbarsten irdischen Gut, müssen wir mit dem vorliebnehmen, was ein für allemal auf der Erde ist. Hier gibt es, anders als bei der Energie, keinen Zufluß von außen und – würden einmal die Eismassen der Pole schmelzen und die Erde überschwemmen – auch kein Abströmen nach außen. Ob wir viel oder wenig verwenden – die jährliche Niederschlagsmenge bleibt sich gleich. Trotz dieser Begrenztheit durchdringt es alles Leben.

Es müssen wohl die einzigartigen chemischen und physikalischen Eigenschaften sein, die es zum Urelement des Lebens machten, denen es zu verdanken ist, daß sich einst aus toter Materie Leben bilden konnte. Vielleicht in einem kurzen Moment, im polarisierten Sonnenlicht, auf brandungsumspülten Felsen, an der Grenzfläche zwischen fest, flüssig und gasförmig, zwischen Erde, Wasser und Luft, dort, wo sich ein entsprechend kompliziertes molekulares Kräftespiel entfalten konnte.

Auch heute noch bildet Wasser den Hauptbestandteil aller Lebewesen. Wir selbst bestehen zu 60% daraus. Diese enge Verbundenheit zeigt sich auch darin, daß fast alle Landbewohner einschließlich des Menschen »unter Wasser« heranreifen und erst dann an ihre »trockene Umwelt« freigegeben werden: Erinnerung an die ursprüngliche Geburtsstätte, die Heimat allen Lebens.

Diese Verbundenheit der alten Heimat mit den späteren Landbewohnern wird aufrechterhalten durch gewaltige interkontinentale Kreisläufe, die in allen fruchtbaren Winkeln der Erde für ein ständiges Gleichgewicht zwischen Wasserverbrauch und -nachschub sorgen. Ein Gleichgewicht zwischen Verdunstung, Regen und Abfluß, das bisher für das Wohlergehen der Natur und ihrer Geschöpfe dort vollkommen ausreichte. Erst der Mensch des Industriezeital-

ters – mit einigen Vorläufern in der Antike – verursachte ernsthafte Engpässe. Denn was er aus dem Grundwasser entnimmt, verbraucht, als Abwasser in die Flüsse und damit zusätzlich ins Meer schüttet, was er mit der Bewässerung über die angebauten Pflanzen verdunsten läßt oder in die Produktion jeder Tonne Stahl und Kunststoff hineinsteckt – das Tausendfache unseres persönlichen Verbrauchs, das alles erhöht keineswegs den Umsatz. Denn auf dem Ozean verdunstet deshalb nicht mehr Wasser. Es senkt vielmehr nur weiter den Grundwasserspiegel und beeinflußt damit ganz dramatisch eine Vielzahl kleinerer Kreisprozesse zwischen Boden, Pflanzen, Tierwelt und Klima und nicht zuletzt unserem eigenen Wohlergehen.

Der Wasserverbrauch unseres Landes liegt zur Zeit bei jährlich rund zwanzig Milliarden Kubikmetern. Nur ein gutes Drittel kann noch dem Grundwasser entnommen werden, den Rest muß man aus den Flüssen und Seen aufbereiten. Mit jeder Zunahme ihrer Verschmutzung und jedem Absinken des Wasserstands ist daher unsere Trinkwasserversorgung bedroht. Und so wie die drei großen Wasserspeicher der Erde, die Meere, das Land und die Luft, in ständiger Wechselbeziehung miteinander stehen, ist das Wasser auch in jedem Lebensraum auf das engste mit allen beteiligten Gliedern verflochten.

Nehmen wir nur die Wasservogelarten eines Ökosystems. Ihr Konkurrenzkampf um gemeinsame Nahrungsquellen und ihre Vermehrung sind von der Höhe des Wasserspiegels und der Wassertemperatur ebenso abhängig wie vom Sauerstoffgehalt des Wassers und von der Feuchtigkeit oder Trockenheit des Schlammes. Das gleiche gilt für das Verschwinden oder vermehrte Auftreten bestimmter Insekten-, Wurm- und Schneckenarten oder bakteriell bedingter Krankheiten, die alle selbst wieder mit dem

Das, was die Wasserpflanzen und der Schlamm produzieren, verbleibt, das es normalerweise von den Wasservögeln aufgenommen wird, nur zum kleinsten Teil in Form von Schwebe- und Sinkstoffen im Wasser. Bei einem gestörten Kreislauf – ohne Wasservögel – werden dagegen die Gewässer mit gut 90 % dieser Stoffe direkt belastet, indem sie zu Faulschlamm werden. Auch hier wieder ist die Vogelwelt nicht nur der Indikator dafür, ob ein System in Ordnung ist, sondern die Vögel halten es *aktiv* in Ordnung – für uns, die wir dadurch ein kostenloses Klärwerk zur Verfügung haben.

Gleichgewicht der beteiligten Vogelarten in Wechselwirkung stehen. Und genauso wie das Zahlenverhältnis verschiedener Enten ein Spiegelbild des gesamten ökologischen Systems ist, aus dem man sogar viele andere Faktoren errechnen kann, genauso kann es zur Sauerstoffabnahme, zum Schädlingsfall, zum Verlust der Selbstreinigungskraft und zum Umkippen der Gewässer kommen, wenn durch menschliche Eingriffe wie Jagd, Badebetrieb oder Einleiten von Abwässern sich lediglich eine bestimmte Entenart aus einem solchen Ökosystem zurückzieht.

Genauso bedeutet auch eine Pflanzendecke mit ihrer gesamten Lebewelt immer eine Versorgung der Luft mit Feuchtigkeit, die Entwicklung von Wolkenbildung und Regen, und wenn wir sie entfernen, auch immer eine Gefahr für das Klima und damit für das Leben schlechthin. Um so mehr gilt dies für die Zerstörung ganzer Ökosysteme, wie sie durch das rücksichtslose Vordringen durch Siedlung, Verkehrswege und Industrialisierung geschieht, obgleich man sich dadurch im wahrsten Sinne des Wortes selbst das Wasser abgräbt.

Mit betroffen von Eingriffen in den Wasserhaushalt ist also immer die gesamte Pflanzen- und Tierwelt, die auf dieses Element genauso angewiesen ist wie wir selbst. Doch diese Pflanzen- und Tierwelt ist es auch, die uns der beste Fingerzeig ist. Wo wir sie schützen, etwa im Erhalten von Mooren und Feuchtgebieten, schützen wir mit dem Wasser auch *unser* kostbarstes Lebenselement.

Sonnenlicht auf brandungsumspülten Felsen. Grenzfläche zwischen fest, flüssig und gasförmig – die Geburtsstätte der ersten Lebensformen. Zeit: Vor 4 Milliarden Jahren!

Wald im Morgendunst. Wasser ist nicht nur Nahrung für die Lebewelt, sondern als Faktor des Mikroklimas auch für ihr Wohlergehen wichtig. Schützen wir diese Lebewelt! Dann schützen wir auch automatisch unser Wasser.

Lebensquelle Kohlenstoff

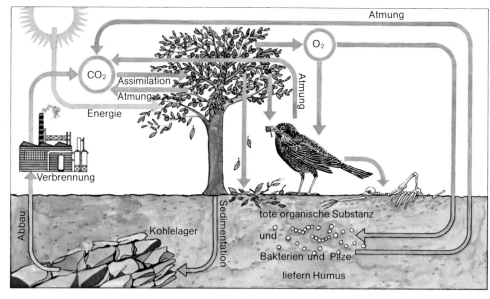

Der Kohlenstoffkreislauf ist mit dem des Sauerstoffs eng verknüpft. Beide treffen sich in der Photosynthese der grünen Pflanzen, in der Atmung der Tiere und in den Zersetzungsprozessen der Mikroben. Obgleich die Luft nur 0,03 % Kohlendioxid enthält, werden doch jährlich von Land- und Wasserpflanzen zusammen damit rund 120 Milliarden Tonnen organisches Material aufgebaut und eine entsprechende Menge wieder der Atmosphäre zurückgegeben. Diese gewaltige Leistung vollbringen neben den Pflanzen und Tieren vor allem die Mikroorganismen des Bodens. Wie wir noch sehen werden, leben dort in jedem Kubikzentimeter mehrere Millionen Bakterien, die pro Hektar stündlich viele Kilogramm Kohlendioxid produzieren.

Die Urwelt vom Karbon bis zum Tertiär, mit deren Kohlenstoff wir heute unsere Kraftwerke heizen, unsere Autos zum Fahren bringen. Mit ihrem Kohlenstoff bilden wir über unsere pflanzliche und tierische Nahrung (die ihn aus dem entstandenen Kohlendioxid wieder aufnimmt) neuerdings auch unsere eigenen Zellen – eine ausgerechnet durch das Industriezeitalter verursachte »Wiederbelebung« der einst versunkenen Urwelt.

Die Fotosynthese, hier im Chlorophyll der Alge Spirogyra, nutzt die Sonnenenergie auf äußerst rationale Weise zum Aufbau energiereicher Kohlenstoffverbindungen – den Bausteinen allen Lebens.

Wir selbst, Tiere, Pflanzen, Mikroben und damit auch unsere Nahrung, kurz, die ganze organische Welt besteht zu rund 85 Prozent ihrer Trockenmasse aus Kohlenstoff. Wieder nicht ohne Grund hat die Natur dieses Element zum zentralen *Baustein* allen Lebens gewählt. Sein Atombau, seine eigenartige Zwitterstellung zwischen den positiven und negativen chemischen Elementen, erlauben ihm eine unerhörte Vielfalt von Verknüpfungsmöglichkeiten mit sich selbst und anderen Elementen und machen ihn dadurch zum idealen Skelett der lebenden Materie. Und in dieser Rolle wurde auch der Kohlenstoff zum Hauptbestandteil der fossilen Brennstoffe wie Steinkohle, Braunkohle, Erdöl und Erdgas.

Damit haben wir schon die zwei grundsätzlich verschiedenen Kohlenstoffkreisläufe angesprochen, an denen alle lebende Materie teilnimmt. Zum einen ist diese das lebende Glied eines kleinen schnellen Kreislaufs, der pro Jahr zwanzig bis dreißig Milliarden Tonnen Kohlenstoff über Fotosynthese und Atmung in der Biosphäre austauscht. Zum andern ist sie das tote Glied eines gigantischen, aber äußerst langsamen Kreislaufs, der im Laufe von Äonen unermeßliche Mengen Kohlenstoff in Sedimenten ablagert: in der Kohle als abgestorbene Pflanzen, im Erdöl als tierische Reste.

Die besonderen Eigenschaften des Kohlenstoffs machten ihn aber nicht nur für die Natur interessant. Mit der Entwicklung der organischen Chemie begann er allmählich sämtliche Bereiche unserer Zivilisation zu durchdringen. Praktisch alle heutigen Arzneimittel, der Großteil unserer Anstrich- und Textilfarben, die ganze Skala der synthetischen Fasern, Reinigungs- und Lösungsmittel, Klebstoffe, Wachse und Asphalt sowie nicht zuletzt die Fülle der Kunststoffe – sie alle sind Produkte der organischen Chemie.

Und doch macht dies erst rund 5 Prozent des Kohle- und Erdölverbrauchs aus. Der Rest von 95 Prozent wird leichtfertig verheizt, aus den Schornsteinen geblasen oder durch den Auspuff gejagt; was dazu noch die Luft verseucht und das atmosphärische Gleichgewicht stört (die Wärmeabsorption der Luft wird z. B. durch geringfügigen Anstieg des CO_2-Gehaltes drastisch erhöht).

Zu 95 Prozent benutzen wir also die Lebensquelle Kohlenstoff für einen einzigen der vielen Verwendungszwecke der Natur, indem wir den Veratmungsprozeß zu Kohlendioxid durch bloße Verbrennung nachahmen. Die vielen Kunststücke, die die Natur mit ihm vollbringt, wie Fotosynthese, Atmung und andere Energieumwandlungen, und seine Eingliederung in Recyclingprozesse statt in nicht mehr abbaubare Kunststoffe, müssen wir erst noch lernen. So verbrennen wir in kurzer Zeit die irdischen Kohlenstoffvorräte und greifen damit aus dem großen toten Kreislauf auch noch in gefährlicher Weise in den kleinen lebenden der Biosphäre ein.

Lebensquelle Stickstoff

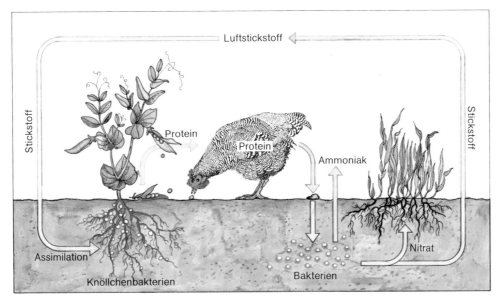

Luftstickstoff

Stickstoff

Protein

Protein

Ammoniak

Stickstoff

Assimilation

Nitrat

Knöllchenbakterien

Bakterien

Der Stickstoffkreislauf ist eng gebunden an die Nahrungsketten und solche zwischen zersetzenden Kleinlebewesen und Mikroorganismen. Ein Kreislauf, der durch zerstörende Eingriffe in die Umwelt mit als erster zerstört wird und den wir dann gezwungen sind, mit enormen Kosten zu ersetzen.

Ganz anders als beim Kohlenstoff, der hauptsächlich in der Erde lagert und nur zu dem winzigen Bruchteil von 0,03% in der Atmosphäre enthalten ist, liegen die großen Reserven des Stickstoffs in der Luft selbst, die zu 78 Prozent aus ihm besteht. Kohlendioxid und Stickstoff haben dennoch eines gemeinsam: Es sind chemisch träge Gase, fast edelgasartig, die erst durch besondere Tricks der Natur von lebenden Organismen angeeignet, assimiliert werden können. Dort jedoch haben sie wieder sehr unterschiedliche Aufgaben. Der Kohlenstoff, vor allem in Form der Kohlenhydrate, ist die Materie, über die hauptsächlich Energie umgewandelt, gespeichert und genutzt wird. Der Stickstoff dagegen ist die Materie, mit der die Natur hauptsächlich Information speichert, verarbeitet und weitergibt. Er ist der Grundstoff der Eiweißkörper, der Enzyme, die die Befehle zu all den Vorgängen in einem Organismus geben, die seinen Stoffwechsel, seinen Austausch mit der Umwelt ermöglichen. Er ist der Grundstoff der Nukleinsäuren und damit der Erbmasse, in der die große Bibliothek der Lebewelt in der Anordnung von Stickstoffbasen codifiziert und gespeichert ist. Wird dieser genetische Code geweckt – etwa durch die Befruchtung –, so läßt er in kurzer Zeit aus ungeformten Zellhäufchen hochdifferenzierte Lebewesen entstehen. So wie auf dem ersten Bild dieses Kapitels den Vogel, der gerade beginnt, sich durch die Eischale seinen Weg in diese Welt zu brechen.

Während es beim Kohlenstoff die Pflanzen sind, die ihn aus der Luft aufnehmen, sind es beim Stickstoff als einzige die Bakterien: Stickstoffsammler, die frei im Boden leben, und Knöllchenbakterien, die mit Pflanzenwurzeln in Symbiose leben. Sie erst binden den Stickstoff in verwertbarer Form, als Ammoniak oder Nitrat. In Pflanze und Tier zu Protein geworden, in körpereigenes Eiweiß umgebaut, über die Nahrungskette weitergereicht, als Harn und Kot ausgeschieden und schließlich wieder erneut zersetzt

und wieder aufgenommen – steht auch der Stickstoff im ständigen Kreislauf.

Erst dort, wo wir diesen Kreislauf unterbrechen, wo wir Ökosysteme zerstören, Monokulturen anlegen und Pflanzen und Tiere trennen, müssen wir ihn künstlich zuführen, mit teurer Energie produzieren. In den Massentierhaltungen wird er dafür zum üblen Abfall, wird ausgeschwemmt, verseucht unsere Flüsse und Seen, da er dort selbst von Mikroorganismen nicht mehr bewältigt werden kann. Den wertvollen Humus, den er in freier Natur kostenlos bilden könnte – selbst als Vogeldung wie in Peru in Form der riesigen Guanoberge –, müssen wir unter gewaltigem Energieaufwand ersetzen – nur weil wir durch im Grund unrationelle Rationalisierungs- und Spezialisierungsmaßnahmen auf die kostenlose Biotechnik der ihn aufbereitenden Mikroorganismen verzichtet haben.

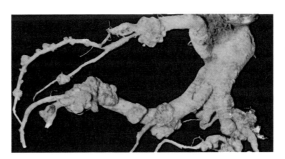

Über die Knöllchenbakterien ihrer Wurzeln versorgen sich vor allem Gemüsearten selbst mit Stickstoff. Mischkulturen benötigen daher weit weniger Dünger. Indem man auf die Hilfe stickstoffassimilierender Arten verzichtet, verzichtet man auch auf ihren Schutz vor Schädlingen und die Verarbeitung von Abfällen.

Großanbau von Mais. Die Stickstoffversorgung von Monokulturen verläuft nicht mehr automatisch über die Nahrungskette, auch nicht durch stickstoffbindende Bakterien im Boden, sondern muß hier künstlich übernommen werden.

Klima –
der sensible Umweltfaktor

Ohne es zu wollen, beeinflussen wir mit unserer Zivilisation das Klima. Über einer Großstadt gibt es 10% mehr Regen, 100% mehr Nebel, 25% weniger Wind, 1 Stunde weniger Sonnenschein, nur die Hälfte UV-Strahlung und einen Ausstoß an Gasen und Dämpfen, der täglich oft 50 000 Tonnen erreicht. Die Wechselwirkungen gehen in viele Bereiche: Grundwasser, Bodenertrag, Luftverschmutzung, Krankheitsanfälligkeit, Streß, Schädlingsbekämpfung usw.

Ähnlich wie viele Vögel sind auch Flechten verläßliche Bioindikatoren. Sie kümmern sich bei Luftverschmutzung nicht wie unsere Meßgeräte um einzelne »Toleranzwerte«, sondern zeigen an, ob die jeweilige Gesamtzusammensetzung für uns Lebewesen Gefahr bedeutet. Dies ist vielfach beim Zusammenwirken von Schadstoffen der Fall, auch wenn diese einzeln, in unbedenklichen Mengen, vorliegen.

Es gibt kaum einen Bereich in der Natur, der undurchschaubarer und in seinen Wirkungen geheimnisvoller ist als das Klima. Wie wir schon sahen, ist die Fülle der mitwirkenden Faktoren gewaltig: Sonneneinstrahlung und -abstrahlung, Temperatur, Luftdruck und Wind, Feuchtigkeit und Kohlendioxidgehalt, aber auch Ionisation, Erdumdrehung und Magnetfeld, um nur die wichtigsten zu nennen. Und so steht auch das Klima wiederum in Wechselwirkung mit der gesamten Lebewelt: Auf der einen Seite wirkt es in vielfältiger Weise auf Wachstum, Leistung, Gesundheit, Verteilung und Verhalten aller Lebewesen, und auf der anderen Seite wird es durch eben jene Lebewesen wieder verändert. Durch Mikroorganismen, Pflanzenbewuchs, Tiere und Menschen, durch Atmung und Verbrennung, durch den Wasserhaushalt, die Luftverschmutzung, Behausungen und Bebauung.

Die Überweidung eines Graslandes verändert die Bodenfarbe und damit Rückstrahlung und Wolkenbildung. Die Trockenlegung eines Sumpfes, die Absenkung des Grundwassers oder die Abholzung eines Waldgebietes verändern Luftfeuchtigkeit, Abstrahlung und Zirkulation. Ein hochkompliziertes Geschehen, in das der Mensch immer mehr eingreift, ohne die Zusammenhänge schon voll zu verstehen.

So wie das Mikroklima über unseren Großstädten erfährt auch allmählich das globale Klima eine Veränderung. Die künstliche Wär-

meentwicklung durch die menschliche Zivilisation macht bereits ein Drittel der gesamten übrigen Wärmeproduktion der Natur aus.

Einem Temperaturanstieg sind aber wegen der absehbaren Folgen klare Grenzen gezogen. Schon eine Erhöhung der Welttemperatur um drei bis vier Grad hätte ein Abschmelzen der Polkappen und damit eine weltweite Sintflut zur Folge; eine Erhöhung der Sonnenlichtreflexion durch Verstaubung höherer Luftschichten oder durch verstärkte Wolkenbildung dagegen eine Eiszeit. Unser Klima wird daher nur dann stabil bleiben, wenn auch zwischen Sauerstoff, Kohlendioxid, Staub- und Flüssigkeitsteilchen und dem Ein- und Ausstrom von Energie ein Gleichgewicht eingehalten wird. Und hierbei spielt, wie wir sehen, die Tier- und Pflanzenwelt und diejenige der Mikroben eine entscheidende, regulierende Rolle. Mit dem Verschwinden einer Art ist eben nicht nur vielleicht ein hübscher bunter Singvogel verschwunden, sondern sein plötzliches Fehlen hat natürlich eine ganze Kette von Faktoren verändert. Darunter solche, die dem für unsere Gesundheit und unsere Erholung so wichtigen Mikroklima unserer städtischen und ländlichen Ökosysteme eine völlig andere Richtung geben können: Der Ausfall einer Vogelart mag zum plötzlichen Insektenbefall führen, zum Absterben bestimmter Pflanzen, zur Eutrophierung von Gewässern.

All das mag Anlaß sein für Besprühungen, Flußbegradigungen und Trockenlegung. Das mag dann in der Folge weitere Gewässerverschmutzung, Trinkwassermangel und Erosion nach sich ziehen, was wiederum Bodenfruchtbarkeit und Landwirtschaft lahmlegt, die nahe Erholung in die Ferne verlegt, entsprechenden Straßenbau erzwingt: alles eine Fülle erneuter Belastungen für Mensch und Umwelt, die man gar nicht mehr mit dem auslösenden Faktor – einer verschwundenen Vogelart – in Zusammenhang bringt.

Boden –
das lebendige Gefüge

136 Millionen Quadratkilometer groß ist die Landoberfläche unserer Erde. Zwei Drittel davon sind lebloses Gestein oder Wüste. Zehn Prozent werden als Anbaufläche genutzt, und weitere fünfundzwanzig Prozent sind Weide und Waldfläche, von denen uns, wenn wir uns ökologisch vernünftig verhalten, vielleicht noch ein Teil als Anbaureserve zur Verfügung steht.

Erst seit 6000 Jahren, nachdem die ersten Jäger und Sammler zu Ackerbauern wurden, wird der Boden bewußt zur Nahrungsgewinnung genutzt. Die Methoden wurden immer ausgeklügelter, die Erträge immer größer. Doch der immer erbarmungslosere Kampf um Ertragssteigerung führte in eine Sackgasse: Die zunehmende Nutzung des Bodens nach rein industriellen Wirtschaftsmethoden verführte zu Techniken, die ihn als Träger all der ihm entsprießenden Reichtümer zu zerstören begannen. Immer mehr fruchtbare Landstriche fallen der Erosion anheim und werden zur Wüste, und die Landwirtschaft droht allmählich weltweit zu einem ökologischen Krisengebiet zu werden.

Daß es soweit kommen konnte, geht zurück auf eine veraltete Vorstellung vom Boden als einer bröckeligen, leblosen Substanz: ein Behälter, der der Pflanze hilft, aufrecht zu stehen und in den man nur Nährstoffe wie Stickstoff, Phosphor und Kalium hineinzupumpen braucht, um einen möglichst hohen Ertrag herauszuholen. Doch die Rechnung ging nicht auf. Während man noch um die Jahrhundertwende etwa genauso viele Kalorien an Energie in einen Hektar hineinstecken mußte, wie er dann in Form von Nahrung herausgab, hat man die inzwischen erreichte Verdoppelung des Hektarertrages nur dadurch erzielen können, daß man an Energieeinsatz das Zehnfache dessen hineinsteckt, was man gewinnt.

Die Ursache? Wir glaubten auch hier, auf eine Vielfalt von Lebewesen verzichten zu können, die

wir im Grunde dringend brauchen, ja die uns durch ihr Zusammenspiel eine Leistung bringen, die selbst mit Milliardenbeträgen nicht zu bezahlen ist. Doch wir ließen sie links liegen und stopften den Boden mit Chemikalien voll, die jene Lebewelt praktisch zerstören.

Denn erst durch das enge Zusammenwirken von Pflanze und Bodenorganismen entsteht aus toten organischen Resten und Gesteinsmaterial das, was der Bauer die »Krume« nennt: eine durchstrukturierte, sich selbst regulierende und hochvitale Substanz, angereichert mit leistungsfähigen Bakterien und Enzymen. Denn Pflanze und Boden bedingen sich gegenseitig, ja die Pflanze macht den Boden – nicht umgekehrt.

Dies gilt auch im Negativen. So verlangen z. B. die neuen, besonders ertragreichen Getreidesorten auch ein entsprechend gesteigertes Bodenleben. Wird dieses aber nicht in Gang gesetzt oder gar zerstört, so tritt die Katastrophe über kurz oder lang mit aller Konsequenz ein. Mit der Abnahme der Bodenorganismen sinkt seine Fruchtbarkeit und Tragfähigkeit, sinken Wasserhaltung und die natürliche Widerstandsfähigkeit der Pflanze gegen Krankheit und Schädlinge.

Die »Wiederbelebung« unserer Böden und die Wiederherstellung intakter Ökosysteme, in denen sich Boden- und Pflanzenleben, Schädling und Nützling, Insekten und Vögel im Gleichgewicht halten, ist wohl für die Zukunft eine unserer wichtigsten Umweltaufgaben.

Gesunder Boden enthält pro Quadratmeter an Kleinlebewesen:
u. a.
10 Mio. Faden-
        würmer
100 000 Spring-
        schwänze
45 000 Glieder-
        würmer
40 000 Insekten und
        Milben

Gesunder Boden enthält pro Gramm an Mikroorganismen:
u. a.
500 000 Bakterien
400 000 Pilze
 50 000 Algen
 30 000 Protozoen

Erodierter Boden. Ins Extrem getriebene landwirtschaftliche Anbaumethoden haben ihn für immer unbrauchbar gemacht. So brachte zu Anfang der amerikanischen Besiedlung der schwarze reiche Boden gute Erträge. Doch riesige Monokulturen und einseitige Düngung saugten ihm das Leben aus. Er wurde dünn und trocken. In den Dürren der dreißiger Jahre, ungehindert durch Hecken und Bäume, verstreuten die Sandstürme Millionen Tonnen Nährboden vor den Augen der Farmer in alle Winde. Übrig blieb eine unfruchtbare Prärie. Zunächst noch Rinderweide, dann nur noch gut für Schafe und schließlich Ziegen, die auch den restlichen Pflanzenwuchs zerstörten und den Regengüssen die endgültige Erosion überließen.

Millionen von Tonnen an Chemikalien werden jedes Jahr über dem Boden versprüht. Sie garantieren zwar kurzfristige Ertragssteigerung, zerstören aber langfristig das Bodenleben und schädigen die Umwelt. Natürliche Schädlingsvertilger wie Vögel werden dezimiert, mehr und neue Insektizide werden eingesetzt. Die Rückstände gelangen in die Nahrung oder werden in die Gewässer ausgeschwemmt und machen die Landwirtschaft zu einem der größten Umweltverschmutzer.

Der Trick mit der Nahrungskette

Anreicherung von DDT aus dem Meerwasser (ppm = Parts per Million, oder 0,0001%). Die Konzentration in den Algen steigt bei den von ihnen lebenden Fischen bereits auf das Fünffache, in den folgenden Raubfischen bereits auf das Dreißig- bis Fünfzigfache und in den fischfressenden Vögeln schließlich auf das Fünfhundertfache. Etwa den gleichen DDT-Gehalt reichert auch ein Mensch in seinem Fettgewebe an, wenn er sich wie in Japan überwiegend von Meeresnahrung ernährt.

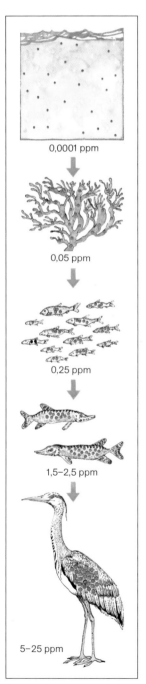

0,0001 ppm

0,05 ppm

0,25 ppm

1,5–2,5 ppm

5–25 ppm

Eine der genialsten Einrichtungen der Biosphäre, mit der sie das Gleichgewicht unter ihren Lebewesen aufrechterhält und gleichzeitig die für das »Unternehmen Leben« so wichtigen Rohstoffe »verewigt«, sind die Nahrungsketten. Das Prinzip besteht darin, daß jedes Lebewesen mit den in seinen Ausscheidungen und in ihm selbst gespeicherten Stoffen Ausgangsprodukt für wieder andere Lebewesen ist. Am Anfang stehen die Pflanzen, die Blattlaus frißt das Pflanzenblatt, der Marienkäfer die Blattlaus, der Singvogel den Marienkäfer, der Greifvogel den Singvogel usw. Dazwischen und am Schluß stehen abbauende Organismen wie Würmer, Bakterien und Pilze, die aus den Resten des tierischen und pflanzlichen Lebens die verwendeten Rohstoffe wiedergewinnen und sie erneut verfügbar machen.

Damit ist die Nahrungskette zu einem Kreislauf geschlossen und der Erschöpfung der verwendeten Rohstoffe vorgebeugt. Auch der Mensch ist Teil dieses Kreislaufs. Die Bestandteile seines Körpers stammen aus Lebewesen, die innerhalb der Nahrungskette vor ihm stehen, und sind nach seinem Tode in den nach ihm kommenden Zersetzern – und den Gliedern einer neuen Nahrungskette wiederzufinden.

Das Wiedereinführen von ausgeschiedenen Stoffen in einen Kreislauf ist ein Prinzip, das sich auch bei uns immer mehr verbreitet: das Recycling. Mit ihm hat es die Biosphäre geschafft, seit Anbeginn des Lebens zu existieren, dabei einen gewaltigen Stoffumsatz zu haben und trotzdem nie an Rohstoffmangel zu leiden – und genausowenig an Abfallsorgen. Denn im Gegensatz zu unserer Gesellschaft produziert sie keine Substanz, für die sie nicht ein Enzym parat hätte, das diese Substanz in den Kreislauf zurückführt.

Ein weiterer Grund, uns das Prinzip der Nahrungsketten etwas näher ins Bewußtsein zu rücken, liegt in der Tatsache, daß hier nicht nur von Stufe zu Stufe die natürlichen Rohstoffe weitergegeben werden, sondern auch die aus der Umwelt aufgenommenen Gifte. Diese können sich dabei zum Mehrtausendfachen anreichern, so daß vor allem die am Ende der Nahrungskette stehenden Lebewesen – und dazu zählt insbesondere der Mensch – gefährdet werden. Auch hier waren es zunächst die Vögel, die durch ihr Massensterben, durch plötzlich brüchige Eier und ihr Wegbleiben von den Nistplätzen die ersten Warnzeichen dafür gaben, daß auch wir Menschen durch eine immer stärker belastete Umwelt bedroht sind. Maßnahmen und Verbote wurden erlassen, strengere Kontrollen und Umweltschutzgesetze, so daß weitere Katastrophen – wie z.B. die Minamata- und Itai-Itai-Krankheit – durch kadmium- und quecksilberverseuchte Fische verhindert wurden. Wo keine Vögel sind, fehlt auch der Indikator, uns vor solchen Gefahren zu warnen – und dort, wo sie zwitschern und jubilieren, dürfen wir einigermaßen sicher sein, auch eine menschengemäße Umwelt vorzufinden.

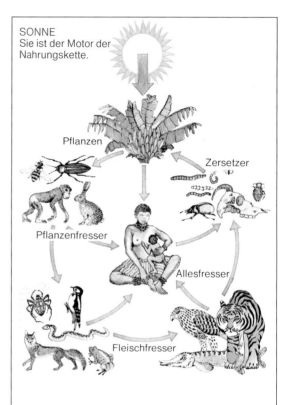

SONNE
Sie ist der Motor der Nahrungskette.

Pflanzen

Zersetzer

Pflanzenfresser

Allesfresser

Fleischfresser

PFLANZEN
Mit ihnen beginnt die Nahrungskette. Sie bauen aus anorganischen Grundstoffen organisches Material auf. Man nennt sie Produzenten. Zu ihnen gehören auch die Algen und das Phytoplankton.

PFLANZENFRESSER
Das nächste Glied sind die sogenannten Erstkonsumenten: Rehe, Affen, Käfer, Gänse, Wale, Giraffen und viele andere »Vegetarier«.

FLEISCHFRESSER
Hier gibt es Zwischenstufen. Zuerst die Fresser der Pflanzenfresser: viele Vögel und Insekten, Spinnen, Fische, Frösche und Schlangen. Man nennt sie Zweitkonsumenten. Sie bilden die Nahrung der Drittkonsumenten, die sich von anderen Fleischfressern ernähren: Habicht, Bussard, Fuchs und Tiger, Forelle, Hai und andere. Der Mensch als Allesfresser ist hauptsächlich Erst- und Zweitkonsument.

ZERSETZER
Sie führen die Reste des tierischen und pflanzlichen Lebens wieder in die anorganischen Grundstoffe zurück und bieten so der Pflanze neue Nährstoffe an. Es sind Bakterien, Pilze und Urtierchen, Würmer und Käfer und viele andere Kleinlebewesen, die man Zersetzer nennt.

Über die Nahrungskette hält die Natur ihre Lebewesen untereinander im Gleichgewicht. Vermehrt sich ein Glied der Kette, dann vermehrt sich auch sein natürlicher Feind und reduziert das unter ihm stehende Glied – und damit auch wieder sich selbst. In Wirklichkeit haben wir natürlich keine Kette, sondern ein weitverzweigtes Netz, in das im Grunde alle Lebewesen dieser Erde eingeschlossen sind. Jede Veränderung an einer Stelle beeinflußt das Zusammenspiel des Ganzen und kann durch die komplizierten Rückwirkungen überraschende Folgen an ebenso überraschenden Stellen auslösen.

Der Lebensraum als System

Ein sich selbst erhaltender Lebensraum, man sagt Biotop, beherbergt immer eine ganz bestimmte Lebensgemeinschaft von Pflanzen und Tieren. Wir haben gerade gesehen, wie eng die Glieder einer solchen Lebensgemeinschaft untereinander und mit der Umwelt verknüpft sind. Ihre Zusammensetzung ändert sich daher auch mit jeder Änderung des Lebensraumes. Ganz andere Lebewesen werden sich in einer Steppe zusammenfinden als in einem Buchenwald und wieder andere in Mooren, Höhlen, Feuchtwiesen, Quellen oder Teichen. Jedesmal wird sich eine kleine Welt bestimmter Pflanzen, Säugetiere, Vögel, Würmer, Insekten, Pilze und Mikroben so aufeinander einspielen, daß ihre Zusammensetzung aus den Bedingungen von Nahrung, Schutz und Feuchtigkeit das Beste macht.

In einer neugestalteten Umwelt braucht dies seine Zeit. Man kann dies nach der Rodung wie auch nach der Neuanlegung von Wäldern beobachten, besonders deutlich nach Vulkanausbrüchen oder auf den Poldern, den in Holland frisch aus dem Meer gewonnenen Landgebieten. Hier lösen sich verschiedene Lebensgemeinschaften (und auch die darin dominierenden Arten) so lange nacheinander ab, bis sich diejenige herausgebildet hat, die mit ihrem Lebensraum in einem stabilen Gleichgewicht steht, bis ein ausgewogenes Verhältnis zwischen Aufbau und Abbau lebender Materie erreicht ist.

In diesem Geschehen wirken die unterschiedlichsten Kräfte aufeinander und steuern das Verhalten der Einzelglieder. Die Mistkäfer werden durch den Duft zum Aas geleitet, das sie zersetzen. Die lichtscheuen Asseln orientieren sich nach dunklen Stellen und Pilze nach bestimmten Feuchtigkeitsbedingungen. Mauersegler, Mehlschwalben und Dohlen suchen auch in menschlichen Ökosystemen ihre »Felsen« und »Höhlen«, und die Haubenlerche wählt den Flugplatz als ihre ehemalige »Steppe«. Das Verhältnis zwischen Räuber und Beute reguliert deren Populationsdichte ebenso wie die Konkurrenz zweier von einer einzigen Nahrung abhängigen Konsumenten und die Abgrenzung ihrer Reviere.

So sollten wir uns immer in Erinnerung rufen, daß eine solche Lebensgemeinschaft, sei es in Auwäldern, Trockenwiesen oder Teichen, aber auch in Ackerböden, Gärten und Stadtgebieten, immer auch ihre Umweltbedingungen mitgestaltet. Und ebenso verstehen wir jetzt, daß es für einen funktionierenden Lebensraum nicht nur einen gefährlichen Eingriff bedeutet, wenn man die eine oder andere Tier- und Pflanzenart entfernt, sondern auch wenn man eine seiner Bedingungen, etwa die Feuchtigkeit, verändert oder bestimmte Teile wie etwa die Baumstümpfe oder die Streuschicht eines Waldes entfernt. Verändern wir den Lebensraum, so verändert sich die Lebensgemeinschaft; und verändern wir diese, so verändern wir damit auch den Lebensraum.

Durch Erosion zerstörtes Waldgebiet

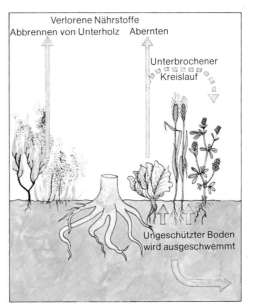

Links: Der Nährstoffkreislauf wird über die Humusbildung durch Kleinlebewesen und Mikroben in Gang gehalten und durch die Bäume vor Ausspülung geschützt.

Rechts: Eingriffe in Lebensräume durch Unterbrechung des Nährstoffkreislaufs haben, statt neue stabile Systeme zu schaffen, von denen wir uns ernähren könnten, nur die alten zerstört.

Das Urprinzip der Symbiose

Die Rattenplage in den
Zuckerrohrplantagen . . .

wurde durch den Import von
Mungos beseitigt . . .

und die Zuckerrohrpflanzen
gediehen wieder.

Auch die Zahl der Maikäfer
reichte nicht aus, um sie zu
zerstören . . .

weil diese von Ameiva-
Eidechsen vertilgt wurden.

Inzwischen hatten sich die
Mungos stark vermehrt . . .

und als es keine Ratten mehr
gab, fraßen sie die Eidechsen.

Nun konnten sich die Maikäfer
ungehemmt vermehren . . .

und machten dem Zuckerrohr
den Garaus. Der Schaden war
größer als zuvor.

So wie die unterschiedlichen Bewohner eines Biotops ganz allgemein aufeinander angewiesen sind, ja wie die Tier- und Pflanzenwelt im Großen über den Kohlenstoffzyklus ohne einander nicht leben könnten, so entwickelt sich in manchen Fällen diese gegenseitige Hilfe zu einem ganz besonders engen Verhältnis: zur Symbiose.

Ganz anders als beim Schmarotzertum der Parasiten, wo die eine Art zum Schaden der anderen alleine profitiert, haben sich bei der Symbiose verschiedenartige Lebewesen zum gegenseitigen Nutzen zusammengefunden. So sind Flechten im Grunde Symbiosen aus Pilzen und Algen. Bekannt ist auch die Symbiose zwischen Einsiedlerkrebs und Seeanemone oder zwischen Ameisen und Blattläusen, die von den ersteren wie Kühe gehalten und gemolken werden, während andere Ameisenarten gar Pilzgärten anlegen – ebenfalls wieder zum gegenseitigen Nutzen. Ganz ähnlich, wie ja auch unsere Landwirtschaft im Grunde eine Symbiose ist.

Enge und lockere Symbiosen einerseits und auf der anderen Seite die Regulation der Arten über den Konkurrenzkampf und das Raubtier–Beute-Verhältnis innerhalb der Nahrungskette und nicht zuletzt die Arbeit der Heerscharen von Zersetzern – dies sind die bewährten, rationellen und ökonomischen Methoden, mit denen die Natur das Leben steuert. Wenn wir mit naturfremden Chemikalien in dieses Spiel eingreifen – vielleicht um eine uns interessierende Pflanzenart zu schützen oder um einen Schädling zu bekämpfen, so vernichten wir damit prompt alle jene kostenlosen Regulationsmöglichkeiten, die wir mit nur ein wenig wissenschaftlicher Beobachtungsgabe ebenso profitabel auch für uns nutzen könnten.

Zum Beispiel mit biologischem Pflanzenschutz und biologischer Schädlingsbekämpfung. Solche Eingriffe, wie sie im Fall der Vertilgung der Wollschildlaus mit Marienkäfern, im Fall der überhandnehmenden australischen Kaninchen mit dem Virus der Myxomatose oder bei den Schmetterlingsraupen mit der Schlupfwespe so erfolgreich funktionieren, sie geben dem Gesamtgefüge wenigstens die Chance, ein anderes Gleichgewicht zu finden. Denn hier ist die Wirkung zumindest nur auf einen Schädling gerichtet, während andere Tiere, zum Beispiel die Biene oder auch wichtige Schädlingsparasiten und insektenfressende Vögel, verschont bleiben. Dage-

gen zieht eine unbiologische Schädlingsbekämpfung vielfach nur neue Schädlinge nach sich.

Aber auch biologische Eingriffe in Lebensräume können schiefgehen oder gar zur Umweltbelastung führen, wenn man sie in Unkenntnis der tatsächlichen Vernetzung eines Lebensraums oder, zum Beispiel bei der Rattenbekämpfung mit Mungos in den westindischen Zuckerrohrplantagen, der wechselseitigen Abhängigkeit der Mitglieder einer Lebensgemeinschaft vornimmt.

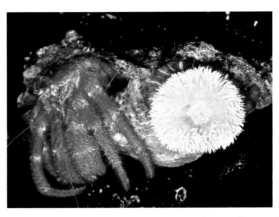

Symbiose zwischen Einsiedlerkrebs und Seeanemone. Sie schützt ihn mit ihren Nesseln vor seinen Feinden, während er sie mit Nahrungsresten versorgt.

Rote Waldameise beim »Melken« von Blattläusen. Eine Symbiose, die sehr an unsere eigene Milchviehhaltung erinnert.

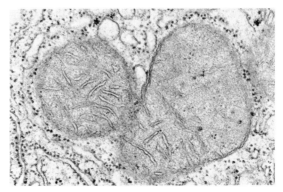

Zwei der bakteriengroßen Mitochondrien, der Atmungspartikel im Innern menschlicher Zellen. Ihre Entdeckung legte nahe, daß auch wir selbst eine Symbiose sind: aus »Pantoffeltierchen« und solchen »Urbakterien« gebildet, deren Zusammenleben vielleicht überhaupt erst vielzellige Lebewesen ermöglicht hat.

Das große Gleichgewicht

Die eleganten Methoden einer gegenseitigen Regulation, der Aufbau von Gleichgewichten und Stoffkreisläufen und nicht zuletzt die ausgeklügelten Techniken einer äußerst wirkungsvollen Energienutzung, all dies ist typisch für die Arbeitsweise der Natur. Es lohnt sich gewiß auch für uns, die hier zugrunde liegenden Gesetzmäßigkeiten zu studieren und von ihnen zu lernen. Die Gesetze der Chemie und Physik haben wir längst begriffen und richten uns danach. Aber die Gesetze, nach denen komplexe Systeme sich am Leben erhalten und weiterentwickeln – nennen wir sie die »Systemgesetze« –, sie sind uns noch weitgehend fremd.

Doch auch sie sind offenbar eherne Naturgesetze und überall die gleichen – sowohl im Innern einzelner Zellen wie im vielzelligen Organismus und genauso darüber hinaus in den Lebensgemeinschaften und Ökosystemen. Und sie sind es letztlich, die die Biosphäre zu dem machen, was sie ist: zu einer in ihrer Art einzigartigen Superfabrik, die sich selbst steuert und reguliert, die allen äußeren Störfaktoren getrotzt und bis heute jene sensationelle Überlebenszeit von mehreren Milliarden Jahren aufzuweisen hat. Zu den Prinzipien, mit Hilfe welcher die Natur so rationell arbeiten kann und den gewaltigen ständigen Stoff- und Energieaustausch der Lebewesen untereinander und mit ihrer Umwelt im Gleichgewicht hält, zählen die Vielfalt der Arten, ihre Verhaltens- und ihre Lebensbedingungen. Und ebenso zählen dazu das Prinzip der Kleinräumigkeit, des ineinander verschachtelten Aufbaus von großen und kleinsten Lebensräumen, von Systemen und Subsystemen bis hinein zu den aus vielen winzigen Zellen aufgebauten Einzelorganismen. Offenbar lassen sich nur dadurch Lebensprozesse gegen alle äußeren Störungen und Schwankungen aufrechterhalten.

Dieses Gleichgewicht ist nun ebenfalls durch die Eingriffe des Menschen ernstlich gefährdet. Denn diese sind so zahlreich und massiv, daß die Natur alleine sie nicht mehr ausgleichen kann. Unser Lebensraum wird sich verändern, und wir selbst werden die Betroffenen sein: denn die Biosphäre wird sich von seinem störenden Teilsystem befreien und wird weiterexistieren.

Die Menschheit muß also umdenken. Wir müssen einsehen, daß um uns herum ein dicht gewordenes Netz von tausenderlei Wechselwirkungen entstanden ist: zwischen uns, unseren Produkten, unseren Städten und Industrien und all dem, was in der Biosphäre vor sich geht und von dem die Menschheit letztlich lebt. Wir müssen einsehen, daß wir nur überleben können, wenn wir dieses Netz gründlich erforschen, seine Gesetzmäßigkeiten beachten, nutzen und respektieren und die gewonnene Erkenntnis in all unsere Handlungen mit einbeziehen. Denn nur durch Nutzung dieses Netzes und der Hilfen, die uns eine intakte Biosphäre bietet, sind wir überlebensfähig. Alleine schaffen wir es nicht.

Das Prinzip der Regelkreise. Mit diesem Grundprinzip halten sich Systeme in einem stabilen Gleichgewicht. Je mehr Insekten von einer Vogelart gefressen werden und je mehr sich diese Vögel dadurch zunächst vermehren, um so weniger Insekten gibt es. Die Nahrung für die Vögel wird knapp, und ihre Zahl verringert sich wieder. Solche negativen Rückwirkungen regieren praktisch alle Gleichgewichte. In vielen Fällen haben wir Menschen solche Regelkreise in der Natur beseitigt.

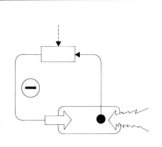

Das Prinzip des qualitativen Wachstums. Ein stabiles Gleichgewicht ist unvereinbar mit einem ständigen Mengenwachstum. Deshalb finden wir in biologischen Vorgängen immer nur entweder Wachstum oder Funktion. Viele Zweige unserer Industriegesellschaft haben sich mit Haut und Haaren dem Mengenwachstum verschrieben. Soll ein System aber langfristig funktionieren, so gelingt dies nur durch rechtzeitiges Umschwenken vom mengenmäßigen auf qualitatives Wachstum.

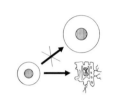

Das Prinzip des Jiu-Jitsu. Mit Energieketten, Energiekaskaden und Energiekoppelungen erreicht die Natur einen unvergleichlich hohen Wirkungsgrad. Ihr Hauptmittel ist der Einsatz bereits existierender Kräfte und ihre Umlenkung im gewünschten Sinne, anstatt vorhandene Kräfte zu bekämpfen und dann ein zweites Mal Kraft dafür aufzuwenden, was man eigentlich erreichen will.

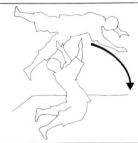

Das Prinzip des Recycling. Das nutzbringende Wiedereingliedern von Abfallprodukten (die die Natur deshalb nicht kennt!) in den lebendigen Kreislauf der beteiligten Systeme müssen auch wir uns zu eigen machen, wenn das System unserer Zivilisationsgesellschaft weiter auf diesem Planeten existieren soll.

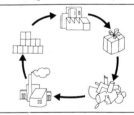

Das Prinzip der Symbiose. Von den Darmbakterien, die von der Nahrung des Menschen leben und ihm dafür lebenswichtige Vitamine aufbauen, bis zur globalen »offenen« Symbiose zwischen Tier- und Pflanzenwelt über Fotosynthese und Atmung, führt Symbiose immer zu einer beträchtlichen Rohstoff-, Energie- und Transportersparnis für alle beteiligten Glieder – und damit zu vervielfachtem, meist kostenlosem Nutzen.

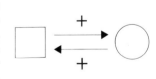

Einige Grundprinzipien lebender Systeme

Wir müssen begreifen, daß wir, je dichter wir aufeinanderrücken, um so mehr in das vernetzte System der Natur eingebettet sind, und daß wir niemals gegen dieses System, sondern nur *mit* ihm überleben können. Ein wichtiger Teil, ein unerläßliches Bindeglied in diesem Geschehen ist auch die Vogelwelt, ist ihre Vielfalt, sind ihre unzähligen Aufgaben im Gleichgewicht dieses Systems. Wir müssen sie einbeziehen, erhalten, mit ihr in Symbiose leben. Wir müssen sie retten, nicht nur der Vögel wegen, auch wegen uns.

Frederic Vester

Ordnung
gegen
die Natur

»Unsere Umwelt«, schreibt der amerikanische Biologe Paul R. Ehrlich, der Ende der sechziger Jahre den Reigen der kassandrischen Ökologiebücher eröffnete, »ist eine einzigartige Haut von Boden, von Wasser, gasförmiger Atmosphäre, mineralischen Nährstoffen und Organismen, die den im übrigen wenig bemerkenswerten Planeten umhüllt.« Wir wissen heute, daß die Erde, um im Ehrlich-Bild zu bleiben, an Hautkrebs erkrankt ist. Die Frage ist lediglich: Ist dieser Krebs noch heilbar?

Es gibt nicht wenige ernstzunehmende Leute, die diese Frage verneinen. Die Metastasen des Krebses seien überall sichtbar als Ölfelder auf den Meeren, als Fischleichen auf vergifteten Flüssen, als Rodungen der tropischen Regenwälder, als Erosionen in kahlgeschlagenen Bergwäldern, als Humusverwehungen über ausgepoverten Böden, als giftbedürftige Getreidesteppen, als Betonierung der Landschaft, als Ansammlungen von Schutt und Müll, als Baumsterben über Grundwasserschwund, als Smog über Industrierevieren.

Der Mensch, als Auslöser dieses Erdkrebses, nutzt 40 Prozent der festen Erdoberfläche. Da seine Zahl so bösartig und rasend wächst wie die malignen Zellen eines Krebses, wird es bei den zwei Dritteln der Landvegetation, die er schon zerstört hat, nicht bleiben. Aber er wuchert nicht nur in seiner Zahl, er luxuriert auch in seinem Gehirn. Seine Technik dringt vom glühenden Magma des Erdinnern bis in die eisigen Zonen des Weltraums vor. Er beeinflußt wie nichts und niemand vor ihm alle natürlichen Kreisläufe und Systeme, ohne sie im Letzten zu verstehen: vergleichbar einem bohrmächtigen Wurm im Weltgebälk, dessen Statik er nicht kennt.

Wurmgleich auch die Einsicht des Einzelmenschen in die Gesamtsituation der Erde: Mit anscheinend ausreichend Holz, sprich: anscheinend heiler Welt um sich selbst herum, ist er blind für die ungeheure Summe der Zerstörungen durch seinesgleichen und taub für das Knistern im Gebälk. Das macht Kassandra so wirkungslos.

Ein dramatisches Beispiel ist die Gefährdung der Ozonschicht unserer Lufthülle durch die Treibmittel der modischen Sprühdosen. Diese Schicht, eine dünne Zwiebelhaut nur, hält von Menschen, Tieren und Pflanzen die tödliche ultraviolette Strahlung der Sonne fern. Seit Jahren warnen Wissenschaftler, sie seien sich ziemlich sicher, es könnte diese Schicht verheerenden Schaden nehmen durch die Chlorfluormethane der Treibmittel, eine chemische Verbindung, die es in der Natur nicht gibt. Sie entweichen sehr leicht in die Luft und gelangen schließlich in die Atmosphäre, wo sie nach einer Umwandlung die Ozonschicht angreifen.

Die Warnung wurde weltweit und genügend häufig publiziert. Dennoch geht es fröhlich weiter mit Herstellung und Verbrauch dieser Sprühdosen. Daß wir mit ihrer Hilfe gut riechen, gut fri-siert aussehen, gut geschmiert fahren, ist uns wichtiger als die Unversehrtheit einer atmosphärischen Haut, ohne die wir nicht leben können. Die Ignoranz der Verbraucher vereint sich mit den Interessen der Industrie und der Lauheit der Regierungen zu einem makabren Spiel mit dem Leben der Generation von morgen. Die Rechtfertigung aller ist das Zögern der Wissenschaft, ihre Erkenntnisse schon definitiv zu nennen.

Der Bund Umwelt und Naturschutz in Deutschland (BUND) schrieb dem Bundeskanzler Helmut Schmidt, er halte es nicht für vertretbar, mit dem Produktionsverbot von Chlorfluormethanen zu warten, bis die vorausgesagten Umwandlungen in der Stratosphäre lückenlos nachgewiesen seien. Der Kanzler ließ durch seinen Innenminister antworten. Die Bundesregierung halte die Fluorkohlenwasserstoffe langfristig für möglicherweise schädlich. Sie habe die Absicht, eine Umstellung des Marktes auf mechanische Pumpen oder umweltfreundliche Treibgase zu erreichen. Sollte das nicht gelingen, werde sie eine Rechtsverordnung zur Beschränkung der Produktion dieser Stoffe in Aussicht nehmen.

Möglicherweise. Haben die Absicht. Sollten. Langfristig.

Die Industrie wiegelt ab und droht, wie immer, mit der Gefährdung von Arbeitsplätzen durch unbewiesene Hypothesen. Flugs hat sie Gegengutachten zur Hand. Was viel schlimmer ist: Chlorfluormethane galten als absolut unschädlich. Mehr durch Zufall kam man darauf, wie gefährlich sie für das Leben auf der Erde werden könnten. Niemand vermag zu sagen, wie viele Technologien und chemische Stoffe, die unser Leben erleichtern, es in Wahrheit gefährden: Der Wurm im Gebälk der Welt.

Das große sakrale Mißverständnis: »Füllet die Erde und machet sie Euch untertan!« Langsam werden die Kirchen als Verkünder dieses Bibelwortes wach. Sie deuten es nicht mehr so schrecklich vordergründig als Entschuldigung für Naturzerstörungen, zu denen sie bislang schwiegen. Es dämmert ihnen, daß menschliches Raubameisentum unter diesem Wort nicht gottesfürchtige Gehorsamsübung war, sondern, wie Günther Altner es formulierte, Mißbrauch der dem Menschen von Gott zugestandenen Mündigkeit. Die Einsicht kommt fast zu spät.

Es gibt so gut wie keinen deutschen Quadratmeter mehr, der nicht die Spuren des Menschen trägt, und meist sind es zerstörerische Spuren. Die Liste der ausgerotteten Pflanzen und Tiere, über die Jahrhunderte hinweg, in denen der Mensch wirtschaftete, ist lang. Es ist wahr: auch die Natur ließ immer wieder ihre Geschöpfe vergehen, aber es geschah in Anpassung, nicht, wie unter der Herrschaft des Menschen, in Anmaßung. Er kennzeichnete, wie mit einem Kainsmal, was ihm nicht in Kram und Plan paßte, mit der Vorsilbe »un«: Unland, Unkraut, Ungeziefer. Er schied die Natur in Nützlinge und Schädlinge.

Nach ihrer Rolle im Haushalt der Natur fragte er nicht. Er, er allein, war das Maß aller Dinge. Er stand, oder sah sich stehen außerhalb der Naturgesetze: *imago Dei,* Ebenbild Gottes, und alles andere war nur *vestigium,* Gottes Spur. Das hatte Thomas von Aquin schon so gesehen, und dabei ist es geblieben bis auf den heutigen Tag.

Man könnte Bücher damit füllen, wie der Bauer die ihm zu treuen Händen gegebene Natur veränderte. Solange er nur mit seinen Händen in ihr wirtschaftete, unterstützt bloß von Ochs und Pferd, konnte er nicht viel gegen sie ausrichten. Da war er noch ein Teil von ihr, wirtschaftete kleinräumig, in Vielfalt der Tier- und Pflanzenarten und damit in Einklang mit den Naturgesetzen, die mit eben dieser Vielfalt die Natur stabilisieren.

Aber dann kamen nach und nach die Maschinen und die Energien aus dem Erdöl: Diesel für die Traktoren, deren Zahl sprunghaft hochschnellte und die immer schwerer wurden und damit den Boden immer mehr verdichteten. Und es kamen, auch mit Hilfe des Erdöls, die künstlichen Dünger, die den Boden reizten, mehr herzugeben, als seine ihm innewohnenden Kreisläufe aus Mikroorganismen hergaben. Es kamen neue pervertierte Abläufe in Gang. Der Vernichtung von Naturpflanzen folgten genetisch manipulierte, auf Ertrag gedrillte Nützlinge, die große bereinigte Flächen benötigten: Monokulturen, die sich heute zu eintönigen landwirtschaftlichen Steppen weiten. Um ihre zunehmende Anfälligkeit gegen Insekten und Pflanzenkrankheiten zu bekämpfen, griff man tonnenweise zum Gift, das man verschämt Pflanzen*schutz*mittel nennt, wie man ja auch den Kunstdünger diskret Handelsdünger nennt.

Das Wort von der Traktorlandschaft kam auf. Die Flurbereinigung, die mit ihrer Gesetzesallmacht alles in den Schatten stellt, was der wirtschaftende Mensch je der Landschaft antat, heftete ganze Landstriche auf ihre Reißbretter und vergewaltigte die Natur, die die Gerade, außer im kristallinen Bereich, nicht kennt, mit dem Lineal. Mäandrierende Bäche wurden begradigt und die gewundenen Feldwege schnurgerade an die Horizonte gezogen, Fläche an Fläche gelegt, Grenzhecken herausgerissen, Bäume gerodet, Sumpfwiesen trockengelegt, Hügel abgetragen. Die Tiere verschwanden aus dieser deckungslosen Barbarei. Zoologen stellten ganz neue Tierkrankheiten fest: Streßsymptome bis zum Kreislaufkollaps beim Feldhasen etwa, dem riesige Maschinen binnen weniger Stunden die gewohnte Deckung quadratkilometerweit heruntermähten.

Während sich die Landschaft entleerte, füllten sich die Lagerhäuser mit den Produkten, die man in großen Mengen aus ihr herauspreßte. Die Steigerungsraten in der Landwirtschaft erreichten das Doppelte von denen der übrigen Wirtschaft. Die Lebensmittelberge wurden zum öffentlichen Ärgernis. Erst da begann man hier und da, etwa in Bayern, zweifelnd nach dem Sinn der neuen Agrarfabriken zu fragen, die den kleinen Bauern als nicht konkurrenzfähig vertrieben und den großen noch größer machten, bis zur Karikatur eines Bauern: er war nun Unternehmer, Agraringenieur, Ökonom. Land, das sich seinen Großmaschinen und seinem Renditedenken durch Hängigkeit oder arme Böden entzog, ließ er brachfallen: Unland.

Dieser neuen Parianatur bemächtigte sich der Forst, auch er ein Kind der neuen Zeit mit seinen Monokulturen aus ertragreichen Nadelbäumen, zu deren rascherem Wuchs man die Buchen dazwischen und das Geranke der Strauch- und Beerenflora darunter, Schutz und Nahrung für Vögel und Wildtiere, oft mit Gift bekämpfte. Der großflächige Kahlschlag im Fichtenreinbestand löste die stammweise Nutzung durch die alten Waldbauern ab, deren Mischwald sich niemals veränderte, weil in ihm nur die Baumindividuen wechselten, nicht die Baumarten. Das wird uns alles noch beschäftigen.

In Gerechtigkeit gegenüber Bauer und Forstmann muß man freilich sagen, daß manche von ihnen, die ganz Alten und die ganz Jungen, mit wachsendem Unglauben hören, was die Politik der großen leistungsbezogenen Worte ihnen noch immer aufschwätzt. Nur langsam, wenn überhaupt, setzt ökologisches Denken ein, am ehesten noch im Waldbau. Wer offenen Auges durch unsere Agrarlandschaften und Kunstforste geht (sie machen mehr als zwei Drittel der Republikfläche aus) wird erkennen: Es ist schon fast zu spät.

Die Zahl erschreckt niemand, obwohl sie seit langer Zeit immer wieder warnend publiziert wird: Täglich fallen in der Bundesrepublik 100 Hektar freie Landschaft der Überbauung mit Häusern, Fabriken, Straßen, Flugplätzen, Eisenbahnstrecken, Parkplätzen, Freizeiteinrichtungen zum Opfer. Es gibt Landschaften, die so reich »erschlossen« sind, daß sie über fünf Quadratkilometer hinaus keine zusammenhängenden, das heißt von klassifizierten Straßen nicht zerschnittene oder tangierte Flächen aufweisen. Das führte, immerhin, zu einer Anfrage im Landtag von Baden-Württemberg.

Die CDU-Fraktion bedrängte ihre eigene Regierung: »Der Verkehrswegebau kann in dichtbesiedeltem Bereich über den reinen Flächenverlust hinaus zu erheblichen Beeinträchtigungen des Naturhaushalts führen. Die Zerschneidung zusammenhängender Landschaftsteile gefährdet oder zerstört die natürlichen Lebensräume der einheimischen Tier- und Pflanzenwelt. Die Erholungseignung der zwischen den Straßen verbleibenden Restflächen ist vielfach nicht mehr gegeben.«

Die Regierung von Baden-Württemberg gab den Schwarzen Peter an die Bevölkerung weiter. Sie antwortete: »Die der Regierung zur Verfügung stehenden gesetzlichen und administrativen Instrumentarien können das Problem des

Landschaftsverbrauchs ohne eine Änderung der politischen und persönlichen Bewußtseinslage nicht allein lösen. Der hohe Landschaftsverbrauch hat eine grundlegende Ursache in der Erwartungshaltung der Bevölkerung. Der Bürger erwartet neben der Fläche auf dem Baugrundstück ein vielfältiges Flächenangebot der öffentlichen Hand für alle erdenklichen Aktivitäten. Die Dienstleistungsangebote weiten sich aus und werden zunehmend verfeinert. Auch im Bereich von Freizeit und Erholung bestehen erhebliche Flächenansprüche. Diese Flächen werden gleichzeitig in verschiedenen Landschaften wie zum Beispiel Schwäbische Alb, Schwarzwald und Bodensee erwartet. Gute Erreichbarkeit mit dem Kraftfahrzeug wird vorausgesetzt.«

Da ist sie wieder, die Mentalität des blinden und tauben Wurms im Gebälk der Welt. Die Regierung von Baden-Württemberg: »Für die Bewußtseinsbildung über die Folgen eines Landschaftsverbrauchs wirkt sich nachteilig aus, daß die positiven Ergebnisse einer landschaftsverbrauchenden Maßnahme alsbald erkennbar sind, daß sich der Landschaftsverbrauch oft aber zunächst kaum merklich vollzieht und seine Folgen erst nach längerer Zeit als Summe nachteiliger Folgen verschiedener Maßnahmen spürbar werden.« In schlechtem Deutsch ein schlechtes Alibi.

Es hat sich durch kurzfristig einander folgende Wahlen so ergeben, daß die Politiker die Bewußtseinsbildung in der Bevölkerung nicht, wie es guter Führungseigenschaft entspräche, aus eigenem besseren Wissen vorantreiben, sondern nur vollziehen, was sie für den Wunsch der Bevölkerung, also für stimmenträchtig halten. So wird Landschaft zum Wahlgeschenk. Es ist ein Danaergeschenk, und die Beschenkten fangen an, es auch so zu sehen. Die Würmer im Gebälk stoßen überrascht aneinander: Das Holz ist überall schon zerstört. Nach einer Repräsentativumfrage des Bonner Innenministeriums halten nunmehr 59 Prozent der Bevölkerung Umweltschutz für sehr wichtig; 73 Prozent sind zu persönlichen Opfern zugunsten einer Überlebenspolitik bereit; 60 Prozent lehnen Wirtschaftswachstum um den Preis von Umweltschäden ab, und 64 Prozent fordern eine Geldmittelumschichtung zugunsten von Umweltschutzmaßnahmen.

Es müßten die Regierungen endlich die Bürger bei diesem Wort nehmen.

Aber Politiker fahren fort, Natur nur dort wichtig zu nehmen, wo sie sich »erschließen« läßt. Naturschutz ist für sie eine Funktion menschlicher »Erholung«. Daß die Natur sich zuvörderst vom Menschen erholen muß, um für ihn wieder erholsam werden zu können, bewirkt durch rigorose Schutzbestimmungen bis zur Aussperrung der Besucher, das ist für Politiker ein undenkbarer Gedanke, dem sie das Etikett »Menschenfeindlichkeit« aufkleben. Ein Abhörmikrofon in der Wohnung einer Ministersekretärin hält die Nation wochenlang in Atem, die Regierung droht darüber zu stürzen. Nicht, daß dies nicht ernst und wichtig wäre, aber man wünschte sich einen auch nur kleinen Teil dieser – weitgehend künstlichen – staatlichen Erregung auf die immensen, Freiheit und Wohlstand der kommenden Generationen gefährdenden Naturausbeutungen abgelenkt. Doch als das Naturschutzgesetz beraten wurde, saßen bei der Abstimmung 35 lustlose Abgeordnete im Bonner Parlament.

Millionen Mark Steuergelder geben die Regierungen aus, um sich in Anzeigen und Plakaten ihrer Tüchtigkeit zu rühmen: illegal, sagte das Karlsruher Verfassungsgericht. Nähmen sie doch nur einen Teil dieser Millionen, und zwar legal, um mit Hilfe kreativer Werbeagenturen dem Volk deutlich zu machen, daß – um ein Beiziges Beispiel zu nennen – nicht nur Grün, sondern auch Gelb eine erholsame Farbe ist: das Gelb der Brache. Der pervertierte Ordnungssinn der Deutschen schämt sich dieser, von der vollmaschinisierten Landwirtschaft als unrentabel aufgegebenen Flächen in den Mittelgebirgen und ihren Vorländern. Man rückt den langsam verbuschenden Brachen und ihrer wiederkehrenden natürlichen Vielfalt der Pflanzen und der Tiere mit den Schlagmessern großer Mulchmaschinen zu Leibe, weil anders, so sagen die von der Brache betroffenen Gemeinden, die Touristen fortbleiben: Die neue, nicht gemähte Landschaft erscheint ihnen so unordentlich wie eine Stube mit ungemachten Betten mittags um zwölf.

Und wo nicht Ordnungssinn herrscht, da macht sich der Größenwahn des Regulators breit. Die Jagd, so unentbehrlich und nützlich sie zur Gleichgewichtung von Wald und Wild ist, zeigt sich bei den Greifvögeln anfällig für diesen Regulatorwahn.

Ein Kohlmeisenweibchen im 800 Quadratmeter großen Hausgarten produziert im Jahr zwölf Eier. Würden aus allen zwölf Eiern Junge schlüpfen und bis zum nächsten Jahr überleben und würden die sechs Weibchen aus dieser Brut wiederum je zwölf Junge produzieren, und geschähe in den Gärten der Nachbarn dasselbe, wäre also kein Raum zum Abwandern der 72 Meisenjungen je Hausgarten, so ist klar, daß in einem Garten von 800 Quadratmetern Größe nicht sechs Meisenpaare ihre Jungen großziehen können.

Die Natur arbeitet mit Überproduktion. Im Schnitt müssen von zwei alten und zwölf jungen Kohlmeisen bis zum nächsten Jahr 12 Vögel sterben, damit es keine Übervermehrung gibt zum Schaden der eigenen Art. Lange Zeit hielt man die Greifvögel für die Regulatoren der kleineren Vogelarten. Nach dem Verschwinden von Uhu und Seeadler, die gelegentlich andere Greifvögel schlugen oder deren Horste plünderten, glaubten die Jäger, die Stelle von Uhu und Seeadler einnehmen zu müssen: zum Schutz der

Beutetiere der Jagd, wie Hase, Rebhuhn und Fasan.

Längst aber ist sich die Wissenschaft einig, daß nicht die Greifvögel ihre Beutetiere, sondern die Beutetiere die Greifvögel regulieren. Das Nahrungsangebot bestimmt die Zahl der Eier, die die Greifvögel legen, die Zahl der Jungen, die sie aufziehen und die Zahl der Paare, die überhaupt brüten. Sie regulieren sich also selbst.

Das hindert den Bayerischen Jagdverband nicht daran, im Jahre 1977 mit Hilfe seiner Parlamentslobby einen Landtagsbeschluß herbeizuführen, der der Regierung empfiehlt, den Abschuß von Greifvögeln freizugeben, die »das ökologische Gleichgewicht stören.«

So schwankt homo sapiens, der vorgeblich wissende Mensch, hin und her zwischen schrecklicher Vermenschlichung und schrecklicher Vernichtung der Tiere. Daß sie mehr sind als Lieblinge oder Schädlinge, vielmehr Warnlampen im Ordnungsgefüge der Natur, deren Verlöschen Gefahren für ihn selbst anzeigt, muß er erst noch lernen. Wenn ihm Zeit dafür bleibt.

Horst Stern

Bodennutzungsfläche in Deutschland

56% Landwirtschaft

29% Wald

9,7% Städte, Industrie

2,8% Öd- und Unland

1,8% Gewässer

0,7% unkultiviertes Moor

In diesem Buschland leben zur Brutzeit viele Vogelarten. Ein Paar Elstern, ein Paar Neuntöter, zwei Paar Goldammern, drei Paar Fitisse.

Zählt man die Vogelarten in diesem kleineren Ausschnitt des Buschlandes, wird man nicht mehr als ein Paar von jeder Art finden. Jedes Paar verteidigt nämlich einen Teil der Landschaft gegen Vögel der eigenen Art, nicht anders als wir unser Land in Gärten aufteilen und so gegen die Nachbarn mit Zäunen, Hecken und Mauern abschirmen. Die Einteilung in Reviere ist notwendig, weil die Vögel·der eigenen Art nach derselben Nahrung suchen. Im selben Revier würden sie sich Konkurrenz machen. Dagegen können Elster, Neuntöter, Goldammer und Fitis, also vier verschiedene Vogelarten, im Buschland zusammenleben, weil sie verschiedene Ansprüche stellen – vor allem an ihre Nahrung. So kümmert sich eine Goldammer um die Reviergrenzen eines Fitis überhaupt nicht.

An dem noch kleineren Ausschnitt des Buschlandes – einem einzelnen Strauch – wollen wir uns klarmachen, wie verschieden die Vogelarten Elster, Neuntöter, Goldammer und Fitis ihren Lebensraum nutzen.

Vögel haben ein Zuhause wie wir: ihren Lebensraum

Frei wie ein Vogel zu sein ist der Wunschtraum vieler Menschen, die sich durch Verordnungen und Verpflichtungen in ihrer Freiheit beengt fühlen. Doch die Freiheit der Vögel ist nur eine scheinbare Freiheit. Denn Vögel können nicht einfach wegfliegen, wenn es ihnen in einem Lebensraum nicht mehr behagt; sie sind an den Platz gebunden, so wie wir an unser Zuhause.

Die Anpassung an den Lebensraum wird durch die unterschiedlichen Bedürfnisse, die Vogelarten in bezug auf ihren Brutplatz haben, deutlich. Sie sind für jede Art verschieden. Nest, Eier und Junge zeigen dem Lebensraum entsprechende Anpassungen.

Nur ein wirklich passender Brutplatz kann dazu beitragen, daß vielen Feinden und schlimmer Witterung zum Trotz die Jungen flügge werden. Gleichzeitig aber sorgen die unterschiedlichen Ansprüche der einzelnen Brutvögel auch dafür, daß der zur Verfügung stehende Raum möglichst günstig unter den einzelnen Interessenten aufgeteilt wird. So hat zum Beispiel ein großer Busch Platz für mehrere Vogelnester. Im oberen Stockwerk steht in einer Astgabel verankert die Reisigburg der Elster, bei der die mit Lehm ausgekleidete Nestmulde durch einen »Drahtverhau« sperriger Äste nach oben gesichert ist.

Das Elsternest ist oft schon von weitem sichtbar, doch ein unerwünschter Gast kann es kaum vom Boden aus erreichen. Vögel, die tiefer bauen, müssen ihr leicht erreichbares Nest dagegen gut vor neugierigen Blicken verbergen.

Viele Singvögel sind im Verstecken ihrer Nester wahre Meister, wie der Neuntöter, der seinen Nestnapf in die dicht belaubten Zweige des Busches, etwa in Mannshöhe setzt, oder die Goldammer, die nur einen halben Meter über dem Boden ihr Nest in den untersten Zweigen oder in der hochgewachsenen Krautschicht verbirgt. Das gut getarnte Backofennest des Fitis sitzt auf dem Boden und schiebt sich unter den dichten Teppich der Grashalme.

So ist der Busch im Frühsommer eine vielfältige Vogelkinderstube. Aber er steht nicht allein, sondern ist ein Teil der Landschaft, die für die vielen hungrigen Vogelschnäbel in den Nestern die Nahrung liefert. Vom Boden, von den Grashalmen, von Bäumen und Sträuchern, aber auch aus der Luft holen die Vogeleltern das Futter, das sie unermüdlich ihren Jungen zutragen. So leben die Vögel im Busch vom Angebot ihrer Umgebung, die damit für sie zum Lebensraum wird, der ihre Existenz sichert. Ausreichende Nahrung und Sicherheit für den Nachwuchs sind die wichtigsten Bedingungen, die Lebensräume für Vögel bieten müssen. Schon kleine Änderungen können bewirken, daß die eine oder andere Vogelart diese wichtigen Voraussetzungen nicht mehr in ausreichendem Maße vorfindet und damit zum Verschwinden gezwungen wird. Neuntöter oder Elstern können nun einmal ihre Nester nicht auf dem Boden bauen, und der Fitis hat keine Mög-

lichkeit, beim Fehlen eines dichten Krautwuchses sein Nest in die Zweige eines Baumes zu legen. So müssen viele Voraussetzungen in einem Raum zusammentreffen, damit er für eine Vogelart auch wirklich zu einem Lebensraum wird.

Diese Tatsache ist für den Vogelschutz von entscheidender Bedeutung. Wirksamer Vogelschutz heißt Erhaltung der Lebensräume. Ohne intakte Lebensräume sind bestimmte Vogelarten zum Aussterben verurteilt. Die Beispiele auf den nächsten beiden Seiten machen dies besonders deutlich.

Die *Elster* nutzt den Busch als Kinderstube und als Ausguck. Kleine Insekten an Blättern und Ästen oder fliegende Käfer interessieren sie nicht, wohl aber Insekten auf dem Boden sowie Eier und Junge in den Nestern anderer Vogelarten.

Der *Neuntöter* nutzt den Busch als Ausguck, Eßtisch und Speisekammer. Von der Buschspitze aus beobachtet er seine Umgebung. Bemerkt er einen fliegenden Käfer oder eine Maus auf dem Boden, fliegt er auf die Beute zu, tötet sie mit einem Schnabelbiß und fliegt mit ihr zurück zum Busch. Hier verspeist er sie oder spießt sie als Vorrat auf.

Die *Goldammer* nutzt den Busch als Sing- und Nestplatz. Nahrung sucht sie im Busch nicht. Sie liest Insekten und Samen vom Boden auf.

Der *Fitis* nutzt den Busch als Jagdrevier. Seine Beute sind kleine Insekten, die an Blättern und Zweigen sitzen. Sein Nest baut er auf dem Boden, im Gras oder unter einem Busch.

Wird der Lebensraum der Vögel zerstört – sind sie vom Aussterben bedroht

Ohne Büsche hat der Neuntöter kein Zuhause.
Der Neuntöter braucht Büsche oder junge Bäume, Dornen an den Büschen, freie Sicht, nicht zu dichten Bodenbewuchs und ein reichliches Nahrungsangebot an Insekten und Mäusen. Die Büsche nutzt er als Ansitz für die Jagd. Mäuse und große Insekten, die zu groß zum Verschlucken sind, spießt er auf Dornen, damit er sie besser bearbeiten kann. Die Büsche und jungen Bäume benötigt er für den Bau seines Nestes. Neuntöter können weder im Wald noch im Schilf, noch in irgendeiner ausgeräumten Kulturlandschaft ohne Hecken und Büsche leben.

Ohne alte Bäume keine Chance für den Schwarzspecht.
Der Schwarzspecht, der fast so groß ist wie eine Krähe, benötigt für seine Bruthöhle aufgrund seiner Größe alte Bäume, die einen solchen Umfang haben, daß noch genügend Holz um die Höhle herum stehenbleibt, ohne daß der Baum abknickt. Ohne solche alten Bäume im Wald kann der Schwarzspecht nicht brüten. Doch er braucht den Wald auch, weil er sich hier auf seine Nahrungstiere spezialisiert hat: waldbewohnende Ameisen und Käferlarven. Im Schilf oder Feld ist der Schwarzspecht ein Todeskandidat.

Trockene Wiesen führen zum Aussterben der Weißstörche.
Der Weißstorch ist auf das große Nahrungsangebot von feuchten Wiesen eingestellt. Entwässerte und drainierte Wiesen bieten zu wenig Frösche, Schnecken und Würmer. Zwar fängt er auch Mäuse, die auf trockenen Wiesen vorkommen, aber das Mäuseangebot ist für ihn in der Regel nur alle drei Jahre als ausreichende Nahrungsgrundlage groß genug. Seit die Entwässerung von Feuchtwiesen vorangetrieben wurde, geht der Weißstorch-Bestand extrem zurück.

Diese Beispiele machen deutlich, wie sehr das Überleben bestimmter Vogelarten von ihrem Lebensraum abhängt. In den nachstehenden Kapiteln gehen wir deshalb auf die Lebensräume der Vogelarten ein, um deutlich zu machen, wie wichtig es ist, diese Lebensräume zu erhalten und damit die Vogelwelt zu retten.

Die Wasseramsel braucht natürliche Bachläufe.

Unbegradigte Bachläufe und Flüsse sind für die Wasseramsel die Lebensgrundlage. Sie braucht Bäume am Ufer als Schutz vor Feinden und ausgewaschene Ufer als Neststandort. Hier jagt sie unter Wasser Larven von Eintagsfliegen, Köcherfliegen, Steinfliegen, Flohkrebse und Käfer. Ausgebaute, d. h. begradigte, rechts und links mit Dämmen und mit schrägen Ufern versehene Wasserläufe bieten weder das eine noch das andere; sie sind für Wasseramseln unbewohnbar. Ein begradigter Bach mehr bedeutet für sie ein Stück Heimat weniger.

Ohne Wiesen und Schlammufer haben Bekassinen keine Chance.

Moore, feuchte Wiesen und Schlammufer sind der Lebensraum der Bekassine. Hier sucht sie mit ihrem langen Schnabel stochernd nach Nahrung. Mit dem Absenken des Wasserspiegels in Mooren und feuchten Wiesen wird der Boden trockener, fester und nahrungsärmer. Die Bekassine kann nicht mehr mit ihrem Schnabel in den Boden stoßen. Die Nahrungsgrundlage ist entzogen. Sie gehört zu den bedrohten Vogelarten, die heute immer weniger Lebensraum in der Bundesrepublik finden.

Ohne Obstbäume, Kopfweiden und alte Mauern kann der Steinkauz nicht brüten.

Der Steinkauz ist eng an die Kulturlandschaft des Menschen angepaßt. Hier jagt er in der Dämmerung nach Insekten, Regenwürmern und Mäusen. Als Brut- und Schlafplatz benötigt er Höhlen, die er früher in alten Obstbäumen, Kopfweiden und Mauern in großer Zahl fand. Das Roden alter Obstbäume und Kopfweiden sowie unser ausgeprägtes Ordnungschaffen an alten Gemäuern raubt dem Steinkauz Verstecke und Brutplatz. Dadurch wird er heimatlos.

Lebensraum Stadt

Die Entfremdung des Menschen von der Natur setzte so früh ein und hat heute so schwere pathologische Formen angenommen, daß man versucht ist, sie für eine auf Selbstzerstörung angelegte, genetisch fixierte Zielbestimmung der ganzen Art *Homo sapiens* zu halten. Gemeint ist der seit Jahrtausenden anhaltende Drang der Menschen fast aller Kulturkreise in die Stadt, dem Sinnbild einer menschlichen Schöpfung neben jener, die wir uns angewöhnt haben göttlich zu nennen. Lemmingen gleich, deren Populationen immer wieder in riesigen Wanderzügen zusammenbrechen, drängen die Menschen aller Kontinente in die Städte, die anfangen, unregierbar zu werden, dem Chaos nahe, wo sie es nicht schon sind: New York, Kalkutta, Lusaka, Tokio.

In Nordamerika lebten um 1800 nur sechs Prozent der Bevölkerung in Städten, heute sind es 75 Prozent. Das ist bei uns nicht anders: Um 1800 wohnten nur zwölf Prozent der Bevölkerung in Siedlungen mit mehr als 5000 Menschen, und nur zwei Städte überhaupt, Berlin und Hamburg, hatten mehr als 100 000 Einwohner. Heute weist die Bundesrepublik etwa 60 Großstädte, also Menschenansammlungen von mehr als 100 000 Köpfen, auf. In den zwei Dutzend Verdichtungsräumen leben nun auf einer Fläche von nur 7,3 Prozent des Bundesgebiets schon 50 Prozent der Bevölkerung. Waren um 1800 noch 75 Prozent aller Deutschen in der Landwirtschaft tätig, so sind es heute nur noch acht Prozent.

In den Entwicklungsländern ist dieser lemminghafte, selbstzerstörerische Zug in die Städte noch ausgeprägter. Afrikanische Großstädte wie Lusaka und Lagos wachsen jährlich um 40 Prozent. Für Kalkutta werden für das Jahr 2000 66 Millionen Einwohner prognostiziert. Der Statistiker Kingsley Davis hat (nach Paul Ehrlich zitiert) diese Verstädterungstendenzen, die ungebrochen sind, hochgerechnet: »Wenn die Wachstumsraten, die wir seit 1950 kennen, anhalten sollten, würde im Jahr 1984 die Hälfte der Menschheit in Großstädten leben. Sollte der Trend bis zum Jahr 2023 anhalten (was nicht geht), so würden alle Menschen auf der Welt in Städten leben. Im Jahr 2020 würden die meisten Menschen aber nicht nur einfach in Städten leben, vielmehr würde die Hälfte der Menschheit in Millionenstädten leben. Im Jahr 2044 dürfte die größte Stadt dann eine Bevölkerung von 1,4 Milliarden haben und die Welt eine Bevölkerung von 15 Milliarden.«

Hält dieser Trend an, was undenkbar ist, wird er also nicht gestoppt entweder durch drastische Geburtenverminderung in den Entwicklungsländern oder durch Millionenverluste als Folge von Hungerkatastrophen, Kriegen, chemischen oder atomaren Großunfällen, dann geht die Menschheit einem psychischen Verfall als Vorstufe ihres körperlichen Zusammenbruchs entgegen. Daran kann gar kein Zweifel sein. Die Beweise liegen längst vor. Das New York von heute zeigt der Welt das Schicksal ihrer verstädterten Menschen von morgen.

Die Zusammenballung von Menschen setzt Aggressionen frei. Nach Konrad Lorenz führt das Zusammengepferchtsein vieler Menschen auf engem Raum durch »Erschöpfung und Versandung zwischenmenschlicher Beziehungen zu Erscheinungen der Entmenschlichung«. Die ausbrechende Gewalt richtet sich sowohl gegen Menschen als auch gegen Sachen: In New York werden in einem Jahr 360 000 Telefonzellen eingeschlagen, über 200 000 Schulfenster zertrümmert und Schäden in öffentlichen Parks und Verkehrsmitteln angerichtet, die sich auf 850 000 Dollar belaufen. Mit der Zahl der Bevölkerung wachsen auch die Zahlen der Gewaltverbrechen wie Raub, Mord und Vergewaltigung – Phänomene, die längst auch auf unsere Großstädte übergegriffen haben. Wissenschaftliche Untersuchungen aus dem Bereich der Psychologie weisen darauf hin, daß Menschen mit Hang zu Gewaltverbrechen eine abnorm geringe Toleranz gegenüber einem Zusammensein mit vielen Menschen auf engem Raum haben.

Dem psychischen folgt der körperliche Verfall. Sozialer Streß, wie er in Großstädten grassiert, verursacht Magengeschwüre, Herzgefäßerkrankungen und Bluthochdruck, der zu Infarkten, Gehirnschlägen und Nierenversagen führt. In der Statistik liegen die Großstädte hier weit vorn, desgleichen bei Lungenkrebs im Zusammenhang mit Luftverschmutzungen, selbst bei Nichtrauchern.

Man vergewaltigt die Logik nicht, wenn man von Tierversuchen auf die Situation der Großstädter schließt: Ratten, auf engem Raum zusammengepfercht, entwickeln Beißlust bis zum Kannibalismus. Sie stellen die Brutpflege ein, es häufen sich Fehlgeburten und Impotenz – Krankheitsbilder, die sich in Form von Gangstertum und Terror, Kindsmißhandlungen und Sexualneurosen mit Leichtigkeit und in signifikanter Häufigket auch an unserer Art feststellen lassen. Die Parallelen sind so erschreckend, daß man sich über die Nichtbeachtung wundert.

Und wie bei den zusammengepferchten Ratten ist auch bei den Großstädtern die Neigung zu erkennen, ihrem sie krankmachenden Lebensraum zu entfliehen: Die infernalisch lauten und stinkenden Innenstädte leeren sich zuerst. Den Platz der Wohnungen nehmen Büropaläste ein. Abends und nachts ist die City ohne wirkliches Leben. So entstand das Phänomen der krebsartig in die Umgebung ausgreifenden Vorstädte. Sozial gut gestellte Bürger verlassen nach und nach ganze Stadtviertel, noch Zögernde werden schließlich vertrieben durch die Massen der meist farbigen Unterprivilegierten, die in die verlassenen Häuser eindringen, ohne nach Rechtstiteln zu fragen. Ihr Recht ist ihre große Zahl, ihr Argument ihre Armut und ihre Verteidigung die Gewalt.

Zu ihnen gesellen sich die vielen Hoffnungsfrohen vom Lande, die durch die Vollmaschinisierung der Landwirtschaft brotlos wurden und nun in der Großstadt das Paradies suchen, aber die Hölle finden, denn in diesen Slums brodelt das Verbrechen.

Da die Begüterten gingen und die Armen kamen, geht den großen Städten mangels Steueraufkommen das Geld aus. New York ist längst bankrott. Zum Ausgleich holen sie sich die geldbringenden Hochhäuser des Handels und der Industrieverwaltungen, der Banken und Versicherungen in die Stadtkerne. So kommt es, daß viele amerikanische Städte mehr oder weniger aus den Steinwüsten ihrer Citys und den sie umgebenden Slums bestehen.

Die Mittel- und Oberschicht zog aufs Land. Riesige Vorstädte greifen immer weiter in die freie Landschaft aus und zerquetschen zwischen sich, indem sie mit den Randsiedlungen benachbarter Großstädte zusammenwachsen, letzte Ausgleichsräume für Menschen, Tiere und Pflanzen. Wenn dieser Trend anhält, werden die Städte der dichtbesiedelten Industriestaaten zu bösartigen Krebsherden, deren Metastasen das sie umgebende gesunde Naturgewebe fortschreitend zerstören. Der Prozeß ist, abgesehen von der politischen Lösung sozialer Fragen, abgesehen auch von einer Verminderung des skandalösen Gefälles zwischen Arm und Reich und Nord und Süd, nur dadurch zu lösen, daß man die Städte baulich saniert, mit Grün durchsetzt und von Lärm und Abgasen befreit, mit einem Wort: sie menschengerecht macht.

Mit der Zeitverzögerung, mit der die Erscheinungen der nordamerikanischen Hochzivilisation, gute wie schlechte, auf Europa überzugreifen pflegen, werden auch unsere großen Ballungsräume von diesen Krankheitssymptomen befallen. Erste Signale für sinnlose, pferchbedingte Aggressionen sind die Aufkleber an unseren Telefonzellen: Zerstöre mich nicht, ich könnte Leben retten! Streß ist als Modewort in aller Munde. Fernsehsendungen, Bücher und Illustriertenserien über die großen Zivilisationskrankheiten wie Krebs, Herz- und Kreislaufschäden, Psychosen und Neurosen haben längst den Charakter einer makabren Massenunterhaltung angenommen, deren Zulauf nur noch bei filmischen Darstellungen der Gewalt und des Verbrechens übertroffen wird. Bei den Staatsanwaltschaften der großen Städte wurden Abteilungen für Bandenkriminalität eingerichtet. Kindsmißhandlungen und Vergewaltigungen nehmen zu. Rauschgift dringt tonnenweise ein. Eskapismus in Gestalt von Drogensucht oder Hinwendung zu östlichen Formen spirituellen Lebens hat große Teile der Jugend ergriffen. Psychische Verelendung durch lang anhaltende Arbeitslosigkeit und Chancenlosigkeit im beruflichen Leben sind ständige Themen unserer Sozialmedizin. Gastarbeiter, die Neger unserer Gesellschaft, leben in Slums, am ausgeprägtesten in Berlin-Kreuzberg. Und die Bürger drängen ins Grüne der Vorstädte, die Citys veröden.

Noch wären die Probleme bei uns lösbar. Aber Programmansätze dazu werden allzuhäufig von Politikern zerredet, die in der Engstirnigkeit ihres Parteidenkens befangen sind. Profitinteressen anonymer Kapitalmächte lähmen Initiativen. So bleibt nur die Hoffnung auf die Heilung durch Schock: Es muß wohl erst eine Großstadt wie Frankfurt unregierbar werden: erstickt im Verkehr, terrorisiert von Verbrechern, finanziell bankrott. Wir brauchen ein eigenes New York.

Das Heilmittel, gewiß nicht das Allheilmittel, mit dem die großen Städte langsam gesunden könnten, ist so einfach zu beschaffen, so billig und so selbstgenügsam, daß man sich fast geniert, es dieser angeblich so aufgeklärten Gesellschaft zu empfehlen: Es ist, als Symbol für alles Grün, der Baum. Friedensreich Hundertwasser, der Wiener Maler, hat ihn den Wienern emphatisch und nicht ohne Erfolg ans Herz gelegt: »Du selbst mußt Deine Umwelt gestalten. Du kannst nicht auf die Obrigkeit und auf Erlaubnis warten. Es ist Deine Pflicht, der Vegetation mit allen Mitteln zu ihrem Recht zu verhelfen. Straßen und Dächer sollen bewaldet werden. In der Stadt muß man wieder Waldluft atmen können. Das Verhältnis Baum–Mensch muß religiöse Ausmaße annehmen. Dann wird man auch endlich den Satz verstehen: Die gerade Linie ist gottlos.«

Oft aber reichen die Flächen längst nicht mehr aus, auf denen neues, zusätzliches Grün noch wachsen könnte. Die Landesregierung von Baden-Württemberg: »Der Orientierungswert für Grünflächen im Innenbereich der Städte – 50 Quadratmeter je Einwohner – wird in Stuttgart, Freiburg, Karlsruhe, Mannheim und Heidelberg stark unterschritten.« Es fehlt den Politikern also nicht an Wissen. Es fehlt ihnen der Mut zur Tat.

Horst Stern

Vogelleben
zwischen Häusermauern

Das Zentrum der großen Städte ist für die meisten Tierarten unbewohnbar. Mit der baum- und strauchlosen Innenstadt werden nur zwei der bei uns brütenden Vogelarten fertig, der Hausspatz und die Haustaube. Andere Arten können hier nur leben, weil sie ihre Nahrung ausschließlich in der Luft fangen, wie der Mauersegler, oder zur Beutesuche auf die Felder der Umgebung fliegen, wie es die meisten Stadtturmfalken tun.

Eine Amsel siedelt sich in der Innenstadt nur dann an, wenn ihr Rasen zur Verfügung steht, auf dem sie Regenwürmer finden kann. In Parkanlagen und Gärten mit viel Rasen hat die Amsel besonders günstige Lebensbedingungen gefunden. Deshalb siedelt sie hier viel dichter als in ihrer früheren Heimat, dem Wald. Noch um die Jahrhundertwende war die Amsel in den Ortschaften fast unbekannt. Erst danach hat sie unsere Dörfer und Städte erobert. Heute ist sie dem Städter so vertraut wie die Haustaube. Da sie

wenig scheu ist, kann man ihre Verhaltensweisen aus nächster Nähe beobachten – wie sie auf Regenwurmjagd geht, wie benachbarte Männchen ihre Reviergrenzen festlegen, wie sie ihr Nest baut und wie sie ihre Jungen aufzieht. Der Amsel-Gesang, von Dächern und Fernsehantennen vorgetragen, bringt zwischen die Betonfassaden einen letzten Hauch von Natur.

Ausgestreutes Futter ermöglicht es den Stadtamseln, bei uns zu überwintern. Ohne menschliche Hilfe wäre ihr das bei strenger Kälte nicht möglich.

Ein Teil unserer Amseln zieht aber auch heute noch im Herbst in Richtung Südwesten nach Belgien und Frankreich. Früher war der Anteil der ziehenden Amseln sicherlich größer. Heute kommen an die Futterplätze in den Ortschaften auch viele Waldamseln.

Wie die Amsel ist auch die Kohlmeise eigentlich ein Waldvogel. Selbst wenn ihr nur zwei

Taubenschwärme sind ein beliebtes Motiv für die Erinnerungsfotos an historischen Plätzen der Weltstädte. Jeder Schwarm lebt in einem bestimmten Gebiet der Stadt, meist in der Nähe eines ständigen Futterplatzes.

44

Bäume zur Verfügung stehen, macht sie mitunter schon einen Brutversuch. Ohne Zufütterung von seiten des Menschen kann sie in solch einer lebensfeindlichen Umgebung freilich nicht existieren, aber ihre Jungen gehen oft an Futter zugrunde, das ihnen unzuträglich ist. Für die Aufzucht ihrer Jungen braucht die Kohlmeise ein vielseitiges Angebot an Nahrung, das ihr nur große Gärten und Parkanlagen liefern. Als Höhlenbrüter baut die Kohlmeise ihr Nest gerne in kleine Hohlräume der Häuser und oft in dafür wenig geeignete Nischen wie Briefkästen und Gießkannen.

Den Hausrotschwanz, der eigentlich Felsbrüter ist, vermutet man schon eher in der Innenstadt als die Waldvögel Amsel und Kohlmeise. Er fühlt sich im Häusermeer offensichtlich wohl, wenn er genügend Insekten und Spinnen findet. Schon Ende Februar bis Anfang März kehrt der Hausrotschwanz als einer der ersten Zugvögel aus südlichen Richtungen zu uns zurück. Er ist häufiger, als er in Erscheinung tritt. Den besten Eindruck von seiner Siedlungsdichte bekommt man, wenn man in der Morgendämmerung die auf den Dächern singenden Männchen zählt.

Überall da, wo in der Stadt in Parkanlagen Teiche angelegt sind, trifft man heutzutage die Stockente an, unsere häufigste Entenart. Sie ist hier schon fast ein Haustier, das sich durch das Großstadtgetümmel wenig stören läßt. Sogar eine Lerchenart, die Haubenlerche, kommt zwischen Hochhäusern der Stadtrandgebiete vor. Je mehr Grünanlagen eine Stadt besitzt, um so häufiger begegnet man dort Vogelarten wie Gartenrotschwanz, Zilpzalp, Gimpel, Blaumeise, Grünfink, Buchfink und Kleiber, die alle aus dem Wald stammen.

Wie die vier Vogelarten, die in der Innenstadt brüten, mit den dortigen Lebensbedingungen fertig werden, wird in den nächsten Abschnitten geschildert.

Haustaube:
Des einen Freud – des andern Leid

Die Stadttauben sind Nachkommen der Haustauben und zeigen in ihrer Gefiederfärbung meist große Ähnlichkeit mit der Stammform unserer Haustaube, der Felsentaube. Felsentauben leben heute noch in freier Wildbahn in wärmeren Gebieten Süd- und Westeuropas.

Stadttauben schaffen Probleme, denn sie beschmutzen Gebäudefassaden, Statuen oder technische Einrichtungen. Die Säuberung bereitet den Stadtvätern oft Kopfzerbrechen.

Tauben gibt es in allen Großstädten der Welt und oft genug so viele, daß ihretwegen regelrechte Taubenkriege entbrennen. Vielgeplagte Stadtväter sehen sich immer wieder gezwungen, Maßnahmen gegen allzu üppige Vermehrung der »Bazillenbomber« – wie ein wenig schmeichelhaftes Nürnberger Schlagwort die Besorgnisse mancher Städter ausdrückt – zu beraten. Auf der anderen Seite stehen viele Taubenfreunde, die sich ihre Freude am Taubenfüttern nicht nehmen lassen wollen, obwohl sie vielleicht doch manchmal des Guten ein wenig zuviel tun.

Tauben bringen Leben in die Großstadt und scheinen die Besorgnis der Vogelschützer vom Verschwinden der Vögel zu widerlegen. Die Tauben sind aber nicht ganz freiwillig in der Stadt, sondern stammen alle von Haustauben ab, die der Mensch im Laufe der Jahrtausende aus der wildlebenden Stammform, der Felsentaube, züchtete. Viele Haustauben werden freifliegend gehalten, und da machen sich schon einmal einige selbständig und kehren nicht mehr zurück. »Verwilderte Haustaube« wäre also die korrekte Bezeichnung für die Stadttauben.

Die Häuser der Großstadt mit ihren Winkeln und Mauerlöchern bilden ideale Brutplätze; besonders geeignet sind zum Leidwesen der Denkmalschützer historische Bauwerke und reichverzierte Türme auf Hausfassaden. Der ätzende Taubenkot kann hier erhebliche Schäden anrichten, das muß auch der begeistertste Taubenfreund zugeben. Andererseits: München hat dem Taubenmutterl immerhin ein Denkmal gesetzt.

Haussperling:
In den Großstädten der Welt zu Hause

Schwarze Kehle, grauer Oberkopf und braune Kopf- und Halsseiten sind die Kennzeichen des Haussperling-Männchens. Die Weibchen sind dagegen wesentlich bescheidener grau und braun gefärbt.

Wo Menschen wohnen, leben meist auch Haussperlinge. Ursprünglich war der Spatz zwar nur in Teilen Asiens, in Europa und Nordafrika zu Hause, doch eroberte er mit der Ausdehnung des Ackerbaus weite Gebiete. Wo er nicht aus eigenen Kräften hingelangte, half der Mensch: In der Eroberungs- und Kolonialzeit nahmen ihn viele Europäer als ein kleines Stück vertrauter Heimat über die Ozeane mit nach Nordamerika, Südamerika, Australien und Neuseeland. Würde der Mensch aussterben, träfe den Haussperling in weiten Teilen seines Wohngebietes dasselbe Schicksal.

Kaum zu glauben, daß es nur wenige gute Spatzenfotos aus »freier Wildbahn« gibt. Doch das hat seinen Grund: Der treue Begleiter des Menschen ist immer auf Abstand bedacht und ständig auf dem Sprung, in sicherer Deckung zu verschwinden. Dabei handelt er nach dem Motto: Viele Augen sehen mehr als zwei. Fast das ganze Jahr über treffen wir Spatzen in Gesellschaft mit Artgenossen. Dieses Sozialleben bringt angesichts der ständig lauernden Gefahren unbestreitbare Vorteile mit sich. Doch allzuviel Vorsicht ist auch nicht immer die richtige Taktik, das Stadtleben zu meistern: Auf der Café-Terrasse oder im Kurpark profitieren Spatzen durch schier unglaubliche Frechheit von der Geberlaune friedlich gestimmter Menschen.

Neben seiner angeborenen Vorsicht verdankt der Spatz weiteren Eigenschaften seinen Erfolg als Wohnungsnachbar der Menschen: Er ist Allesfresser und findet in und an den Gebäuden viele Möglichkeiten, sein etwas großzügig gebautes Nest in Nischen und Höhlungen unterzubringen.

Als Nahrung besonders beliebt sind Getreidekörner. Spatzen ländlicher Gegenden fallen bereits in Schwärmen über Getreidefelder her, wenn die Körner erst milchreif sind. Samen vieler anderer Pflanzen, z.B. sogenannter Unkräuter, sind ebenfalls sehr geschätzt, wie auch Blütenknospen von Beerensträuchern und Obstbäumen. Jungspatzen sind übrigens unbedingt auf Insekten angewiesen, um sich richtig entwickeln zu können. Woher allerdings die mitten in der City brütenden Haussperlinge Insekten für ihre Jungen bekommen, ist ein Rätsel.

Nicht alle Menschen freuen sich über den pfiffigen Begleiter; für viele ist der Spatz immer noch einfach ein »Schädling«, auch wenn sich längst herausgestellt hat, daß derartige Bezeichnungen überholt sind, weil sie der Rolle des kleinen grauen Vogels in der arg strapazierten Natur unserer Häusermeere nicht gerecht werden. Der Spatz hat genauso eine Daseinsberechtigung wie die Nachtigall und das Rotkehlchen. Für viele Menschen ist er das einzige Stück Natur.

Turmfalke:
»Pendler« zwischen Stadt und Land

Turmfalken brüten häufig in Steinbrüchen und an Felswänden. Die Häuser der Stadt sind für sie nur »Ersatzfelsen«.

Turmfalken nutzen – wo immer möglich – Bauten des Menschen.

Von unseren 14 Greifvogelarten ist nur eine zum Stadtbewohner geworden, der Turmfalke.

Turmfalken sind in erster Linie Mäusejäger, doch die Feldmaus, das Hauptbeutetier, ist in der Stadt nicht zu finden. Bleibt also nur die Möglichkeit, zur Jagd auf die Felder und Wiesen vor der Stadt hinauszufliegen oder sich auf andere Beute umzustellen. Viele Stadtfalken haben die Feldmausjagd nicht aufgegeben und nehmen dafür weite Flugstrecken in Kauf, denn die Umstellung auf andere Beute ist nicht ganz so einfach. Hauptsächlich Haussperlinge bieten sich in der Stadt als Beute an. Da der Turmfalke aber kein sehr schneller Flieger ist, muß er alle Deckungsmöglichkeiten geschickt ausnutzen, um die mißtrauischen Spatzen zu überraschen. Dank der unübersichtlichen Anlage vieler Innenstädte ist hier der Turmfalke mittlerweile auch zum erfolgreichen Spatzenjäger geworden.

Turmfalken bauen keine Nester, sondern legen ihre Eier in alte Nester anderer Vogelarten oder in Baum- und Felshöhlen. Gebäudenischen und große Mauerlöcher bilden willkommenen Ersatz für Felsspalten. Besonders beliebt sind Hochhäuser, Kirchtürme oder große Fabrikgebäude. Hier sind Eier und Junge vor Feinden weitgehend sicher. Manchmal werden dem Turmfalken günstige Brutplätze aber auch von anderen Vögeln streitig gemacht, besonders von den Dohlen, die zusammen mit ihnen alte Kirchtürme bewohnen. Mit den Stadttauben leben die Falken dagegen friedlich zusammen.

Die typische Jagdweise der Turmfalken kann man in der Hektik der Großstadt kaum richtig verfolgen. Draußen über den Wiesen und Feldern sieht man die zierlichen Greifvögel jedoch oft wie festgenagelt mit raschen Flügelschlägen in der Luft »stehen«. Wer so »rüttelnd« nach Beute späht, ist sicher ein Turmfalke. Aus 20 Metern Höhe wird eine Maus todsicher entdeckt und dann im raschen Flug auf dem Boden gegriffen, wenn sie nicht schneller ist.

Mauersegler:
Zum Fliegen geboren

Die langen, spitzen Flügel des Mauerseglers sind länger als der ganze Vogel. Mit kleinen Klammerfüßen können sich die Flugkünstler an rauhen, senkrechten Flächen festkrallen. Auf ebenem Boden sind sie dagegen weitgehend hilflos.

So um den 1. Mai ist es wieder soweit: Pfeilschnell schießen schwarze schlanke Vögel mit schrillen Rufen unbekümmert um den tosenden Verkehr in den Straßenschluchten zwischen den Häusern der Innenstadt umher. Es sind keine Schwalben, wie viele Leute meinen. Die sind längst aus der City ausgezogen, da für sie das Stadtleben keine Überlebenschance mehr bietet. Mauersegler sehen zwar ähnlich wie Schwalben aus, zählen aber nicht zu ihrer zoologischen Verwandtschaft. Die äußere Ähnlichkeit hängt nur mit einer Besonderheit der Lebensweise zusammen: Wie Schwalben sind Mauersegler Luftjäger, die im sausenden Flug Insekten in der Luft erhaschen.

Der Mauersegler ist wie kaum ein anderer Vogel ein Kind der Lüfte; Nahrungserwerb, Sammeln der Baustoffe für das Nest, Hochzeit und höchstwahrscheinlich auch das Übernachten spielen sich im freien Luftraum ab. Auch wenn die Nester in Höhlen oder Nischen unter dem Dach der Häuser einer großen Stadt angelegt und die jungen Segler als echte Stadtkinder geboren werden, auf die Stadt ist der Flugkünstler dennoch nicht angewiesen. In wenigen Minuten tragen ihn seine langen sichelförmigen Flügel aus der City hinaus, und mit einem dicken Kropf voller Insekten kehrt er zur Fütterung seiner Jungen zurück.

Am Boden wirken Mauersegler mit ihren kleinen Klammerfüßen unbeholfen und haben Mühe, sich wieder in die Luft zu erheben. Sie hängen sich daher lieber an rissige Felswände oder Mauervorsprünge und stürzen sich von dort aus wieder in die Luft zum oft über Stunden dauernden Flug.

Ihr Winterquartier liegt im tropischen und teilweise sogar im südlichen Afrika. Schon Ende Juli sind die Mauersegler spätestens aus unseren Städten wieder verschwunden, auch wenn das sommerliche Wetter den kommenden Herbst noch nicht einmal erahnen läßt. Ein von den jeweiligen Außenbedingungen unabhängiger »Flugplan« diktiert den rastlosen Gesellen den Aufbruch zu einer Reise, auf der Tausende von Kilometern bewältigt werden müssen.

Wenn Menschen ihre Häuser renovieren, wird auf die Wohnung der Vögel oft keine Rücksicht genommen. Junge Mauersegler in heruntergeschlagenen Nestern als Opfer der Stadtsanierung.

Lebensraum
Wald

Das heutige Gebiet der Bundesrepublik war noch um die Zeitenwende mit Wald bedeckt, und es war ein ganz anderer Wald, als wir ihn heute kennen. Laubwälder herrschten vor, Nadelbäume wuchsen in der Hauptsache nur in den Mittelgebirgen und in den Alpen. Die Buche war der Leitbaum. Der deutsche Förster, der sie oft zur Reinhaltung seiner Nadelholzmonokulturen mit Giften beseitigt, war noch nicht erfunden. Wald war Urwald, kein grüner Salon wie heute, mit gepflegten Wegen für Autofahrerbeine. In den Gebirgen wuchs die Fichte zu vielhundertjährigen Baumgestalten heran. Keiner schlachtete sie reihenweise für Geld im zarten Kälberalter von 80 Jahren.

Zwischen dem 7. und 13. Jahrhundert dann legten unsere Vorfahren gründlich die Axt an den Wald. In nur 700 Jahren wurde aus dem Waldland Deutschland ein Ackerland. Ausgehend von den Flußläufen wurde der Wald auf die Fläche zurückgeschlagen, die er im großen und ganzen noch heute bedeckt. Holz war der große Energiespender des Mittelalters. Noch 1800, zur Neuzeit schon, wanderten 90 Prozent des geschlagenen Holzes in die Brenn- und Salzsiedeöfen. Ein Teil davon wurde zu Holzkohle gemacht. Nur 10 Prozent waren Bauholz. Heute hat sich das Verhältnis genau umgekehrt, 90 Prozent des Holzeinschlags werden zu Bauholz, Spanplatten und Papier, 10 Prozent zu Brennholz.

Hatte sich im Mittelalter nur die Waldfläche verringert, so vollzog sich in den folgenden Jahrhunderten ein tiefgreifender Wandel in der Baumartenzusammensetzung unserer Wälder. Das Laubholz wich dem profitlicheren Nadelholz, das heute bis zu 80 Prozent unserer Waldbaumarten ausmacht. Die durch Raubbau verarmten Waldböden gaben damals, das muß man zugeben, oft nichts anderes mehr her als monotone Kiefernwälder. Fichtenplantagen aber, in maschinengerechter Reihung, sind die bis heute vielenorts nicht überwundenen Folgen eines forstlichen Renditedenkens, das im 19. Jahrhundert glaubte, den Wald wie den Kartoffelacker behandeln zu können, also pflanzen und ernten zu jeweils gleichen Zeiten. So wurde der ungleichaltrige, sich selbst verjüngende Naturwald zum öden Holzacker.

Diese Vergewaltigung der Natur hat bis heute immer wieder katastrophale Folgen gehabt. 1972 warf in Niedersachsen ein schwerer Orkansturm in nur drei Stunden die Kiefernholzernte von zehn Jahren zu Boden. Gleichaltrige Kunstforste setzen solchen Hochgeschwindigkeitsluftmassen weit weniger Widerstand entgegen als naturnah belassene, ungleichaltrige Mischwälder aus Laub- und Nadelholz. 1975 brannten in Norddeutschland riesige Nadelwaldareale nieder. Laubholz ist schwer entflammbar. Die hier massiert stehenden, harzigen Kiefern aber brennen in Trockenperioden großflächig wie Zunder.

In den Alpen führt der Kunstforst aus reiner Fichte oft zu Rutschungen. Die flachwurzelnde Fichte kann ohne Beimischung von Tanne, Buche und Ahorn weder sich selber noch nasse Hänge festhalten. Aber mehr als die vordergründigen Tatsachen solcher Katastrophen dringen nicht ins Bewußtsein der Öffentlichkeit. Sie hat vom Wald ein Schlagzeilenwissen, denn die Massenmedien nehmen von ihm nur Notiz, wenn er brennt oder im Sturm zusammenbricht.

Aber auch seine Treuhänder, die Forstverwaltungen, vermitteln dem Publikum in aller Regel wenig mehr als Schlagworte, an die Bäume genagelte biologische Platitüden, die ebenso schnell vergessen wie gelesen sind. Mit solchem Schilderwissen beläßt man den Menschen gegenüber dem Wald in einer Ameisenperspektive winzigster Ausschnitte aus dem Waldgeschehen. Es ist die kleine Welt des Försters aus dem Märchenwald. Nichts davon steht auf Lehrpfadschildern, daß in den Industrierevieren 50 000 ha Wald schwer geschädigt sind, daß der Wald hier, wo er am nötigsten gebraucht wird, immer weniger wird, bis auf nur noch 100 qm pro Einwohner im Regierungsbezirk Düsseldorf. Nichts davon auch, daß nach den Befunden der Forstwissenschaft so gut wie jeder Nadelbaum in Deutschland, auch im fernsten, tiefsten Wald schon, durch Luftverschmutzung von leichten, chronischen Giftschäden befallen ist. Die Filterfunktion des Waldes, die selbst radioaktiven Staub aus der Luft zu nehmen vermag, wird überfordert. Nichts auch liest man auf Waldlehrpfaden davon, daß Wald die billigste und politisch wehrloseste Siedlungs- und Straßenraumreserve ist. Man schlägt ihn täglich hektarweise um und degradiert seine Reste zu schallschluckenden Tapeten, die, wenn sie hundert Meter dick sind, den Lärmpegel um 70 Phon senken können.

Nur selten auch wird das Gefühl des heutigen, der Natur entfremdeten Menschen für die vielen Wohlfahrtswirkungen des Mischwaldes geschärft. Mit der Masse seiner fallenden Blätter und Nadeln düngt er sich selber, macht den Boden tiefgründig zu porösem Humus und läßt durch ihn hindurch große Niederschlagsmengen restlos ins Grundwasser versickern. Sehr im Gegensatz zum Kunstforst aus reiner Fichte, dessen Nadelteppich den Starkregen zum großen Teil an der Oberfläche abfließen läßt und damit zu Hochwasserkatastrophen beiträgt.

Der Kopf wird nicht getrimmt im deutschen Wald. Keine Schule lehrt, daß dieser Wald, von dem die menschliche Gesundheit abhängt wie von keinem anderen Teil der Natur, biologisch gefährdet und wirtschaftlich so gut wie am Ende ist. Alle deutschen Staatsforstverwaltungen stecken in den roten Zahlen. Das Defizit pro Hektar Waldbodenfläche betrug 1965 schon 62 DM. Hochrechnungen für die nahe Zukunft liegen bei minus 250 DM pro ha. Nur der private Großwaldbesitz erwirtschaftet noch ein schwaches Plus von 12 DM pro ha. Es ist dem Waldbesitzer nicht erlaubt, seine Bäume nach Belieben zu Brettern oder zu Papier zu machen. Es bindet ihn das Gesetz der Nachhaltigkeit, das heißt, es darf nicht mehr geschlagen werden als nachwachsen kann. Die Substanz soll unversehrt bleiben. Waldeigentum ist sozialpflichtig wie nichts sonst. Bedrängt von Kunststoffen stagnierten die Holzpreise bis 1975 zwanzig Jahre lang. Allein die Personalkosten aber verneunfachten sich in dieser Zeit. Der Pflegeaufwand pro ha Wald stieg von 177 DM im Jahr 1955 auf 400 DM heute. Rationalisierung durch Großmaschinen stößt im Wald an biologische Grenzen. Daß die Holzpreise in jüngster Zeit anzogen, ändert nichts an der negativen Gesamtbilanz der Forstwirtschaft.

Während also die Allgemeinheit vom Wald alles verlangt: Holz, saubere Luft, reines Wasser, Trimm-Dich-Pfade, Spazierwege und dazu Bambi, das gefräßige Reh, läßt sie ihn mit den Kosten dafür weitgehend im Stich. Wenn hier nicht rasch ein öffentlicher Bewußtseinswandel eintritt, dann wird dem nichtstaatlichen Waldbesitz, und das sind zwei Drittel unseres Waldes, schon aus Geldmangel nichts anderes einfallen, als immer wieder den falschen Wald zu pflanzen und zu Kunstforsten aus reinen Nadelholzbeständen heranzuziehen. Man wird das tun, weil nach Meinung vieler Forstwirte nur der maschinengerecht gezogene Nadelwald halbwegs wirtschaftlich zu bleiben verspricht. Für den finanziell und geistig anspruchsvolleren Naturwaldgedanken haben sie daher oft nur das Etikett »Romantik« zur Hand. Wenn also wir als Nutznießer die Nebenleistungen eines Mischwaldes in Gestalt reicher Wohlfahrtswirkungen für Mensch, Tier und Landschaft haben wollen, dann werden wir alle zur Kasse treten müssen. Tun wir es nicht, dann werden bunte Mischwaldbilder langsam aus unserer Landschaft verschwinden. Dann werden unsere Nachfahren mehr noch als wir mit Sturm- und Feuerkatastrophen, mit Borkenkäferinvasionen, Lawinen, Schlamm und Hochwasser leben müssen.

Die Forstwissenschaft errechnete, daß die Ausgaben und Mindererlöse, die dem öffentlichen und privaten Waldbesitz in Deutschland durch die Schutz- und Erholungsfunktion des Waldes entstehen, sich im Jahr 1974 auf 392 Millionen DM beliefen, das sind 6,30 DM pro Kopf der Bevölkerung. Es gibt keinen anderen Wirtschaftszweig, der 14 Prozent seines Umsatzes für Zwecke aufwendet, die ausschließlich dem Gemeinwohl dienen.

Man muß nicht der Lobbyist der Forstwirtschaft sein, um zu sehen, daß wir sie, wenn wir sie nicht entlasten, immer tiefer in eine Holzplantagenmentalität hineintreiben werden, die dem Wald insgesamt auf Dauer nicht bekommen kann. Es könnte dann eines Tages sein, daß dieser Wald mehr zu den Maschinen als zu den Menschen paßt. Doch sollte der Staat, wenn er das Geld hergibt, nicht zur Gießkanne greifen und womöglich neue Holzäcker düngen. Die Zuwendungen müssen gezielt an Forstbetriebe gegeben werden, die die Wohlfahrtswirkungen des Waldes durch einen naturnahen Waldbau langfristig sichern.

Es wird Zeit, daß die Agrar- und Finanzpolitiker dem grünen Drittel der Bundesrepublik, nämlich unserem Wald, endlich einmal die gleiche Debattenleidenschaft zuteil werden lassen, die sie stets und ständig noch für die zweite Stelle hinter dem Komma des Schweinepreises und des Zinsfußes bereithalten. Wir schlagen vor, am nächsten Tag des Baumes.

Niemand unter den Naturschützern übersieht den steigenden Holzbedarf unserer Volkswirtschaft und ihre für krisenhafte Zeiten bedenkliche Importabhängigkeit. Noch aber sind Holzimporte gesichert, und vermutlich für lange Zeit. Warum nützen wir also die Zeit nicht, unsere Wälder vermehrt umzubauen, weg von der Holzplantage und hin zu naturnäheren Strukturen, in denen die Bäume nicht nur nach Arten gemischt stehen, sondern auch die Zeit erhalten, alt zu werden? Unsere Bäume, Milliarden von ihnen, bekommen ja selten oder nie die Chance, sich voll zu entfalten. Bedürfnisse der Maschine und die Angst, es könnte eine Krankheit den Baum befallen, lassen die Forstwirtschaft lange vor Eintritt der Bäume in ein hohes Alter zur Säge greifen. Man muß bei uns heute weite Reisen antreten, etwa in die Hochlagen des Bayerischen Waldes, um noch einen Reliktwald zu sehen, dessen ehrwürdige Baumgestalten ja nicht nur die menschliche Seele anrühren, sondern auch der Vogelwelt ganz andere Möglichkeiten geben als unsere Wirtschaftswälder mit ihren oft monotonen, aufgeräumten Erscheinungsformen.

Horst Stern

Vögel im Wald:
Rund 70 Arten sind dort zu Hause

Der kleinste Waldbewohner unter den Vögeln ist das Wintergoldhähnchen, das auch im härtesten Winter bei uns ausharrt und nicht wie sein Verwandter, das Sommergoldhähnchen, in südliche Länder ausweicht. Die kleinen Vögel sind im dichten Gezweig der Nadelbäume schwer zu entdecken.

Für rund siebzig der bei uns regelmäßig brütenden 219 Vogelarten spielt der Wald eine entscheidende Rolle in ihrem Leben als jener Lebensraum, der früher einmal fast die ganze Fläche unseres Landes einnahm.

Die unterschiedlichsten Vogeltypen finden ihr Auskommen im Wald; das nur fünf Gramm leichte Wintergoldhähnchen ebenso wie der bis zu sechs Kilogramm schwere Auerhahn. Alle Stockwerke des Waldes, von der niedrigen Strauchschicht bis zu den höchsten Baumwipfeln, sind für bestimmte Vogelarten reserviert, so daß viele Vögel auf engem Raum nebeneinander leben können, ohne sich zu stören.

Waldvögel bringen für das Leben auf Bäumen besondere Voraussetzungen mit. Kein Mensch macht sich z. B. Gedanken darüber, warum ein Vogel, der auf einem Ast sitzt, selbst im Schlaf nicht herunterfällt. Was so selbstverständlich scheint, ist doch ein kompliziertes technisches

Problem: Wenn die Zehen den Ast umgreifen, sorgt ein automatisch einsetzendes Zusammenspiel im Körper dafür, daß die Zehen auch im Schlaf gekrümmt bleiben.

Das Fliegen zwischen den Bäumen erfordert ebenfalls entsprechende Anpassungen. Vögel mit runden Flügeln und langem Schwanz können besonders geschickt den vielen Hindernissen im Wald ausweichen. Meisen, Eichelhäher oder Sperber beweisen es.

Manche Vögel scheinen selbst zu einem Teil des Baumes geworden zu sein. Unsere beiden Baumläuferarten hüpfen am senkrechten Stamm auf der Nahrungssuche herum, können aber auch blitzschnell am Stamm laufen, wenn sie in der Morgensonne eine noch klamme Fliege entdeckt haben. Das Nest wird hinter einem abstehenden Stück Rinde versteckt. Einem anfliegenden Sperber weichen die zarten Vögel rasch aus, indem sie sich hinter dem Stamm verstecken. Oft bleiben sie aber auch ruhig sitzen und verlassen sich auf ihre hervorragende Tarnzeichnung, die sie zu einem Stückchen Rinde macht. Wie sollte es anders sein: Baumläufer schlafen auch am senkrechten Stamm.

Nur ein verschwindend geringer Teil der ungeheuren pflanzlichen Produktion des Waldes wird von den Vögeln als Nahrung genutzt, meist nährstoffreiche Samen, schmackhafte Knospen und Baumsäfte. Trotzdem *sind die Schicksale von Baum und Vogel oft eng miteinander verknüpft.*

Wir freuen uns über die bunten Farben der Früchte von Bäumen und Sträuchern im Herbst. Doch für unsere Augen ist das Schauspiel eigentlich nicht bestimmt. Vögel sollen die Früchte verzehren. Die in den Früchten enthaltenen Samen durchlaufen meist unbeschadet den Darm oder werden als unverdauliche Gewölle ausgespien. In der Zwischenzeit kann sich aber der Vogel schon ein Stück entfernt haben, und so benutzen man-

Junge Waldohreulen verlassen ihr Nest, bevor sie voll flugfähig sind.

Baumläufer klettern nicht nur vorzüglich, sondern können mit ihrem schlanken Pinzettenschnabel Kleintiere aus den Rindenspalten herausholen. Ihr Gefieder bietet ihnen den Schutz einer vollkommenen Tarnung.

Herbstliche Beerenpracht ist in erster Linie für das Auge der Vögel bestimmt, die für die Verbreitung der Samen sorgen. Auch die Beeren des Traubenholunders sind ein geschätzter Leckerbissen.

che Pflanzen des Waldes die Vögel als Transportmittel. Würden die Samen einfach vom Strauch oder Baum herunterfallen, müßten fast alle Keimlinge aus Mangel an Licht und Nahrung eingehen, da sie sich auf engem Platz gegenseitig den Lebensraum, den auch eine Pflanze nun einmal braucht, streitig machen würden.

Viele Pflanzen des Waldes spekulieren mit den Vögeln als Hilfe zur Verbreitung; Pfaffenhütchen, Faulbaum, Stechpalme, Weißdorn, Brombeere, Holunder, Schneeball, Heidelbeere und Vogelbeere sind nur einige von ihnen.

Manche Samen gewinnen sogar durch die Darmpassage im Vogelkörper an Keimfähigkeit. Ein besonders aufsehenerregender Fall der Verbindung zwischen Baum und Vogel ist zwar etwas weit hergeholt, doch bestimmt nicht einmalig. Erst vor kurzem entdeckte man, daß der Tropenbaum Calvaria major ganz von einem Vogel, der Dronte, abhängig ist. Dronten lebten

derum. Das gilt auch für den Menschen, denn auch der größte Stubenhocker ist abhängig von der Natur. Danach sollten wir handeln!

Waldvögel betätigen sich in vielfältiger Weise als Forstleute. Viele früchtetragende Gehölze produzieren unheimliche Mengen nährstoffreicher Samen, die als Vogelnahrung sehr beliebt sind. Sie stehen allerdings nicht das ganze Jahr zur Verfügung. Darum sind manche Vögel auf die Idee gekommen, Eicheln, Haselnüsse, Walnüsse oder Bucheckern im Boden zu verstecken. Viele dieser Verstecke werden bis zum nächsten Frühjahr nicht wiedergefunden. So können neue Bäume aus den vergessenen Vorratslagern auskeimen.

Der Eichelhäher trägt seinen Namen zu Recht, denn er kümmert sich im Spätsommer und im Herbst sehr eifrig um das Verstecken von Eicheln. Genaue Untersuchungen ergaben z. B., daß fünfunddreißig Eichelhäher in zehn Tagen

Der Eichelhäher ist aus unseren Wäldern nicht fortzudenken. Er genießt zwar einen zweifelhaften Ruf als Zerstörer vieler Singvogelbruten, ist aber im Herbst ein emsiger Waldgärtner. Eichelhäher vergraben Baumsamen im Boden als Vorrat, doch viele werden nicht mehr entdeckt, so daß die Samen im nächsten Frühjahr auskeimen können.

nur auf der Insel Mauritius im Indischen Ozean und wurden bereits im sechzehnten Jahrhundert durch Europäer ausgerottet. Im Magen und Darm dieser Vögel wurden die steinharten Samen der Calvaria aufgeweicht und angedaut. Ohne diese Vorbehandlung können die zarten Keimlinge die harte Schale nicht sprengen. Somit war durch die Ausrottung der Dronte auch der Baum zum Aussterben verurteilt; es gibt nur noch dreizehn Calvaria-Bäume, alle über 300 Jahre alt. Als man nun Samen an Truthühner verfütterte, keimten zum erstenmal wieder junge Baumpflanzen. Nun kann man neue Calvaria-Bäume nachzüchten.

In unseren Wäldern werden die Früchte eines Baumes meist von verschiedenen Vögeln verzehrt, so daß das Verschwinden einer Vogelart nicht gleich zum Aussterben der Pflanze führen muß. Doch im europäischen Wald sind die Beziehungen zwischen den Lebewesen sehr eng. *Einer hängt vom andern ab* und beeinflußt ihn wie-

Die Tannenmeise gehört zu den häufigsten Bewohnern unserer Nadel- und Mischwälder. Sie bleibt im Gebirge dem Wald bis zur Baumgrenze treu. In die Bruthöhle, die manchmal auch unter Baumwurzeln am Boden liegt, wird Moos zur Auspolsterung eingetragen.

Buntspechthöhle, das Ergebnis harter Arbeit, die streng nach Plan durchgeführt wird.

Nährstoffreiche Samen unserer Waldbäume sind eine beliebte Vogelnahrung. In einer sogenannten Spechtschmiede findet man viele vom Buntspecht angehackte Zapfen. Der Specht klemmt den Fichtenzapfen in einen Holzspalt und hämmert die Zapfenschuppen ab, damit er an die begehrten ölhaltigen Samen kommt.

Auch Waldkäuze interessieren sich für Baumhöhlen. Ihre Nahrung besteht aus Mäusen und anderen Kleintieren.

200 000 Eicheln forttrugen und im Boden vergruben. So ist es wohl kaum übertrieben, wenn man dem emsigen Waldgärtner den Fortbestand vieler unserer Eichenbestände zuschreibt.

Vögel betätigen sich als Wohnungsbauer, allen voran die Spechte. Mit ihren kräftigen Schnäbeln meißeln sie ihre Brut- und Schlafhöhlen selbst. Der Plan zum Wohnungsbau ist ihnen ebenso angeboren wie das »gewußt wie« der Ausführung. Spechte sind also Architekt und Zimmermann zugleich. Sie arbeiten aber nicht nur für sich, denn leere Spechthöhlen werden je nach Größe von vielen anderen Waldvögeln bezogen, wie z. B. von Waldkauz, Rauhfußkauz, Trauerschnäpper, Kleiber, Kohlmeise, Blaumeise, Sumpfmeise, Haubenmeise und Gartenrotschwanz. Damit ist aber die Liste der Interessenten noch keineswegs vollständig. Fledermäuse haben in Spechthöhlen ihre Wochenstuben, Wildbienen, Hornissen und Wespen bauen darin ihre Nester, ganz zu schweigen von den vielen Insekten und Spinnen, die in Spechthöhlen Unterschlupf finden.

Vögel haben auch Aufgaben einer Gesundheitspolizei übernommen, denn viele von ihnen ernähren sich wenigstens teilweise von Insekten. Zur Aufzucht der Vogeljungen sind vor allem Larven begehrt. Über den Einfluß der Vögel auf die Insekten des Waldes ist viel geforscht und geschrieben worden. Fest steht, daß in einem natürlichen oder naturnahen Wald, in dem ein buntes Gemisch von Bäumen, Sträuchern und Bodenpflanzen das Bild beherrscht, die Vögel zusammen mit anderen Kräften das Massenauftreten einzelner Insekten verhindern. In einem Kunstwald, in dem nur eine einzige Baumart angepflanzt ist und gehegt und gepflegt wird, sind auch Vögel machtlos gegen den Kahlfraß von Insekten, die sich im Übermaß vermehren. Ein paar Nistkästen können das Fehlen von Regulatoren nicht ersetzen.

In einem reichgegliederten Wald mit vielen verschiedenen Pflanzen sind die Voraussetzungen für die Massenvermehrung einzelner Insektenarten von vornherein ungünstig. Viele verschiedene Insektenarten beanspruchen hier Platz und Nahrung und verhindern damit, daß sich einer auf Kosten des anderen zu stark in den Vordergrund drängt. Tritt trotzdem einmal eine Insektenart sehr häufig auf, ist das meist nur eine vorübergehende Erscheinung. Vögel können hier regulierend einwirken. Sie stehen als Folge des reichen Angebotes an verschiedener tierischer und pflanzlicher Nahrung ja auch in großer Zahl zur Verfügung.

In einer von Menschen angelegten Monokultur, in der nur eine oder höchstens wenige Pflanzenarten den Ton angeben, leben nur wenige Insektenarten. Diese wenigen finden außerordentlich günstige Lebensbedingungen. So kommt es in regelmäßigen Abständen zu geradezu explosionsartigen Massenvermehrungen, die erst dann zusammenbrechen, wenn der Wald kahlgefressen

ist und keine Nahrung mehr zur Verfügung steht.

Der Forstmann hat es in der Hand, hier vorzubeugen. Bodenständige Gehölze, die also in die jeweilige Landschaft passen, sind am wenigsten anfällig. Manche von ihnen bringen zwar keinen unmittelbaren Nutzen, doch helfen sie mit, ein vielfältiges Pflanzen- und Tierleben im Wald zu fördern. Verschieden alte Gehölze nebeneinander sorgen für den wichtigen Stockwerkaufbau des Waldes. Altholzinseln sind willkommene Konzentrationspunkte des Vogellebens.

Manche Waldvögel werfen große Probleme auf, da sie hohe Ansprüche stellen, die in vielen Wäldern nicht mehr erfüllt werden. Besonders empfindlich auf Änderungen des Stockwerkaufbaus reagieren Auer- und Haselhuhn. Ein ausreichendes Angebot an Schwarzspechthöhlen benötigt die Hohltaube, da sie sich selbst keine andere Wohnung beschaffen kann. Sumpfwälder braucht der scheue Kranich und ruhige Waldungen mit ausgedehnten Altholzbeständen und vielen Wasserstellen der Schwarzstorch.

Die moderne Forstwirtschaft mit ihrem immer dichteren Wege- und Straßennetz führt zu vielen Störungen der Balz- und Brutplätze empfindlicher Arten. Auch der hohe Bestand an Rehen und Rothirschen kann sich negativ auswirken. Durch Drahtzäune müssen z. B. junge Pflanzen gegen die Zerstörung durch Reh und Hirsch geschützt werden. Solche Zäune bilden in manchen Gegenden die Hauptursache für den Rückgang der Auerhühner, die sich am Maschendraht zu Tode fliegen.

Große Gefahren für die freilebenden Tiere des Waldes bringt die zunehmende Mechanisierung der Forstwirtschaft mit sich. Maschinen lassen sich am wirkungsvollsten einsetzen, wenn alle Bäume gleich alt und von der gleichen Art sind. Derartige Kulturen fodern aber wieder den Einsatz von Giften (in der Fachsprache Biozide genannt), um die fehlende natürliche Gesundheitspolizei zu ersetzen. Damit ist der Teufelskreis geschlossen. Viele einsichtige Forstleute verzichten erfreulicherweise auf den Einsatz von giftigen Chemikalien, ohne daß dadurch wirtschaftliche Verluste nachweisbar wären.

Wald ohne Gift ist ein unverzichtbares Gebot im Interesse der Allgemeinheit.

Wanderfalke: Sein Schicksal hängt am seidenen Faden

Die Hauptbeute des Wanderfalken sind Tauben, die im sausenden Jagdflug geschlagen werden.

Der Wanderfalke fliegt mit einer eben erbeuteten Taube an einen ruhigen Platz, wo er sie rupfen und verzehren kann.

Die kurze, gedrungene Gestalt mit den nach hinten spitz zulaufenden Flügelenden und dem sich verjüngenden Schwanz verleihen dem Wanderfalken, wenn er mit angelegten Flügeln durch die Luft schießt, eine fast ideale Tropfenform. Für wenige Sekunden kann dieses lebende Projektil sogar eine Geschwindigkeit von 350 Stundenkilometern erreichen. Dieses schier unglaubliche Tempo im Stoß auf die Beute ist notwendig, denn Wanderfalken leben von der Jagd auf fliegende Vögel. Wer hierbei erfolgreich sein will, muß zumindest für kurze Zeit schneller sein als ein Vogel, der sich vor dem Zugriff in Sicherheit bringen will.

Der anvisierten Beute bleibt trotz aller Flugkünste des Falken durchaus eine reelle Chance, zu entkommen. Bis über achtzig Prozent Fehlstöße hat man bei Wanderfalken registriert. Das sollte unsere Bewunderung für den gewandten Jäger nicht beeinträchtigen. Die Natur sorgt eben auch für das Recht des Schwächeren. Auch an-

dere Greifvögel müssen mit dem Mißerfolg ihrer Jagd leben. Und das ist gut so, denn ihnen allen ist eine wichtige Rolle in der Auslese zugedacht, der nicht wahllos alles, was kreucht und fleucht, zum Opfer fallen soll. Unter den Beutetieren finden sich sehr viele, die nicht im Vollbesitz ihrer Kräfte sind. So tragen Greifvögel zur Gesunderhaltung des Bestandes ihrer Beutetiere bei. Es ist bisher in keinem Fall erwiesen, daß ein Greifvogel seine Beutetiere ausrottet. Trotzdem finden sich immer wieder Menschen, die in völliger Unkenntnis der ungeschriebenen Spielregeln der Natur zwischen Jäger und Gejagten das Gegenteil behaupten, den Greifvögeln die größten Greueltaten anlasten und sie für die Gefährdung vieler Tiere verantwortlich machen. Mittlerweile müssen wir um das Schicksal der Greifvögel mehr Sorge haben als um das der meisten ihrer Beutetiere. Von vierzehn bei uns regelmäßig brütenden Greifvogelarten sind nur zwei in ihrem Bestand nicht gefährdet. Der Wanderfalke steht dabei auf der Liste der weltweit bedrohten Arten obenan.

Auf seinem Speisezettel stellen dagegen vor allem häufige und gesellig lebende Arten das tägliche Menü, wie Haustauben (zweiunddreißig Prozent), Star (neunzehn Prozent), Drosseln (zehn Prozent), Kiebitz (acht Prozent), Rabenvögel (sechs Prozent). 210 verschiedene Vogelarten wurden insgesamt als Beute des Wanderfalken ermittelt. Die meisten spielen freilich nur eine untergeordnete Rolle für seine Ernährung, beweisen aber die außerordentliche Vielseitigkeit des gewandten Flugjägers.

An Nahrung fehlt es den Falken also nicht, *doch ist ihr Schicksal in den letzten Jahrzehnten ein einziges Trauerspiel.* Zur Stunde wissen wir noch nicht sicher, ob es in kurzer Zeit endgültig besiegelt sein wird oder ob es den vereinten Bemühungen doch noch gelingt, den Untergang abzuwenden.

Das Verbreitungsgebiet des Wanderfalken auf der Welt ist größer als das der meisten anderen Vogelarten. In allen Erdteilen kommt er vor, von der arktischen Tundra bis in die Tropen Afrikas oder mitten im trockenen Herzen Australiens. Doch ist die Bilanz der Bestandszahlen aus neuester Zeit geradezu katastrophal: in den riesigen USA nur noch zwanzig Paare, in Finnland binnen kurzer Zeit von rund 1000 auf etwa zwanzig Paare zusammengeschrumpft, in Schweden nur noch vier Paare und in den meisten Ländern der Bundesrepublik Deutschland während der letzten zwanzig Jahre ausgestorben. In Bayern und in Baden-Württemberg konnte sich dank intensiver Schutzbemühungen noch ein kleiner Restbestand halten. Zu spät kamen Schutzmaßnahmen in Dänemark, Holland, Belgien, Luxemburg, Österreich und in der DDR. Nur in Großbritannien scheint es mit dem Bestand wieder etwas aufwärts zu gehen, nachdem man auch dort das Schlimmste befürchten mußte. Man hat jedoch in großzügig angelegten Untersuchungen rechtzeitig erkannt, wie es um den britischen

Wanderfalken bestellt ist, und konnte dank fort-schrittlicher Einstellung vieler Verantwortlicher noch wirksame Maßnahmen zur Erhaltung des herrlichen Greifvogels einleiten.

Wie kam es zu dieser katastrophalen Entwick-lung? Als begehrte Beizvögel für die Falknerei wurden und werden leider immer noch (heute natürlich illegal) viele Jungvögel ausgehorstet. Der Handelswert eines Wanderfalken liegt zwi-schen 3000 und 20000 DM. Allein in Baden-Württemberg werden vierzig Wanderfalken in Gefangenschaft gehalten. Taubenzüchter, vom hohen Anteil der Tauben in der Beuteliste alar-miert, zerstörten Brutplätze. Die letzten Zu-fluchtstätten sind auch beliebte Übungsplätze für Kletterer, die unbeabsichtigt die brütenden Wanderfalken in den Felshorsten zur Aufgabe ihrer Gelege zwingen. Hinzu kommt, daß von den jungen mittel- und nordeuropäischen Wan-derfalken, die im Winter das Mittelmeergebiet aufsuchen, zu viele abgeschossen werden.

Ganz besonders schwerwiegend haben sich Umweltgifte (Biozide) ausgewirkt. Über den mütterlichen Organismus gelangen DDT und seine Umwandlungsprodukte in die Eier. An-sammlungen von solchen Giften führen zu einer Verdünnung der Eischale. Die Eier zerbrechen beim Brüten, oder die sich entwickelnden Küken werden so geschädigt, daß sie vor dem Schlüpfen sterben.

Heute bewachen rund um die Uhr Mitarbeiter der *Aktion Wanderfalkenschutz* die meisten der noch verbliebenen Wanderfalkenbrutplätze in der Bundesrepublik. Darüber hinaus bemühen sich die Mitglieder dieser privaten Vereinigung, mit allen zur Verfügung stehenden Mitteln frei-lebende Wanderfalken zu erhalten und, wenn möglich, wieder zu vermehren. Was das in Wirk-lichkeit bedeutet, ahnen nur wenige.

Neben der Horstbewachung wird der Bruter-folg genau kontrolliert und protokolliert. Eier, aus denen keine Jungen schlüpfen, sammelt man

Der Lebensraum des Wanderfalken: Steile Felswände in waldigen Mittelgebirgen sind die Brutplätze; eine abwechslungsreiche Landschaft bietet die nötige Voraussetzung für ein reichhaltiges Beuteangebot.

Wanderfalken brüten bei uns hauptsächlich in Felsnischen und auf Felsbändern. Dennoch sind Eier und Junge vor skrupellosen Menschen nicht sicher.

ein und stellt sie für chemische Untersuchungen zur Verfügung, in denen mögliche Rückstände von Umweltgiften nachgewiesen werden können. Ungünstige Horstunterlagen werden ausgebessert – wie alle Falken bauen auch Wanderfalken kein eigenes Nest – und neue Plattformen an günstigen Stellen angelegt. Mit Kletter- und Wandervereinigungen müssen Abmachungen getroffen werden, um unbeabsichtigte Störungen an den Brutplätzen in Zukunft zu verhindern. Touristenströme der Sonntagsausflügler versucht man so zu lenken, daß durch Grillparties und Campingidylle kein Schaden entsteht. Auch kriminalistische Kleinarbeit gehört dazu: Autonummern verdächtiger Besucher werden in einer Kartei festgehalten, um die Überwachung potentieller Falkeninteressenten zu erleichtern. Noch mancher Unverbesserliche wird nämlich, den bestehenden Schutzgesetzen zum Trotz, zum gewinnbringenden Griff in den Horst verleitet. Unbeherrschte Leidenschaft, einen der seltenen kostbaren Falken zu besitzen, macht auch vor einem unersetzlichen Naturdenkmal nicht halt.

Auch der Gang vor den Kadi blieb den Wanderfalkenschützern nicht erspart. Drei Beleidigungs- und Verleumdungsklagen erhielten sie von Falknerseite nach einer schonungslosen Veröffentlichung der Situation des Wanderfalken in der Bundesrepublik, gefolgt von zwei Klageandrohungen und einer Unterlassungsklage mit einem Streitwert von 10 000 DM und Schadenersatzdrohung. Dazu kam eine Klage gegen Mitarbeiter, die öffentlich auf Mißstände der Tierhaltung und auf das Los in Gefangenschaft gehaltener Greifvögel in einem Falkenhof bei Freiburg hingewiesen hatten. Sämtliche Klagen wurden zwar zu Lasten der Kläger abgewiesen, doch mag man aus diesen unerfreulichen Vorgängen ersehen, daß es bei uns nicht leicht ist, für die Erhaltung bedrohter Vogelarten einzustehen.

Ein besonders schöner Erfolg der Verbände, die sich um den Schutz der Greifvögel bemühen, ist die nun erlassene bundeseinheitliche Regelung des Handels und der Haltung der Greifvögel, die allerdings noch ergänzt werden muß.

Ohne die vielfältigen und zumindest anfänglich fast verzweifelten *Bemühungen der Wanderfalkenschützer gäbe es in der Bundesrepublik Deutschland mit Sicherheit keine freilebenden Wanderfalken mehr.* Schließlich ist es auch gelungen, die hohe Politik für das Schicksal eines aussterbenden Vogels zu interessieren. Ein amtierender Minister, Dr. Friedrich Brünner, damals Minister für Ernährung, Landwirtschaft und Umwelt in Baden-Württemberg, hat am 16. Juni 1975 die Schirmherrschaft über das Projekt Wanderfalkenschutz übernommen und begründete diesen Schritt u. a. mit folgenden Worten:

»Ich erkläre mich gerne bereit, die Schirmherrschaft über das Projekt Wanderfalkenschutz zu übernehmen. Ich hoffe sehr, daß diese Geste in weiten Bevölkerungskreisen Deutschlands Denkanstöße geben und die Bereitschaft wecken wird, Sie in Ihrem achtungsvollen Bemühen ideell und möglichst auch materiell zu unterstützen. Abschließend möchte ich Ihnen versichern, daß der Vogelschutz in meinem Hause bei der Verfolgung berechtigter Belange stets offene Ohren finden wird.«

Der Nachfolger im Amt von Friedrich Brünner, Gerhard Weiser, hat die Schirmherrschaft für das Projekt Wanderfalkenschutz ebenfalls übernommen. Dem ist nur noch hinzuzufügen: Möge es bald viele Politiker geben, die das Gebot der Stunde erkennen und durch ihr Vorbild zu einem verantwortungsbewußten Umgang mit der Natur und ihren Geschöpfen aufrütteln.

Habicht:
Fast ein Opfer der Jagd geworden

Bei kaum einem heimischen Greifvogel sind die Größenunterschiede zwischen Männchen und Weibchen so ausgeprägt wie beim Habicht: Mit rund 700 g erreicht das Männchen nur etwa zwei Drittel des Körpergewichts vom Weibchen. Damit ist eindeutig klar, wer beim Habicht das starke Geschlecht ist.

Man hat sich schon oft den Kopf darüber zerbrochen, welchen Sinn dieser enorme Größenunterschied hat und warum vor allem das Weibchen der größere Partner ist. Die Erklärung ist nicht ganz so einfach und verlangt, daß wir uns mit der Lebensweise des Habichts etwas vertraut machen.

Wie viele Jäger unter den Vögeln hat es auch der Habicht nicht ganz leicht, das ganze Jahr über sein Auskommen zu finden. Bei seinen Jagdflügen kann er zwar ein hohes Tempo entwickeln, doch nicht lange durchhalten. So ist er auf den Überraschungseffekt angewiesen. Unter geschickter Ausnutzung der Deckung lauert er entweder von einem versteckten Ansitz aus auf Beute oder fliegt sie niedrig über den Boden an. In einen Vogelschwarm stürzt sich der Habicht oft mitten hinein und verfolgt dann einen der nach allen Seiten auseinanderstiebenden Vögel. Auch auf Ästen oder im Nest sitzende Vögel schlägt der Habicht im Überraschungsangriff. Bei der Jagd auf Säugetiere kann er etwas geruhsamer vorgehen und z. B. im langsamen Suchflug die Beute orten, um sie dann zu überraschen.

Habichte sind zum raschen wendigen Flug hervorragend ausgestattet. Sie besitzen kurze, breite Flügel und einen langen Schwanz als Steuerruder. Sie sind jedoch keine ausgesprochenen Langstreckenflieger. Vielleicht ist das der Grund, daß zumindest alte Habichte außerordentlich standorttreu an ihrem einmal gewählten Revier festhalten, auch in schlimmen Zeiten. Da ist es dann besonders wichtig, daß Männchen und Weibchen bei der Jagd nicht zu stark in Konkur-

renz geraten, sondern sich die »Zuständigkeit« etwas aufteilen. Dazu bedarf es keiner Absprache, denn das Männchen jagt entsprechend seiner geringeren Körpergröße bevorzugt kleinere Beutetiere, etwa von Drossel- bis knapp Taubengröße, das Weibchen ist dagegen in der Lage, sich an größerer Beute von etwa Tauben- bis Kaninchengröße zu versuchen. Der Speisezettel des Habichts ist auf diese Weise sehr reichhaltig; die Beutegrößen reichen vom kleinen Singvogel bis zum Fasan und von der Maus bis zum Hasen. Allerdings tut sich auch ein starkes Habichtweibchen mit einem gesunden ausgewachsenen Hasen so schwer, daß er ihm wohl kaum jemals zur Beute fallen dürfte. Tauben, Drosseln, Rabenvögel und Kaninchen, Eichhörnchen und Mäuse bilden in der Regel den Grundstock der Ernährung.

Die sinnreiche Arbeitsteilung ist aber nicht nur auf die Jagd beschränkt. Schon zu Ausgang des

Ein alter Habicht ist aus der Nähe an den hellen Augen und der quergezeichneten Unterseite zu erkennen.

Ein flügger Junghabicht, kenntlich an der hellbraunen Unterseite mit den schwarzen Tropfenflecken, hat eine Taube geschlagen. Tauben gehören zu den häufigsten Beutetieren unserer Habichte.

Winters beginnt das Männchen mit dem Horstbau. Mehrere Horste auf hohen Waldbäumen, oft ausgezeichnet versteckt, doch fast stets mit einer offenen Anflugschneise, werden dem Weibchen zur Auswahl angeboten. Viele Horste sind Jahr für Jahr in Benutzung. Die Bebrütung der Eier besorgt fast ausschließlich das Weibchen, das mit seinem größeren Körper wahrscheinlich das Gelege besser bedecken kann als das Männchen. Diesem kommt während der Bebrütung die Versorgung des Weibchens mit Nahrung zu. Während der etwa vierzigtägigen Brütezeit fliegt das Weibchen nicht auf die Jagd und bleibt auch dann bei den kleinen Jungen am Horst. Das Männchen bringt nach dem Schlüpfen der Jungen etwa drei- bis fünfmal am Tag Nahrung für die Familie. Normalerweise sind zwei bis vier Junge im Horst. Die vom Männchen entweder im Flug an das Weibchen übergebene oder in Horstnähe abgelegte Beute wird vom Weibchen anfänglich zerlegt und an die kleinen Nestlinge verfüttert.

Das schwächere Männchen bringt ja ohnehin nur kleinere Beutetiere zum Horst, was dem Weibchen die Arbeit der Jungenatzung sicher erleichtert. Und noch einen tieferen Sinn hat die strenge Arbeitsteilung: Während des mehrwöchigen »Innendienstes« beginnt das Weibchen bereits die Schwungfedern zu mausern. Die jährlich notwendige Erneuerung des Gefieders bringt für viele Vögel Probleme mit sich. Für einen Flugjäger kann z. B. der Ausfall und das allmähliche Nachwachsen einzelner Schwungfedern eine Beeinträchtigung des Jagderfolges bedeuten. Wenn sich später das Habichtweibchen wieder an der Jagd und an der Fütterung der nun herangewachsenen Jungen beteiligt, hat es einen Teil der unangenehmen Flügelmauser bereits hinter sich. Für das Männchen bleibt jetzt, wenn es die Aufgabe des Familienernährers nicht mehr ausschließlich zu erfüllen hat, noch genügend Zeit, die Schwung- und Steuerfedern allmählich zu erneuern. Die ausreichende Ernährung der Jungen ist also in jeder Phase durch sinnvolle Arbeitsteilung gewährleistet.

Verhängnisvolle Fehleinschätzung brachte den Habicht in Gefahr. Man glaubte, wegen des Verschwindens natürlicher Feinde, wie Uhu oder Seeadler, müsse der Mensch durch Abschuß und Fang den Habicht »regulieren«. Das ist grundfalsch gedacht, denn Habichte werden in ihrem Bestand durch das Angebot an Beutetieren reguliert. Nur so viele Habichte können in einem Gebiet dauernd nebeneinander leben, wie die Ernährungslage zuläßt. Außerdem entstehen für den Habicht zunehmend Probleme, geeignete Wälder für die ungestörte Aufzucht seiner Jungen zu finden. Früher war er einer unserer häufigsten Greifvögel. Etwa seit 1955 setzte ein drastischer Rückgang ein. Entgegen manchem Widerstand ist jedoch in der Bundesrepublik die ganzjährige Verschonung des Habichts von der Jagd verfügt worden. So konnte sich erfreulicherweise der Habichtbestand in manchen Bundesländern wieder stabilisieren und zum Teil auch wieder etwas zunehmen. Damit wird also der Habicht weiterhin sein Heimatrecht in unserer Landschaft behalten – vorausgesetzt, wir geben ihm durch vernünftige Gesetzgebung die Chance dazu.

Schwarzstorch:
Die letzten Paare leben in Bayern und Niedersachsen

Wie der allbekannte Weißstorch ist auch der nahverwandte Schwarzstorch schwarz-weiß-rot gefärbt, doch überwiegt bei ihm die schwarze Färbung. Gleichwohl täuscht der Name etwas, denn die dunkle Färbung des heimlichen Waldbewohners ist eigentlich mit einem purpurfarbenen und grünlichen Metallglanz »überzogen«. Der Weißstorch ist Kulturfolger und errichtet seine Kinderstube allen Menschen sichtbar auf den Dächern der Häuser, der Schwarzstorch zieht sich in urwüchsige feuchte Laub- und Mischwälder zurück und ist den meisten Menschen noch nie begegnet. Auch die Nahrung der beiden Störche unterscheidet sich. Schwarzstörche haben sich weit mehr auf die Nutzung von Wassertieren verlegt und erbeuten hauptsächlich Wasserinsekten, bis zu fünfundzwanzig Zentimeter lange Fische, Frösche und Molche aus Waldbächen und -teichen.

Trotz aller Unterschiede in der Lebensweise haben die beiden Verwandten leider eines gemeinsam: Sie gehen in ihrem Bestand erschreckend zurück und brauchen dringend unsere Hilfe. Der Schwarzstorch ist bereits fast überall bei uns ausgestorben. In Baden-Württemberg, Hessen, Rheinland-Pfalz, Nordrhein-Westfalen gibt es ihn schon seit den ersten Jahren des zwanzigsten Jahrhunderts nicht mehr. Einige wenige Paare halten sich derzeit noch in Bayern und Schleswig-Holstein.

Erfreulicher unter all den Hiobsbotschaften sind die Nachrichten aus Niedersachsen: Der Bestand war hier von zwanzig Paaren um 1900 auf fünf bis sechs Paare in den fünfziger Jahren zurückgegangen. Ein Schutzprogramm führte zum Wiederanstieg auf zwanzig Paare.

Umwandlung von Naturwald in Wirtschaftswald, Abholzen von Altholzbeständen, Entwässerung versumpfter Wälder, Forstarbeiten während der Brutzeit und Störungen am Nest haben den Schwarzstorch aus vielen Gegenden vertrieben. Ein langfristiges *Schutzprogramm Aktion*

In einsamen Waldseen und Tümpeln fischt der Schwarzstorch, der im Unterschied zu seinen allbekannten Verwandten, dem Weißstorch, ein ausgesprochener Kulturflüchter ist.

Schwarzstorch der Vogelschutzstation Lüneburg begann 1964 mit dem Ziel, den Schwarzstorch in Niedersachsen als Brutvogel zu erhalten.

Zunächst wurden die als Brutplätze geeigneten Wälder und die möglichen Nahrungsplätze in einem großen Gebiet genauestens kartiert. Da einzelne Naturnester während der Brutzeit abstürzten und die Nachkommenschaft dieser Paare für ein Jahr verlorenging, wurden die vom Schwarzstorch errichteten Nester verstärkt und Kunstnester in der Nähe errichtet. Einzelne Paare begannen sich sehr bald für die Kunstnester zu interessieren. So war man schließlich in der Lage, Paare, die von Besuchern und Fotografen immer wieder gestört wurden, in entlegene, schwer zugängliche Gebiete durch entsprechendes Angebot an Kunstnestern »umzusiedeln«.

Bis zum Jahr 1970 wurden siebzig Kunsthorste gebaut, neue Teiche als Nahrungsplätze angelegt, zugewachsene Teiche entkrautet und zu steile Ufer abgeflacht.

Langsam stellten sich die ersten Erfolge ein. Der Brutbestand nahm zu, die Zahl der jährlich ausfliegenden Jungen erhöhte sich. 1972 waren wieder sechzehn Paare da, von denen vierzehn brüteten.

Da legte am dreizehnten November 1972 ein Orkan einen großen Teil der Altholzbestände um. Viele Jahre mühevoller Arbeit schienen vergebens gewesen zu sein, denn nicht weniger als neunundsiebzig von 109 Nestern waren zerstört. Aufrufe des Welt-Wildtier-Fonds (WWF) und der Vogelschutzstation Lüneburg erbrachten 12000 DM an Spenden. Damit konnten bis zum Herbst 1973 wieder fünfundsiebzig Nester bezugsfertig gemacht werden. 1974 waren einundzwanzig Paare da, von denen vierzehn erfolgreich brüteten. Dank der Aktion flogen von 1964 bis 1974 in Niedersachsen 201 junge Schwarzstörche aus.

Ohne intensive Hilfe würden Schwarzstörche bei uns nicht mehr brüten.

Viele halfen mit. Spenden in Höhe von 55000 DM gingen ein als Folge von zwei Fernsehfilmen, über den WWF-Deutschland, durch die Zoologische Gesellschaft von 1858 Frankfurt, aus dem Zoologischen Garten Berlin, dem Vogelpark Walsrode, aus Mitteln für Naturschutz und Landschaftspflege des Landes Niedersachsen, aus Zuwendungen zweier Landkreise und der Forstverwaltungen. Der Gesetzgeber half durch ein Verbot, an Nestern des Schwarzstorches Ton- und Lichtbildaufnahmen zu machen. Dafür richtete die Vogelschutzstation Lüneburg eine Pflegestation für verletzte Schwarzstörche ein, in der Fotografen die seltenen Vögel nach Herzenslust fotografieren können.

Der Projektleiter der Aktion, Ludwig Müller-Scheesel, starb 1974 während einer Kontrollfahrt zu »seinen« Schwarzstörchen. Neben vielen anderen waren Henry Makowski und A. Nottorf am Erfolg beteiligt.

Feuchte Wälder mit sumpfigen Stellen und stillen Waldbächen benötigt der Schwarzstorch, um ungestört seiner Nahrungssuche nachgehen zu können.

Hohltaube:
Stark bedroht durch Wohnungsnot

Ein wichtiger Höhlenbauer unseres Waldes ist der größte unserer einheimischen Spechte, der Schwarzspecht. Verlassene Schwarzspechthöhlen finden reißende Abnahme. Mit seinem kräftigen Schnabel kann der Schwarzspecht sogar in Hartholzbäume (hier eine Buche), seine Höhle zimmern.

Schwarzspechthöhlen sind die bevorzugten Brutstätten der Hohltaube.

Tote Bäume stecken voller Leben. Eine abgestorbene Eiche inmitten eines Jungbestandes. Sie bietet vielen Tieren des Waldes Unterschlupf und Nahrung.

In Größe und Aussehen ähnelt die Hohltaube unserer Haustaube. Diesen Eindruck haben die Tauben selbst offenbar auch, denn gelegentlich zeugen Haus- und Hohltauben Bastarde. In der Lebensweise unterscheiden sich beide Arten allerdings sehr. Die Vorfahren unserer Haustaube brüteten an Felsen, während die Hohltaube ihr Nest in Baumhöhlen baut. Die meisten der über 300 Taubenarten legen ihre Nester in Zweigen von Bäumen an. In Höhlen sind jedoch Eier und Junge vor Plünderungen durch Rabenkrähe, Elster und Eichelhäher sicher. Da die Hohltaube in ihrer Bruthöhle ein echtes Nest baut, kann man annehmen, daß ihre Vorfahren vor langer Zeit Freibrüter waren wie die meisten Taubenarten heute noch.

In unseren Wirtschaftswäldern sind Höhlen knapp, weil es an alten Bäumen mangelt. Ohne alte Bäume gibt es keine Höhlen, die für Hohltauben zum Brüten groß genug sind. Höhlen entstehen entweder durch Ausfaulen von Abbruchstellen großer Äste oder durch Spechte. Für die Hohltaube ist der gleichschwere Schwarzspecht der unentbehrliche Höhlenproduzent. Der zimmert nicht nur für seine Brut, sondern auch für sich zum Schlafen Höhlen. Da aber der Schwarzspecht für jede Brut eine neue Höhle baut und sich auch fürs Schlafen gelegentlich eine neue zulegt, werden für andere Vogelarten immer wieder Höhlen frei, jedoch nicht genug, um alle Wohnungsuchenden zu bedienen. Neben der Hohltaube bemühen sich Dohle, Wiedehopf, Rauhfußkauz, Schellente, Star, Kleiber und Mauersegler um ihren Besitz. Ernsthafte Konkurrenz entsteht der Hohltaube vor allem durch Dohlen und durch andere Hohltauben, mit denen sie sich oft um dieselbe Höhle mit Schnabel und Flügeln als Waffe prügelt.

Die meisten Hohltauben ziehen im Herbst nach Südwest-Frankreich, wo sie überwintern. Sie vermischen sich auf dem Zuge oft mit der viel

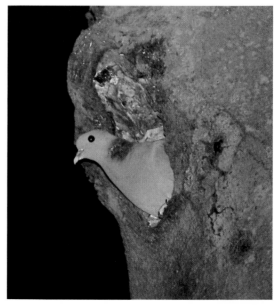

Der Kleiber ist der einzige Vogel unserer Wälder, der auch kopfunter am senkrechten Stamm klettern kann. Eine besondere Klettertechnik, bei der die Beine seitlich abgespreizt werden, ermöglicht ihm dieses Kunststück.

Kleiber mauern den Eingang großer Astlöcher und Spechthöhlen zu bis auf ein kleines Einflugloch, das ihrer Körpergröße angepaßt ist. So schalten sie geschickt die Konkurrenz um die begehrten Bruthöhlen im Wald aus.

häufigeren Ringeltaube zu großen Schwärmen. Schon sehr zeitig im Frühjahr, Ende Februar bis Anfang März, kommen die Hohltauben wieder zu uns zurück.

An dem einförmigen Gesang der Männchen und durch ihre auffallenden Balzflüge lassen sich die Reviere der Hohltaube im Frühjahr am ehesten finden. Bei der Balz füttert das Männchen sein Weibchen, ganz ähnlich, wie später die Jungen gefüttert werden. Die Entlehnung kindlicher Verhaltensweisen ist für die Balz vieler Vogelarten kennzeichnend.

Die Hohltaube legt nur zwei Eier, macht aber zwei bis drei Bruten im Jahr. Männchen und Weibchen brüten nach einem ziemlich festen Schema: das Männchen vor allem vormittags bis zum Nachmittag und das Weibchen die übrige Zeit. Die Jungen schlüpfen nach sechzehn bis siebzehn Tagen. Sie werden in den ersten Tagen nur mit »Kropfmilch« gefüttert. Die Kropfmilch ist eine einmalige Spezialität der Tauben, die ihnen kein anderer Vogel nachmacht. Schon während des Brütens wächst eine Hautschicht im Kropf der Eltern. Sie zerfällt schließlich zu einem käseartigen Brei – der Kropfmilch. Die Tauben verwenden also zum Füttern der Jungen körpereigene Substanz wie die Säugetiere. Die jungen

Tauben bohren ihren Schnabel in den Schnabelwinkel des Elternvogels und lösen damit Würgereflexe bei ihnen aus. Die Eltern geben dabei die Kropfmilch direkt in den Schnabel der Jungen ab. Im Laufe der vierwöchigen Nestlingszeit mischen die Eltern der Kropfmilch immer mehr pflanzliche Nahrung bei.

Die Hohltauben ernähren sich von Buchekkern, Eicheln, Nadelholzsamen, Unkrautsamen, Getreide, Erbsen, anderen Samen und Beeren.

Die Hohltaube, die in allen Bundesländern brütet, ist durch den Mangel an Höhlen gefährdet. Durch die Erhaltung eines größeren Anteils alter Bäume, vor allem in Buchenwäldern, könnte ihr wirkungsvoll geholfen werden.

FAUST

Lebensraum Wiesen, Weiden, Felder und Buschland

Es ist erst gut 5000 Jahre her und fing so harmlos an. Der jagende, den Beutetieren folgende Mensch kam darauf, daß es bequemer und sicherer war, statt den Tieren immer aufs Neue nachzurennen, sie zu fangen, zu zähmen und durch Vermehrungszucht mit den friedlichsten, fleischigsten, milchhaltigsten Exemplaren zu Haustieren zu machen. Er nannte sie Vieh und schickte sie zur Weide in den Wald, denn Wald war überall. Doch hatte er Lichtungen, die vergrast waren, und Blößen, auf denen Heidepflanzen wuchsen. Von hier aus ging der Mensch dem Wald mit Feuer und Axt zu Leibe. Es entstand Acker, in den man – auch so eine neue Idee – die Samen von nahrhaften Pflanzen einbrachte. Die lästige, sie überwuchernde Konkurrenz der Pflanzen, die nicht schmeckten, nannte man Unkraut und nahm sie unter den Pflug. Die Tiere hielt man durch lebende Zäune von den Äckern fern. So begann Landwirtschaft: planlos, auf kleinen, wechselnden Flächen, mit alternierenden Fruchtarten.

Und so, mehr oder weniger, blieb Landwirtschaft über die Zeiten. Erst seit 200 Jahren etwa werden die Äcker regelmäßig mit Feldfrüchten bebaut. Bis in die Neuzeit hinein herrschte in fast ganz Mitteleuropa, was man die Dreifelderwirtschaft nannte: ein Jahr Wintergetreide, ein Jahr Sommergetreide, ein Jahr Brache. Das bekam dem Boden ungeheuer gut; er wurde nicht überanstrengt, und besonders während des Brachjahres konnte er von seinen zwei Arbeitsjahren verschnaufen. Da krochen ihm die vogel- und insektenfreundlichen Unkrautgesellschaften, weil sie nur zweimal in drei Jahren oberflächlich gepflügt und niemals gehackt wurden, wieder aus allen Poren. Ihr Eiweißreichtum bekam auch dem Vieh, das man auf diese einjährigen Brachen trieb, und dem Boden bekam der Dung der Tiere. Zwischen Mensch und Natur herrschte Harmonie.

Auch in den zwei Fruchtjahren trieb man das Vieh auf die Äcker. Nur zwischen dem Schossen der Saat und der Ernte hielt man es fern. Das besorgten häufig lebende Zäune: Hecken, die in Norddeutschland »Knicks« heißen, weil man die Zweige dieser Laubhölzer knickte, um die Hecken undurchdringlich zu machen. Diese Hecken begünstigten als Windschutz nicht nur den Boden, sondern auch als Brutraum die Vögel. Dem Menschen lieferten die Knicks nach der Brutzeit Holz und Material für seine Gerätschaften. Auch hier Harmonie zwischen ihm und der Natur.

Aber dann erfand ein Herr von Liebig, Chemiker des 19. Jahrhunderts, die Düngung aus dem Sack, statt aus der Kuh. Es war die Geburt des Kunstdüngers, der die Landwirtschaft auf eine Weise revolutionierte, die man bis heute in ihren Auswirkungen auf den Naturhaushalt kaum noch ganz begriffen hat.

Als erstes starb vollends die Dreifelderwirtschaft. Der Boden brauchte nun sein Ferienjahr als Brache nicht mehr. Er wurde unter der Wirkung der neuen mineralischen Dünger nach und nach zum Kraftprotz, wie die modernen Athleten unter dem Einfluß ihrer Anabolika. Dann ging weitgehend der Wechsel in der Fruchtart verloren; er hatte dem Boden nicht immer dieselben Kräfte abverlangt, ihm vielmehr die Vielfalt des organischen Innenlebens erhalten, die bis dahin seine Kraft und Gesundheit stabilisierte. Das besorgte von nun an der neue Dünger: Er konnte ganz nach Wunsch liefern, was dem Boden durch einseitige Nutzung entzogen worden war. So betrat die Landwirtschaft den nicht mehr umkehrbaren Weg zu Monokultur, zum Anbau einer einzigen Fruchtart auf immer größer werdenden Flächen. Von den etwa 80 Pflanzensorten, die der Mensch in vorgeschichtlicher Zeit domestizierte, spielen heute im Rahmen der Welternährung nur noch drei eine Rolle: Reis, Weizen und Mais. Und wo andere Arten hinzutreten, wie bei uns etwa die Zuckerrübe, da reichen auch ihre Anbauflächen inzwischen von Horizont zu Horizont.

Diese Flächenausdehnung war nur durch die Maschinisierung der Landwirtschaft und die Flurbereinigung möglich. Jahrhundertelange Erbteilungen hatten die landwirtschaftlich genutzte Fläche der Bundesrepublik weitgehend in kleine und kleinste Parzellen zersplittert; eine moderne, bei niedrigen Kosten auf größte Erträge gerichtete vollmechanische Landwirtschaft ließ diese Handtücher mit ihrem Grenzwirrwarr nicht zu. Inzwischen ist mehr als die Hälfte unseres landwirtschaftlichen Bodens zugunsten freier Maschinenfahrt »bereinigt«, und der Rest steht in den nächsten zwei Jahrzehnten zur Zusammenlegung an. Die radikalsten Zeiten der Flurbereinigung sind freilich vorbei, das muß man sagen. Auch diese Behörden haben dazugelernt. Es gibt heute ermutigende Beispiele für ein Zusammengehen mit dem Naturschutz.

Unnötig zu sagen, daß die Verarmung der Flora auch eine Verarmung der Fauna zur Folge hat. Viele Insekten sind auf ganz bestimmte Naturpflanzen als ihrer Nahrungsbasis angewiesen. Werden diese als Unkraut ausgerottet, verschwinden auch die dazugehörigen Insekten – viele nützliche darunter, weil sie ihrerseits Vögeln zur Nahrung dienen oder als Blütenbesteuber wirken. Von den 219 regelmäßig in der Bundesrepublik brütenden Vögeln wurde nahezu die Hälfte durch eine extensiv, also naturnah arbeitende Landwirtschaft begünstigt. Heute sind riesige Ackerlandschaften ornithologisch tot, obwohl sie als Folge der Maschinisierung fast menschenleer sind, den Tieren also Ruhe bieten könnten. Die Tierartenzahl verarmte durch Existenzentzug und Gift in den Pestiziden, ohne die diese Monokulturen nicht beherrschbar sind. Einzelne Arten, wie der Star, wurden im monokulturellen Plantagenobst- und Weinbau durch Massenvermehrung zur Plage.

Die Landwirtschaft versucht, Ökosysteme zu beherrschen, indem sie mit der chemischen Massenbegünstigung einiger weniger Pflanzenarten höchste Erträge erbringt. Die Natur kontrolliert Ökosysteme, indem sie sie durch pflanzliche und tierische Artenvielfalt stabilisiert. Beide Ziele sind unvereinbar. Es zeugt deshalb entweder von ökologischer Ignoranz des Gesetzgebers oder von seinem stimmenfangenden Opportunismus, wenn das neue Bundesnaturschutzgesetz moderne Landwirtschaft als den Zielen dieses Gesetzes dienend deklariert.

Es geht nun nicht darum, den Bauern zu verteufeln. Er ist ein Kind seiner Zeit. Aber indem man ihn von Gesetzes wegen zum Naturnützling ernennt, ermuntert man ihn nur, im Schutz solcher Protektion auch die Restnatur noch zu zerstören. Geholfen werden kann ihr aber doch nur, wenn man ihr letzte Regenerierungsräume beläßt, ökologische Zellen, die den gefährdeten Pflanzen und Tieren die Möglichkeit geben, ihre genetische Substanz zu bewahren.

Wie groß die Gefahr auch für letzte kleine Naturräume durch den Zugriff der Landwirtschaft ist, zeigt sich in der anderen großen Nutzungsform bäuerlichen Bodens: der Grünlandwirtschaft. Es mag manchen überraschen zu hören, daß nur Sense und Heuernte unsere Wiesen und ihre bunte Flora schufen und erhalten. Ausgenommen von dieser Regel sind nur die Salzwiesen und alpinen Matten. Eine Vielzahl von Pflanzen und Tieren hatten sich den Wiesen angepaßt und fanden in ihnen Schutz und Nahrung, solange diese grünbunten Flächen zurückhaltend genutzt wurden, wie in der Frühzeit der Weidewirtschaft. Die ersten Wiesen wurden gewiß nur einmal im Jahr gemäht, und niemandem fiel es ein, sie zu düngen. Man ließ den Pflanzen auch Zeit, zu blühen und sich zu vermehren. Das ist heute noch so auf den Streuwiesen des Alpenvorlandes, die letzte Standorte selten gewordener Orchideenpflanzen und Irisgewächse sind. Erst zu Ausgang des Sommers mäht man sie und holt sich das Mähgut als Einstreu für das Vieh in die Ställe. Aber in den modernen Viehstallungen wird Einstreu kaum noch gebraucht, zudem kann man diese oft feuchten Wiesen mit der Maschine nicht mähen. So übernahm der Naturschutz diese bäuerliche Arbeit, um Pflanzen zu erhalten, die eigentlich eine Anpassung an menschliche Naturnutzung sind.

Die Landwirtschaft ist dort, wo sie Grünland zur Milcherzeugung nutzt, also im Bereich der Meeresküste und im Voralpenland, zu sehr intensiven Formen der Weidewirtschaft übergegangen. Sie schneidet das Gras sehr früh, Mitte Mai, um es als Silage einzubringen. Sie düngt sehr stark mit Jauche und Mineraldünger, und sie schneidet das rasch nachwachsende Gras mindestens dreimal im Jahr. Derart intensiv genutzte Weiden sind in ihren Pflanzengesellschaften stark verarmt. Der Schnitt großer Flächen, mit Kreiselmähern an schweren Traktoren, mehrmals im Jahr und dicht über dem Boden, führt zum Totalausfall aller Nahrungspflanzen für Insekten, bewirkt den Tod fast aller Amphibien und Reptilien und hat den Verlust aller Bodennester der Vögel zur Folge.

Das alles ist schon, wenn wirtschaftlich auch verständlich, ökologisch schlimm genug. Es wird aber noch schlimmer, wenn man den Versuch der Landwirtschaft sieht, auch die letzten Naß- und Streuwiesen noch zu entwässern, zu düngen und intensiv zur Erzeugung von Milch zu nutzen: angesichts riesiger Butterberge! Erklärbar wird dieser Weidehunger der Bauern nur, wenn man weiß, daß die auf große agrarindustrielle Einheiten fixierte europäische Landwirtschaftspolitik die Bauern im Maßstab ihrer Nutzflächen und Vieheinheiten finanziell fördert. So fallen seltenste Naturdenkmäler einer unsinnigen, nur noch auf Überschuß und Einkommensvermehrung gerichteten Agrarpolitik zum Opfer.

Es ist tragisch zu sehen, wie einer der letzten noch in Naturnähe lebenden Berufsstände durch eine längst sinnlos gewordene europäische Agrarpolitik, die nur noch von Geld und Erträgen redet, immer tiefer in eine Feindschaft zur Natur hineingetrieben wird. Der einzelne Bauer ist, selbst wenn er die Konsequenzen dieser Politik für den Naturhaushalt erkennt, machtlos dagegen. Er hat nur noch die Wahl zwischen Mitmachen oder Arbeit in der Fabrik. Der jetzigen Hofgeneration europäischer Bauern hat man so lange Ökonomie schlimmster kapitalistischer Ausprägung gepredigt, daß ihr das neue Wort Ökologie wie ein Druckfehler vorkommen muß: Es ist für viele Bauern unverständlich, für andere gar zu einem Schimpfwort geworden, mit dem sie Naturschützerabsichten belegen.

Horst Stern

Vögel auf dem Land:
Der Landwirt wurde vom Freund zum Feind

Als der Mensch begann, Viehzucht und Ackerbau zu betreiben, mußte er Wälder roden. Das bedeutete für einige Vögel neuen Lebensraum. Sicher sind einige der fünfundneunzig Vogelarten, die auch heute noch von einer extensiven Landwirtschaft profitieren, erst seit dieser Zeit bei uns eingewandert oder haben sich zumindest sehr stark ausgebreitet. Auch für eine stattliche Reihe von Durchzüglern und Wintergästen schafft die Bearbeitung des Bodens durch den Menschen günstige Voraussetzungen.

Über mehrere Jahrtausende hat sich an den günstigen Auswirkungen der Landwirtschaft für die Vogelwelt wenig verändert. Die landwirtschaftliche Revolution der letzten dreißig Jahre aber schuf in kürzester Zeit eine völlig neue Situation, die der Natur nur noch wenig Raum läßt.

Die Bewirtschaftung der Äcker mit rationellen Methoden bringt viele Maschinen in die Feldflur.

Manche Brutvögel und Vogelgelege werden unter den Rädern schnellfahrender Traktoren und der Landwirtschaftsmaschinen zermalmt. Der Einsatz von Unkrautbekämpfungsmitteln (Herbiziden) ersetzt teilweise die Feldarbeit mit der Hand. Das bedeutet weniger Störung und ist daher sicher günstig für manche Vogelarten. Doch schaltet die Chemie viele Ackerunkräuter aus, deren Samen Vögeln als Nahrung dienten. Auch Insekten, die von diesen Pflanzen leben, fallen nun als Vogelnahrung aus. Klee und Luzerne werden heute mehrere Wochen früher gemäht als ehedem. Dadurch gehen Gelege von Bodenbrütern und brütende Altvögel zugrunde, die kurze Zeit später ihr Brutgeschäft schon beendigt hätten. Hiervon sind vor allem Rebhuhn, Feldlerche, Wachtel und Grauammer betroffen.

Wie in den Monokulturen der Wälder begünstigt auch großflächiger Anbau einer einzigen Pflanze – oft noch über mehrere Jahre auf dem-

Das Rebhuhn hat in vielen Teilen unserer Feldflur stark abgenommen. Schuld daran sind nicht Raubtiere oder Greifvögel, sondern das Fehlen ausreichender Ernährungsmöglichkeiten. Junge Rebhühner benötigen zum Gedeihen kleine Insekten, die als Folge der Verwendung von Chemikalien selten geworden sind. Und sie brauchen Deckung, die sie in der ausgeräumten Flur nicht mehr finden.

In der ausgeräumten Feldflur leiden die Rebhühner im Winter oft große Not.

selben Acker – einige wenige Tierarten, die dann oft in Massen auftreten. Unter dem Zwang, Höchsterträge erzielen zu müssen, werden dann Schädlingsbekämpfungsmittel (Biozide) eingesetzt. Das bekannteste unter ihnen ist das DDT, dessen Anwendung in Land- und Forstwirtschaft bei uns mittlerweile verboten wurde. Dieses Verbot kam nicht von ungefähr, denn DDT und ähnlich zusammengesetzte künstlich hergestellte Chemikalien vernichten viele Lebewesen, oft erst auf Umwegen. Die heimtückische Gefahr wurde durch eine Untersuchung von 457 Eiern neunzehn einheimischer Vogelarten entlarvt: Alle Eier enthielten mindestens von einem Biozid höhere Rückstände, als nach der Höchstmengenverordnung für tierische Lebensmittel für den menschlichen Genuß zulässig sind.

Das allgegenwärtige DDT belastet aber nicht nur Vögel und Felder, sondern auch Wasser- und Waldvögel. Wie im Schicksal des Wanderfalken,

Auch die Grauammer hat unter der Intensivierung der Landwirtschaft zu leiden.

Immer noch fallen Vögel Massenvergiftungen zum Opfer, vor allem Finkenvögel.

Selbst die Feldlerche hat in manchen landwirtschaftlich genutzten Gebieten Schwierigkeiten zu überleben.

Als nur mit Pferden bewirtschaftet wurde, fanden Vögel viel bessere Lebensbedingungen als heute.

Rationelle Landwirtschaft bringt viele Maschinen auf die Äcker. Voraussetzung dafür ist jedoch die Umgestaltung der Landschaft in eine maschinengerechte Produktionsfläche.

73

Viele Gelege des Kiebitzes fallen dem Walzen der Wiesen zum Opfer. Dennoch wird der Kiebitz als eine der wenigen Vogelarten mit den Bedingungen intensiver Bewirtschaftung fertig.

Baumgruppen in der Landschaft werden immer seltener.

Blütenreiche Wiesen sind das Ergebnis einer extensiven Nutzung. In der modernen Grünlandwirtschaft mit frühem, oft wiederholtem Schnitt der Gräser und intensiver Wiesendüngung ist auch für Blumen kein Platz mehr.

spielt auch bei einigen Adlern und fischjagenden Wasservögeln die Weitergabe giftiger Rückstände auf die im Ei heranwachsende kommende Generation eine Rolle: Durch Giftwirkung verdünnte Eischalen zerbrechen, Küken sterben vorzeitig ab oder werden in der Entwicklung gestört. Immer wieder kommt es aber auch zu direkten Vergiftungen als »Randerscheinung« bei Bekämpfungsaktionen. Erst 1977 mußten wieder zahlreiche Weißstörche der Wesermarsch als Folge einer Mäusebekämpfung ihr Leben lassen.

Darüber hinaus hat sich der Lebensraum grundlegend verändert. *Die Ausräumung der Feldflur führt zur maschinengerechten Landschaft* als Voraussetzung für rationelle Produktion. Hecken und Knicks wurden beseitigt, »Sumpflöcher« zugeschüttet. Damit verschwanden viele Vogelarten aus weiten Gebieten. Geradezu verheerend aber wirkte sich die Austreibung des Wassers aus. Riesige Flächen wurden trockengelegt, entwässert oder leergepumpt. Viele Wiesen mußten Weizen- oder Maisäckern Platz machen. Uferschnepfe, Bekassine, Brachvogel, Rotschenkel, Kampfläufer, Alpenstrandläufer, Weißstorch, Graureiher, Wiesenweihe, Sumpfohreule, Löffelente, Knäkente, Neuntöter und Braunkehlchen sind nur einige Namen der Verlierer dieser landwirtschaftlichen Revolution.

Auch Grünflächen wandelten sich zum Nachteil für Wiesenvögel nach ihrer Trockenlegung. Im Frühjahr verschwinden die ersten Gelege der Bodenbrüter unter den schweren Walzen, die über den Wiesenboden gezogen werden. Etwa schon geschlüpften Jungen geht es nicht anders. Kaum sind die Nachgelege, die Ersatz für den Verlust bringen sollen, gezeitigt, beginnt der Schnitt für Silage- und Heugewinnung. Dem tödlichen Rasierschnitt moderner Kreiselmäher kann keiner entrinnen. So wirkt sich die heutige Grünlandwirtschaft für die Vogelwelt ebenso katastrophal aus wie der moderne Ackerbau.

Nur noch in wenigen Wiesen-
gebieten Deutschlands findet
die Uferschnepfe Möglich-
keiten, ihre Jungen groß-
zuziehen.

Die Landwirtschaft wird sich der Vögel zu-
liebe mit Gewißheit nicht auf andere Bewirt-
schaftungsmethoden umstellen, wenn sie dadurch Nachteile erleidet. Andererseits kann es
nicht im Interesse der Landwirtschaft liegen, für
den totalen Kollaps der Natur auf der Hälfte der
Fläche unseres Landes verantwortlich zu sein.

Was ist zu tun? *Vernünftige Planung in der
Landschaftspflege und entsprechendes Verhalten
von uns allen können helfen, die totale Vernichtung der Natur durch die landwirtschaftliche Produktion zu verhindern.*

Bisher wurde etwa die Hälfte der landwirtschaftlich genutzten Fläche flurbereinigt. In den
nächsten zwanzig Jahren ist die zweite Hälfte an
der Reihe. Die Flurbereinigung hat es wie keine
andere Institution unseres Landes in der Hand,
zusätzlichen Schaden zu verhindern und ange-
richteten Schaden wenigstens teilweise wieder-
gutzumachen oder auszugleichen. Es gibt bereits
Ansätze mit gutem Erfolg.

Die Verwendung von Bioziden muß in Zukunft wesentlich vorsichtiger gehandhabt werden. Das Spritzen nach Kalender – gleichgültig,
ob die Schädlinge überhaupt vorhanden sind
oder nicht – muß aufhören. Das fordert jedoch
einen viel größeren Einsatz an geschultem Perso-
nal für einen integrierten Schutz der Kulturpflanzen, bei dem verschiedene Methoden in einer sinnvollen Kombination zur Anwendung
kommen, unter denen die Spritzung nur die Aus-
nahme und nicht die Regel darstellt. Jeder von
uns kann dabei mithelfen,

● indem er ungespritztes Obst verlangt (genügend Obstsorten müssen nicht gespritzt werden),

● indem er Obst und Gemüse nicht nach dem
Aussehen, sondern nach Qualität auswählt.
Qualitätsmerkmale sind z.B. Schorfflecken an
Äpfeln und Birnen. Solche Erzeugnisse sind mit
größter Wahrscheinlichkeit nicht gespritzt.

Die intensive Nutzung des
Bodens mit dem Ziel, Höchsterträge zu ernten, kann nicht
ohne chemische Schädlings-
bekämpfungs- und Unkraut-
vernichtungsmittel auskommen.

Ein feines Gitter von Drainage-
röhren durchzieht die Wiesen,
um jeden Quadratmeter
trockenzulegen. Die Aus-
treibung des Wassers ist eine
der schlimmsten Eingriffe des
Menschen in die Landschaft.

Braunkehlchen: Sein Gesang ist nur noch selten zu hören

Das Braunkehlchen, mit etwa achtzehn Gramm Gewicht ungefähr so groß wie ein Rotkehlchen, war früher ein Allerweltsvogel des Kulturlandes. An Straßen- und Grabenböschungen, auf Wiesen, Weiden und Feldern ist der unscheinbare braune Singvogel zu Hause, allerdings nur während der warmen Jahreszeit von Mitte April bis August/September. Danach ziehen die Braunkehlchen in ihre Winterquartiere nach Afrika südlich der Sahara.

Von etwas erhöhten Standorten – einzelnen kleinen Büschen, Weidepfählen, Koppeldrähten – betreibt das Braunkehlchen seine Jagd auf Insekten und schnappt sie in der Luft dicht über den Spitzen der Gräser und Kräuter. Bei windstillem, warmem Wetter werden Insekten auch bis dreißig Meter hoch in die Luft verfolgt und erbeutet. Wenn der Pflanzenwuchs im Frühjahr auf den Wiesen noch niedrig ist, suchen Braunkehlchen auch auf dem Boden nach Insekten, Spinnen, Schnecken und Würmern. Aber selbst in dieser Zeit haben erhöhte Sitzwarten immer eine besondere Anziehungskraft.

Der höchste Punkt im Revier wird vom Männchen zum Singplatz erkoren: Spitzen einzelstehender Bäume und Sträucher, Telefondrähte oder notfalls auch Weidepfähle und Krautstengel. Der Gesang ist bescheiden und fällt kaum auf. Wer genauer hinhört, entdeckt aber, daß Braunkehlchen Stimmen anderer Vogelarten der Umgebung in die Melodie einflechten. Dabei scheint es so etwas wie Hitlisten zu geben: Fast alle Männchen einer Gegend bevorzugen zeitweise bestimmte Auszüge aus fremdem Melodiengut in ihrem Repertoire. Vielleicht lernen die einzelnen Sänger einer Braunkehlchenansiedlung sogar voneinander. Mit ihrem Gesang locken Vogelmännchen Weibchen an und schrecken Männchen der eigenen Art ab. Damit verteidigen sie gewissermaßen singend ein bestimmtes Revier, das immer groß genug ist, um ein Paar und seine Jungen zu ernähren. Die anlockende Wirkung des Gesangs ist vor allem für solche Vogelarten bedeutungsvoll, die in unübersichtlichem Gelände leben, also in Hecken, Wäldern und Schilf. Um die Ecke gucken können die Vögel nicht, wohl aber um die Ecke hören, so wie wir auch. Im freien, übersichtlichen Gelände ist der Gesang zum Anlocken weniger notwendig. Die nach den Männchen aus Afrika eintreffenden Weibchen entdecken die Männchen auch mit ihren Augen sehr schnell. Zur Balz und zur Einschüchterung von Rivalen verwenden die Braunkehlchen-Männer ihren Gesang dagegen häufig.

In einem Gebiet, in dem viele Braunkehlchen beringt wurden, stellte man fest, daß vierundvierzig Prozent der Männchen und zweiunddreißig Prozent der Weibchen im nächsten Jahr wieder in das gleiche Gebiet zurückkehren. Findet ein spät eintreffendes Männchen sein Revier vom Vorjahr bereits von einem Rivalen besetzt, kommt es zu heftigen Kämpfen mit vielen Drohgebärden und Prügeleien.

Ein Männchen, das ein Revier neu besetzt, jagt Beute zunächst bevorzugt von bestimmten Plätzen aus. Die sind ihm nach wenigen Tagen so vertraut, daß es gegen andere Männchen immer angriffslustiger wird. Kommt ein Rivale in seine Nähe, wird er verjagt. Bei der Verfolgung zieht sich der Eindringling immer mehr in die Mitte seines eigenen Reviers zurück. Entsprechend wächst nun der Mut des Verfolgten und schwindet der des Verfolgers. Die Rollen sind nun vertauscht. Auf diese Weise pendeln sich die Grenzen zwischen zwei Nachbarn ein.

Das Nest muß gut versteckt sein, denn Nesträuber gibt es viele. Krähen, Elstern und Katzen, Fuchs, Iltis, Wiesel zerstören manche Braunkehlchenbrut; ja, selbst ins Nest gekrochenen Weinbergschnecken sind schon Braunkehlchengelege zum Opfer gefallen. Solche natürlichen Verluste sind jedoch einkalkuliert; aus den verbliebenen Gelegen fliegen genug Junge aus, um die Lücken schließen zu können. *Das beste Nestversteck nützt aber nichts, wenn Menschen rücksichtslos durch die Gegend marschieren oder während der Brutzeit Eingriffe in die Landschaft vornehmen.*

Am Boden, in einer Vertiefung aus Gras oder bei einem Busch, einer Distel, einer kleinen Fichte oder bei einem Sauerampfer, an bewachsenen Dämmen oder an Grabenböschungen ist das Nest versteckt, meist gut gegen Sicht von oben geschützt. Aus den fünf bis sechs grünblauen Eiern schlüpfen nach vierzehn Tagen die Jungen, die dann von beiden Eltern etwa elf bis dreizehn Tage im Nest gefüttert werden. Eine Jahresbrut reicht aus, um den natürlichen Verlust an Gelegen und Bruten auszugleichen. Vorverlegte Heuernte, mehrmalige Mahd, Entwässerung von Mooren und feuchten Wiesen, Beseitigung einzelner Büsche und Vernichtung von Brachland sind allerdings Faktoren, die in dieser Bilanz nicht vorgesehen sind. Wir können helfen, daß sie wieder stimmt: Erhaltung und Schutz von Hoch- und Niedermooren sowie jungen Brachflächen im Wechsel mit Wiesen und Weiden, Bewahrung der Streuwiesen durch Mähen, Erhaltung und Schaffung eines kleinen Netzes von Brachflächen in der Kulturlandschaft – bei gutem Willen gibt es also genug Möglichkeiten, anzupacken.

Braunkehlchen lieben erhöhte Sitzplätze in ihrem Revier. Die zunehmende Intensivierung der Grünlandwirtschaft nimmt auch ihnen immer mehr Lebensraum.

Kampfläufer:
Ohne feuchte Wiesen keine Überlebenschancen

In der Gruppe der Schnepfen- und Watvögel trifft man die merkwürdigsten Ehe- und Familienverhältnisse. Da viele Arten in hocharktischen Gebieten leben und in einem sehr kurzen Sommer die Aufzucht ihrer Nachkommenschaft bewältigen müssen – es kommt ja immer darauf an, eine für die Erhaltung der Art ausreichende Zahl an Jungen aufzuziehen –, werden manche sehr merkwürdige Rollenverteilungen verständlich. Das der Aufzucht der Jungen vorausgehende Sexualleben spielt sich beim Kampfläufer in einer Art Kommune ab, in der es keine Partnerbindungen gibt. Zu Beginn der Brutzeit wächst dem Männchen ein geradezu unnatürliches Prachtkleid, in dem vor allem die mannigfachsten Ausbildungen in Form und Farbe der Federn an Kopf und Hals auffallen. Die Einzelausführung ist aber bei jedem Männchen anders! Für die Entstehung dieses Luxus der Natur war der Geschmack der Weibchen ausschlaggebend.

Die Männchen der meisten Vogelarten sind sehr einheitlich gefärbt. Davon abweichend kann man jedes Kampfläufer-Männchen an seiner individuellen Gefiederfarbe erkennen. Mit ihrer Färbung und mit Verhaltensweisen beeindrucken sie die Weibchen, die ihren Liebhaber unter mehreren Männchen auswählen.

Typischer Lebensraum des
Kampfläufers im Frühjahr.
Überschwemmte und feuchte
Wiesen bieten für die großen
Kampfläuferscharen aus-
reichende Nahrung.

Die Männchen versammeln sich auf bestimmten Turnierplätzen ihres Brutgebietes. Dabei
geht es allerdings nicht sehr fair zu, denn auf
Grund ihrer Gefiederfärbung und ihres Auftre-
tens erhalten die einzelnen Männchen innerhalb
einer Rangordnung von vornherein einen bestimmten Status. Einzelne Männchen, sogenannte Satellitenmännchen, kommen dabei nur
selten zum Zuge – was die Damenwelt anbelangt.
Bei den unblutigen Schaukämpfen werden die
prächtigen Federn der Halskrause gesträubt. Die
Männchen sind in dieser Stellung kaum noch als
Vögel zu erkennen.

Die anwesenden Weibchen wählen den Partner zur Kopulation aus und bevorzugen dabei
besonders auffällige und große Männchen. Das
Ergebnis dieser über Tausende von Kampfläu-
fergenerationen währenden Zuchtwahl sind nicht
nur die bunten Prachtkleider der Männchen,
sondern auch gewaltige Größenunterschiede

Im Winterhalbjahr sind die Geschlechter nur schwer zu unterscheiden.

Kampfläufer-Männchen im Prachtkleid. Fast jedes Männchen trägt eine andere Kombination von geradezu unwahrscheinlich gemusterten und bunten Hals- und Kopffedern.

zwischen den Geschlechtern: Die Männchen können fast doppelt so groß wie die Weibchen sein.

Um die Nachkommenschaft kümmert sich allein das Weibchen. Es sucht den Nistplatz aus, baut auf dem Boden sein Nest (gelegentliche Begleitung durch ein Männchen will dabei nicht viel besagen), bebrütet die vier Eier etwa drei Wochen lang und führt etwa ebensolange die Jungen nach dem Schlüpfen.

Vielseitige Nahrungswahl (Insekten und deren Larven, Schnecken, aber auch Sämereien) erlaubt dem Kampfläufer, in ganz verschiedenartigen Lebensräumen zu Hause zu sein. Wir treffen ihn auf Wiesen und trockenen Äckern ebenso wie im Watt flacher Meeresküsten oder auf dem Schlamm an Binnengewässern. Geselligkeit wird dabei immer geschätzt. Im Wintergebiet in Afrika übernachten an günstigen Schlickflächen gelegentlich Millionen.

Solche Zahlen können aber leider nicht darüber hinwegtäuschen, daß es vor allem in Mitteleuropa schlecht um den Bestand bestellt ist. In Süddeutschland sind Kampfläufer schon lange als Brutvögel verschwunden. In Schleswig-Holstein brüten nur noch etwa 150 bis 300 Weibchen, während dort früher offensichtlich mehrere tausend ihre Jungen führten. Etwa drei Viertel der insgesamt 4000 Weibchen Mitteleuropas brüten noch in den Niederlanden, der Rest an der deutschen Nord- und Ostseeküste, während Binnenlandvorkommen fast alle erloschen sind.

Schuld an dieser Entwicklung sind einmal mehr Entwässerungen von feuchten Wiesen und Mooren im Verein mit Flußregulierungen und höheren Deichen an den Küsten, ferner Flurbereinigung und frühe Heuernte, die Gelege und Jungvögel vernichtet. Modelle zeigen, wie man helfen kann, doch noch etwas zu retten: Am Dümmer in Niedersachsen bewässert man planmäßig Wiesen für den Naturschutz, wobei eine extensive Nutzung den Zielen der Hilfsaktion entgegenkommt.

Wachtel:
Oft nur noch von der Speisekarte bekannt

Europas kleinster Hühnervogel erreicht etwa die Größe eines Stares. Im Brutgebiet bekommt man die Wachtel normalerweise nie zu Gesicht. Ihre Anwesenheit verrät sie durch den auffallenden lauten Gesang, dem früher allbekannten »pick-perwick«.

Schon im Mittelalter war die Wachtel eine begehrte Jagdbeute, die an den Höfen sehr geschätzt wurde. Erste Schonvorschriften wurden bereits 1456 für Brabant erlassen. Dies und die überlieferten Berichte über Jagdstrecken, die von Jahr zu Jahr wechselten, legen nahe, daß der Bestand seit eh und je starken Schwankungen unterlegen ist. In manchen Jahren tritt die Wachtel in großer Zahl auf und in anderen ist sie sehr selten. Woran das liegt, ist unbekannt, möglicherweise an den Wetterbedingungen in Südeuropa: Ist dort das Wetter ungünstig, scheinen mehr Wachteln als sonst nach Norden zu ziehen und dort zu brüten. Zum plötzlichen zahlreichen Auftreten wird auch eine weitere Verhaltensweise beitragen: Weibchen scheinen schon im ersten Kalenderjahr ihres Lebens brüten zu können, wodurch der Bestand in einem Jahr sehr stark ansteigen kann. Eine so frühe Geschlechtsreife ist bei Vögeln selten. Die in Gefangenschaft in großen Mengen gezüchteten japanischen Wachteln, eine Rasse unserer Wachtel, fangen bereits mit dreißig Tagen an zu legen.

Wachteln leben von Sämereien und Insekten. Neben Getreidekörnern sind die Samen von Ak-kerunkräutern und Gräsern beliebt, die im Magen von regelmäßig aufgenommenen kleinen Steinchen zermahlen werden. Die kleinen Küken fangen dagegen ausschließlich Kleintiere: kleine Käfer, Ameisen, Ohrwürmer, Heuschrecken, Zikaden, Fliegen und kleine Larven, dazu Spinnen, kleine Schnecken und Regenwürmer.

Die Wachtel ist ein Vogel der offenen Landschaft, sie meidet Büsche und Bäume, braucht aber eine hohe Krautschicht. Sie findet diese Bedingungen auf Wiesen und Feldern, wo das Weibchen eine Nestmulde ausscharrt und mit sieben bis vierzehn Eiern belegt. Nach einer Brutzeit von achtzehn Tagen schlüpfen die Jungen innerhalb von einer Stunde, also mit einer Präzision, wie wir sie von anderen Nestflüchtern nicht kennen. Diese Gleichzeitigkeit eines komplizierten Vorganges wird durch ein klickendes Geräusch verursacht, das die Jungen im Ei zwölf bis fünfzehn Stunden vor dem Schlüpfen hören

Wachteln leben während der Brutzeit so versteckt, daß man sie kaum je einmal zu Gesicht bekommt. Ihre Anwesenheit verraten sie durch ihren rhythmischen Gesang »pickperwick«.

Die früher übliche Bewirtschaftung der Felder war für die Wachtel günstig. Heute mangelt es in den Feldern an einem reichhaltigen Angebot von Unkrautsamen und den an Unkräuter angepaßten Insekten.

lassen. Bei einer Verlangsamung der Klickrate beschleunigen die Jungen ihre Anstrengungen, ihre Eischale aufzusägen, bei einer Erhöhung der Klickrate verlangsamen sie ihre Bemühungen. Dieser uns unglaublich erscheinende Mechanismus wurde in Versuchen an Eiern entdeckt, die man zu mehreren und einzelnen mit und ohne künstlich dargebotene Klicklaute im Brutapparat schlüpfen ließ. Für die Wachtel ist das gleichzeitige Schlüpfen ein Vorteil, denn dadurch sind Verluste während des Schlüpfens seltener. Sie wären größer, wenn sich die Mutter gleichzeitig um noch ungeschlüpfte und geschlüpfte Junge kümmern müßte, denn schon wenige Stunden nach dem Schlüpfen streben die Jungen vom Nest weg.

Wie die alten Vögel baden auch die Küken oft stundenlang in der Sonne. Bei Wärmeentzug erstarren sie und fühlen sich wie leblos an, lassen sich aber noch nach Stunden »zum Leben erwekken«.

Schon mit neunzehn Tagen sind junge Wachteln flugfähig, mit drei Wochen selbständig. Während die Wachtel zur Brutzeit streng territorial lebt und jede fremde Wachtel sofort angreift, ist sie auf dem Zuge gesellig. Meist fliegen die Wachteln dann in kleinen Trupps; es können sich aber auch mehrere tausend zusammenrotten. Das Mittelmeer überfliegen sie in breiter Front nachts dicht über dem Wasser mit fünfzig bis siebzig Stundenkilometer Geschwindigkeit. Nach dieser Dauerleistung fallen sie erschöpft unmittelbar an der Küste ein, erholen sich dort von den Strapazen und brechen dann zum nächsten Nonstopflug über die Sahara auf. Der Aderlaß ist groß. Von Sinai bis in die Cyrenaika wartet eine fast lückenlose Front von Netzen auf die Durchzügler. Zu ähnlichen Massenfängen kommt es alljährlich in Italien und Griechenland. 1920 wurden allein aus Ägypten über drei Millionen Wachteln exportiert und vermutlich gleich viele im Lande verspeist.

Ohne Zweifel leidet auch die Wachtel unter den schlechten Lebensbedingungen auf einer modernen Produktionsfläche der Landwirtschaft. Die großen Schwankungen machen es jedoch schwer, die Lage richtig einzuschätzen. Der Massenfang in den Mittelmeerländern kommt zu den ungünstigen Lebensbedingungen als weiteres Problem hinzu. Seine Reduzierung ist ein Nahziel des Vogelschutzes. Wenn das nicht gelingt, zählt die Wachtel zu den wenigen Vögeln, denen wir im Augenblick kaum helfen können.

Neuntöter:
Ein gutes Beispiel für falsches Naturverständnis

Während der Balz läßt sich das Weibchen vom Männchen füttern.

Zwei Eigenheiten hatten den Singvogel mit dem Greifvogelschnabel früher in Verruf gebracht: Der gelegentliche Griff nach einem kleinen Vogel und die Angewohnheit, Beute auf Dornen und spitze Zweige aufzuspießen. Die »Schlachtbank« des merkwürdigen Vogels gab dann Anlaß zu dem Märchen, er würde immer erst neun Beutetiere aufspießen, bevor er sie verspeist. Schnell war man mit einem passenden Namen zur Hand: Neuntöter, Neunmörder und Neunwürger.

Der alte Tierleben-Brehm hat zwar viel zur Aufklärung über die Lebensweise der Tiere beigetragen, doch mit der Vergabe von Lob und Tadel war er nicht zimperlich. Er teilte Tiere in gute und böse ein, was dann häufig zur Ausrottung böser Arten beigetragen hat. Die Nachwirkungen eines schlechten Rufes sind oft auch heute noch nicht überwunden. Früher blieb es keineswegs bei der verbalen Beschimpfung. Als Singvogeljäger wurde der Neuntöter in manchen Gegenden Deutschlands systematisch verfolgt.

Allein in der 125 ha großen Feldmark Ellguth bei Ottmachau erlegte man 1907 239, 1908 239 und 1909 132 Neuntöter.

Die Zeiten des Kesseltreibens gegen vermeintliche Übeltäter sind leider immer noch nicht vorbei. Zwar würde wohl heute niemand mehr die Flinte auf den Neuntöter richten, doch genau siebzig Jahre nach der eben geschilderten Episode forderten Abgeordnete des Bayerischen Landtags, den Abschuß auf den Sperber freizugeben, weil er für Singvögel eine Gefahr sei.

Beim Neuntöter ist der Anteil der erbeuteten Singvögel gering, denn fast neunzig Prozent seiner Nahrung machen Insekten aus. Bei dreiunddreißig Bruten stellte man unter den eingetragenen Beutetieren fast vier Prozent Mäuse fest. Eine erstaunliche Leistung für einen Vogel, der kaum schwerer als ein Haussperling wird. In Maikäferjahren verlegen sich Neuntöter mit großem Erfolg auf den Fang der bei Landwirt und Forstmann wenig geschätzten »Krabbeltiere«.

Auf den Spitzen der Hecken und Büsche hält der Neuntöter in seinem Brutrevier Ausschau.

Wiesen- und Waldbrände entstehen oft unabsichtlich. Immer noch werden aber durch Abflämmen von Hecken und Gebüsch die Lebensräume des Neuntöters und vieler anderer Tiere des Kulturlandes zerstört.

Schicksal einer Buschreihe, die den Landwirtschaftsmaschinen im Wege war.

Somit kann man also dem Neuntöter, auch wenn er gelegentlich Jungvögel ergreift, ein gutes Zeugnis ausstellen. Doch kommt es darauf nicht an, denn *menschliche Moralbegriffe lassen sich nicht auf Tiere anwenden.* Aber das haben viele Menschen immer noch nicht begriffen.

Der Neuntöter ist ein typischer Ansitzjäger, der von einem erhöhten Platz (Baum, Strauch, Koppelpfahldraht) seine Umgebung beobachtet und Beutetiere bis zu fünfzig Meter gezielt anfliegt, mit dem Schnabel ergreift und sofort totbeißt. Der »Falkenzahn« an seinem Schnabel kommt ihm dabei sehr zustatten. Am häufigsten wird Beute am Boden gefangen, Insekten werden aber auch in der Luft gegriffen.

Bevor der Neuntöter ein erbeutetes Insekt verschluckt, »kaut« er es im Schnabel mehrmals durch. Die stachelbewehrten Bienen, Hummeln, Wespen und Hornissen quetscht er besonders oft durch und reibt sie auf der Unterlage. Auf diese Weise wird der Stachelapparat zerstört. Hornissen und größere Hummeln werden sofort auf die Erde getragen und weggeschleudert. Danach packt der Neuntöter das Insekt und schleudert es wieder fort. Das wird so lange gemacht, bis sich die Beute nur noch wenig bewegt. Ein junger Neuntöter muß nicht erst durch bittere Erfahrung lernen, daß Hornissen, Bienen, Hummeln und Wespen einen gefährlichen Stachel haben; er erkennt sie vielmehr angeborenermaßen an der Elastizität ihres Körpers, die er mit seinem Schnabel wahrnimmt. Je größer und beweglicher Insekten mit elastischem Körper sind, um so intensiver wird entstachelt. Das haben Versuche an handaufgezogenen Neuntötern ergeben, denen Insektenattrappen angeboten wurden.

Nach dem Quetschen nimmt der Neuntöter das Insekt zwischen die Zehen oder spießt es auf und pflückt lange Beine und Flügel ab, bevor er die Beute verschluckt. Ist das Angebot reichhaltig, wird mehr aufgespießt als sonst, und zwar immer wieder an denselben Stellen.

Grauer Oberkopf mit abgesetztem schwarzen Augenstrich und rotbrauner Rücken sind die Kennzeichen des Neuntöter-Männchens.

Der Neuntöter pflegt, wie alle Würger, einen Teil seiner Beute auf spitze Dornen oder Äste aufzuspießen. Der kleine Singvogel ist auch in der Lage, eine Maus zu überwältigen.

Der Neuntöter war früher überall in offenem Gelände zu Hause, wo es genügend Hecken gab, auch an Waldrändern mit Büschen, in Feldgehölzen und Schonungen. Sein Nest baut vor allem das Männchen bevorzugt in dornigen Sträuchern und jungen Nadelbäumen. Das Weibchen legt fünf bis sechs Eier, die es vierzehn bis fünfzehn Tage bebrütet. Die Jungen werden von beiden Eltern gefüttert. Nach der Nestlingszeit von zwölf bis fünfzehn Tagen bleibt die Familie noch drei bis vier Wochen zusammen.

In manchen Gegenden ist der Neuntöter als Kuckuckswirt beliebt. Während der Legezeit legt das Kuckucksweibchen ein Ei ins Nest und entfernt ein Ei des Wirtsvogels. Mit der extrem kurzen Bebrütungszeit von zwölf Tagen, die ein Kuckucksei benötigt, schlüpft der junge Kuckuck vor seinen Stiefgeschwistern oder mit ihnen und wirft in den ersten vier Tagen seines Lebens alle Eier und Jungen aus dem Nest. Er wird dann von den Stiefeltern allein aufgezogen. Er beginnt mit dem Hinauswerfen zehn Stunden nach dem Schlüpfen, zu einer Zeit, in der er selbst noch nackt und blind ist.

Schon früh brechen Neuntöter auf, um sich auf die weite Reise ins tropische Afrika oder bis Südafrika zu begeben. In vielen Gebieten sind Neuntöter mittlerweile selten geworden. Auf einer Probefläche am Mindelsee im Kreis Konstanz ging der Bestand z. B. von 57 Paaren 1948 auf drei Paare 1976 zurück. Die Gründe für diese Entwicklung sind nicht ganz einfach zu durchschauen. Rodung von Hecken, Ausräumung der Landschaft durch die Flurbereinigung und der Einsatz von Bioziden haben dem Neuntöter zweifellos viele Lebensgrundlagen genommen. Aber auch Einwirkungen auf dem Zug oder im Winterquartier scheinen einen negativen Einfluß auf den Bestand gehabt zu haben. Da Neuntöter nicht über Italien, sondern über den Balkan nach Afrika fliegen, sind sie vom Massenvogelfang in Italien allerdings nicht betroffen.

Lebensraum Bäche und Flüsse

Unlängst hörte man im Fernsehen einen Geistlichen Klage darüber führen, daß die alte Sitte des Tischgebets immer mehr an Boden verliere, weil die jungen Familienmitglieder ein Unbehagen daran verspürten. Es habe dieses Unbehagen seinen Ursprung wohl im unüberbrückbar gewordenen Widerspruch zwischen dem krassen Materialismus heutiger Lebensformen und der spirituellen Innenwelt des überlieferten Glaubens.

Wo Lippen sich nur noch im Ritual bewegen, verstummen sie wohl bald ganz. Vielleicht könnte man den täglichen Rückfall in die Demut, den das Gebet ja darstellt, dadurch erhalten, daß man es ersetzt durch die Lesung alter Schilderungen vom einstigen Reichtum der Schöpfung und diese sich abwechseln läßt mit einem kontrastierenden Zitat aus der modernen ökologischen Literatur, wodurch das ganze Ausmaß menschlicher Versündigung sichtbar würde. Und so schlagen wir denn zur ersten Lesung bei Tisch Theodor Fontane vor. In seinen »Märkischen Wanderungen« schrieb er 1861:

»Alle noch vorhandenen Nachrichten stimmen darin überein, daß das Oderbruch vor seiner Urbarmachung eine wüste und wilde Fläche war, die von einer unzähligen Menge größerer und kleinerer Oder-Arme durchschnitten wurde. Viele dieser Arme breiteten sich aus und gestalteten sich zu Seen. Alle Jahre stand das Bruch zweimal unter Wasser, nämlich im Frühjahr um die Fastenzeit, nach der Schneeschmelze an Ort und Stelle, und um Johanni, wenn der Schnee in den Sudeten schmolz und Gewitterregen das Wasser verstärkten. Dann glich die ganze Niederung einem gewaltigen Landsee, aus welchem nur die höher gelegenen Teile hervorragten; ja selbst diese wurden bei hohem Wasser überschwemmt.

Wasser und Sumpf in diesen Bruchgegenden beherbergten natürlich eine eigne Tierwelt, deren Reichtum, über den die Tradition berichtet, allen Glauben übersteigen würde, wenn nicht urkundliche Belege diese Traditionen unterstützten. In den Gewässern fand man: Zander, Fluß- und Kaulbarsche, Aale, Hechte, Karpfen, Bleie, Aland, Zärten, Barben, Schleie, Neunaugen, Welse und Quappen. Letztere waren so zahlreich (zum Beispiel bei Quappendorf), daß man die fettesten in schmale Streifen zerschnitt, trocknete und statt des Kiens zum Leuchten verbrauchte. Die Gewässer wimmelten im strengsten Sinne des Wortes von Fischen; ohne viele Mühe, mit bloßen Handnetzen, wurden zuweilen in Quilitz an einem Tage über 500 Tonnen gefangen. In den Jahren 1693, 1701 und 1715 gab es bei Wriezen der Hechte, die sich als Raubfische diesen Reichtum zunutze machten, so viele, daß man sie mit Keschern fing und selbst mit Händen greifen konnte. Die Folge davon war, daß in Wriezen und Freienwalde eine eigne Zunft der Hechtreißer existierte. An den Markttagen fanden sich aus den Bruchdörfern Hunderte von Kähnen in Wriezen ein und verkauften ihren Vorrat an Fischen und Krebsen an die dort versammelten Händler. Ein bedeutender Handel wurde getrieben, und der Fischertrag des Oderbruchs ging bis Böhmen, Bayern, Hamburg, ja die geräucherten Aale bis nach Italien.

Ein so lebendiges Gewimmel im Wasser mußte notwendig sehr vielen anderen Geschöpfen eine mächtige Lockspeise sein. Schwärme von wilden Gänsen bedeckten im Frühjahr die Gewässer, ebenso Tausende von Enten, unter welch letzteren sich vorzugsweise die Löffelente, die Quackente und die Krickente befanden. Zuweilen wurden in einer Nacht so viele erlegt, daß man ganze Kahnladungen voll nach Hause brachte. Wasserhühner verschiedener Art, besonders das Bleßhuhn, Schwäne und mancherlei andre Schwimmvögel belebten die tieferen Gewässer, während in den Sümpfen Reiher, Kraniche, Rohrdommeln, Störche und Kiebitze in ungeheurer Zahl fischten und Jagd machten. Im Dorfe Letschin trug jedes Haus drei, auch vier Storchennester.

Die Vegetation stand natürlich mit dem ganzen Charakter dieser Gegend in Einklang: Alle Wasser- und Sumpfpflanzen kamen reichlich vor, breite Gürtel von Schilf und Rohr faßten die Ränder ein, und Eichen und Elsen überragten das Ganze. Im Spätsommer, wenn sich die Wasser endlich verlaufen hatten, traten für den Rest des Jahres fruchtbare Wiesen zutage, und diese Wiesen, die ein vortreffliches Futter gaben, sicherten, nebst dem Fischreichtum dieser Gegenden, den Bewohnern des Bruchs ihre Existenz.«

Am Tag danach, oder besser noch: nach Tisch, empfehlen wir die Lesung eines Zitats von Wolfgang Engelhardt aus dem Jahr 1973. Der Text beschäftigt sich mit der Begradigung des Oberrheins, der einst ebenfalls ein reiches Naturleben hatte:

»Der Oberrhein wurde zwischen 1817 und 1874 nach Plänen des badischen Ingenieurs und Obersten Tulla zwischen Basel und Mainz reguliert. Die zahlreichen Flußmäander wurden durchstochen, Seitenarme und Altwässer abgeschnitten. Der Flußlauf wurde um 100 Kilometer verkürzt und in ein enges, begradigtes Bett zusammengefaßt.

Zunächst wurde diese Flußkorrektion als eine große Kulturtat gefeiert, die großen Nutzen brachte: Die Oberrheinebene blieb von nun an von Hochwässern verschont, die Niederschläge liefen schnell ab, der Fluß war nun stromaufwärts bis Basel schiffbar. Erst mit der Zeit zeigten sich auch schädliche Folgen für das ganze Land: Durch die Korrektur war das Gefälle des Stromes erhöht und damit die Fließgeschwindigkeit, die sich um 30 Prozent vergrößerte. Der Fluß grub sich nun rasch in die Sohle seines Bettes ein: Heute beträgt die Tieferlegung der Flußsohle und damit des Flußwasserspiegels bei Basel über drei, bei Breisach über sieben Meter. Entsprechend sank der Grundwasserspiegel in der Oberrheinebene. Die Brunnen der Dörfer fielen trocken, die Bäche des Schwarzwaldes versiegen jetzt weit vor ihrer ehemaligen Mündung in den Strom. Der Mainzer Dom drohte einzustürzen: Die Eichenpfahlroste, auf denen die Mauern stehen, wurden durch Zerfall gefährdet, als sie aus dem absinkenden Grundwasser heraustraten. Nur die kostspielige Einstampfung riesiger Zementmassen in den Untergrund konnte das ehrwürdige Bauwerk retten. Besondere Schäden, die sich auf viele Millionen Mark belaufen und noch immer weiter erhöhen, erlitt durch die großräumige Grundwasserabsenkung die Land- und Forstwirtschaft der Landschaften am Oberrhein.

Wälder wurden wipfeldürr. Auf Tausenden von Hektaren starben die Obstbäume ab: Sie konnten mit ihren Wurzeln den Kapillarsaum des tief abgesenkten Grundwassers nicht mehr erreichen. Sanddorn und andere trockenheitsliebende Wildpflanzen werden jetzt charakteristisch für diese klimatisch begünstigte Landschaft, die einst einem riesigen Obstgarten glich.«

Die »Kultivierung« des Rheins blieb natürlich nicht auf seinen oberen Teil beschränkt und überhaupt nicht auf den Rhein. Es gibt in der Bundesrepublik, wie in fast ganz Mitteleuropa, keine naturbelassenen Flüsse mehr, und wo sie Ballungsräume durchfließen, sind sie allesamt nur noch Kloaken. Dazu ein paar Zahlen. Von der gesamten Rheintalaue mit einer Länge von 866 Kilometern und einer Ausdehnung von 2239 Quadratkilometern sind nach einer amtlichen Untersuchung nur noch 10 Prozent als natürlich oder naturnah, 1,5 Prozent als halbnatürlich, 16 Prozent als urbanisiert und 73 Prozent als naturfern einzustufen. Die ursprünglichen Vegetationsformen, besonders die großen Auwälder sind bis auf kleinste Reste total vernichtet.

Untersuchungen im Neckar haben in seinem mittleren Bereich Schwermetallablagerungen ergeben, die im Fall von Cadmium das Fünfzigfache der Ablagerungen in den am stärksten verseuchten Teilen der japanischen Minamata-Bucht betragen. Daß es am Neckar nicht, wie an der Minamata-Bucht, zu tödlichen menschlichen Vergiftungen kam, liegt allein daran, daß das Wasser des Neckars hier nicht zu Trinkwasser aufbereitet wird und die letzten noch lebenden Fische längst bei jedermann als ungenießbar gelten. Wollte man diese Schwermetalle aus auch nur zehn Prozent der bundesrepublikanischen Wasserversorgung ausfiltern, wären 100 Millionen DM nötig – exakt der Wert dieser von der Industrie jährlich allein in den Rhein geschwemmten Schwermetalle, deren Naturvorkommen bei Blei, Zink und Zinn in längstens zwanzig Jahren, bei Quecksilber schon in zehn, erschöpft sein werden.

Würden solche Lesungen zu neuen deutschen Tischgebeten gemacht, es bliebe wohl manchem das Amen schamvoll im Halse stecken.

Weniges hat unsere Kulturlandschaften optisch und ökologisch so schwer beeinträchtigt, wie die Begradigung zahlloser Bäche durch eine Wasserwirtschaft, die lange Zeit blind war für Zusammenhänge in der Natur, ja die nicht selten früher aus reinem Selbstzweck tätig wurde: Man begradigte die Fließgewässer in ihren Oberläufen, um dann wegen des stärker werdenden Hochwassers in den Unterläufen dort ebenfalls begradigen zu »müssen«. Die Schäden sind nicht mehr umkehrbar; mit der fast totalen Rodung bach- und flußbegleitender Auwälder setzte man eine Kette von ökologischen Systemzusammenbrüchen in Gang, an deren Ende oft das Schicksal eines ehemals lebensreichen Fließgewässers als Abwasserkanal steht. Selbst wo einem Bach dieses Kloakenschicksal erspart blieb, er vielmehr nur »reguliert« wurde, verarmte er stark. Die Untersuchungen an einem Bach im Sauerland ergaben, daß er im natürlichen Zustand unter einem Quadratmeter Wasserfläche 3180 Wassertiere aus 486 Arten enthält. Reguliert beherbergt er nur mehr auf demselben Raum 450 Tiere aus 241 Arten.

Baden-Württemberg plante noch 1972 Flußbegradigungen auf 4000 Kilometer Länge sowie die Entwässerung von 110000 Hektar landwirtschaftlicher Fläche. Immer war die Begründung: Hochwasserschutz. Der Finanzbedarf belief sich auf 1,7 Milliarden Mark. Damit ließen sich Hochwasserschäden für 425 Jahre bezahlen. Inzwischen wurde dies Programm reduziert. Nun plant man Rückstaubecken und wird damit unersetzliche Talauen zerstören.

Horst Stern

Vögel an Bächen und Flüssen: Spezialisten mit erstaunlichen Fähigkeiten

Groß ist die Zahl der Vogelarten, bei denen Wasser in irgendeiner Form eine Rolle für ihr Leben spielt. Naß- und Feuchtgebiete sind somit häufig die vogelreichsten Gebiete in einer Landschaft. Ausschließlich auf Fließgewässer, also Bäche und Flüsse, sind dagegen nur ganz wenige Arten spezialisiert, und auch unter ihnen sind neuerdings einige »abgesprungen« als Folge vielfältiger Entwicklungen. Das Leben an rasch fließenden Gewässern ist nicht ganz einfach und erfordert besondere Anpassungen.

Gibt es auch wenige ausschließliche Flußvögel, wie z. B. die Wasseramsel oder die Gebirgsstelze, so ist doch der Lebensraum Fluß sehr vielfältig in die Landschaft eingebunden und schafft ganz bestimmte Lebensvoraussetzungen, die für viele Vögel entscheidende Bedeutung haben. Die Zahl der Flußbegleiter unter der heimischen Vogelwelt ist daher beachtlich und umfaßt wieder einmal recht bedrohte Arten.

In einem Fluß fließt das Wasser nicht auf der ganzen Breite gleich stark, sondern besonders in kurvenreichen Flußbetten auf der einen Seite reißend, auf der anderen dagegen recht gemächlich. Auf der Seite mit hoher Strömungsgeschwindigkeit entstehen Prallhänge. Hier werden bei Hochwasser regelmäßig Teile des Ufers unterspült und weggerissen, so daß sich immer neue Steilabbrüche bilden, in die Eisvogel und Uferschwalbe ihre Bruthöhlen graben können. Mangel an unverbauten Flußufern hat beide Arten heute zum Teil oder sogar fast ausschließlich in Sand- und Kiesgruben vertrieben. Auf der Seite mit ruhiger Strömung, dem Gleitufer des Flusses, werden Kies und Sand flach abgelagert. Auf solchen Schwemmbänken lagen die Brutplätze von Flußuferläufer, Flußregenpfeifer, Triel, Zwerg-, Lach- und Flußseeschwalbe.

Der Ausbau der Flüsse zu einzelnen Staustufen, ihre Begradigung und Kanalisation führten zu einer strengen Regulierung der Wasserführung und damit zum Verschwinden der Flußkiesbänke. Damit sind fast alle der genannten Arten im Binnenland ausgestorben oder sehr selten geworden. Nur der Flußregenpfeifer fand Ausweichmöglichkeiten in Kiesgruben.

Die Flußufer wurden von einer Überschwemmungszone begleitet, in denen sich ein üppiges Pflanzenleben entwickelte, den Flußauen. Alljährlich mit den Hochwässern brachte der Fluß viele Nährstoffe auf die Auböden. So konnte hier ein besonders dichter und vielseitiger Vegetationsgürtel gedeihen. In Altwässern und Resttümpeln entwickelte sich eine ungeheure Menge an Kleinlebewesen, die Krebsen, Fischen, Fröschen und Vögeln in schier unbegrenzter Menge zur Verfügung standen. Schilfgebiete, Stillwasserzonen oder Weidendickichte der Flußauen boten vielen Vogelarten auch ausgezeichnete Brutmöglichkeiten. Fast alle Arten, die heute an Seen und Teichen vorkommen, fanden hier Le-

Klares, rasch fließendes Wasser ist der Lebensraum der Gebirgsstelze. Wer solche Ansprüche stellt, hat heute nur noch in Rückzugsgebieten Überlebenschanchen.

Der Gänsesäger (links Weibchen, rechts Männchen) brütet heute nur noch selten an urwüchsigen Flußstrecken und ruhigen Seen der Alpen und in Schleswig-Holstein.

Kahl und fast ohne Leben sind die Ufer eines begradigten Flusses, in dessen künstlichem Bett das Wasser dahinströmt.

Steile Betonufer, die den Fluß in eine Abflußrinne zwängen, sind lebensfeindlich. Hier kann keiner unserer Flußvögel mehr existieren.

bensraum. So lebte in den Flußauen eine Vogelgesellschaft, die viel mehr Vogelarten umfaßte als nur reine Flußbewohner.

Von ganz besonderer biologischer Produktionskraft und entsprechendem Vogelreichtum sind die Flußmündungen, an denen sich Ebbe und Flut auswirken. Daher liegt geradezu eine Tragik in der Tatsache, daß der Staat diese Gebiete vor allem in den letzten zehn Jahren mit Millionenaufwand systematisch zerstört hat.

Dazu nur ein Beispiel: Ursprünglich lagen die Rast- und Überwinterungsplätze der sibirischen Zwergschwäne im Überschwemmungsbereich der Leda und Jümme in Ostfriesland. Riesige Wasserflächen im Herbst und Winter boten den Zwergschwänen ideale Nahrungsbedingungen. Anfang der 1950er Jahre wurden die beiden Flüsse, in denen sich Ebbe und Flut der Nordsee bis weit ins Binnenland auswirken, eingedeicht. Schöpfwerke sorgten für gründliche Entwässe-

Flußregenpfeifer, die ursprünglich auf den Kies- und Sandbänken unserer Flüsse zu Hause waren, haben in Kies- und Sandgruben Lebensräume aus zweiter Hand gefunden.

Altwässer und stille Seitenarme mit urwüchsiger Auenvegetation sind an unseren Flüssen fast überall verschwunden. Sie waren Lebensraum für viele Vogelarten.

Die Auen unserer Flüsse waren früher die produktivsten Landschaften. Viele Tierarten vom Flußkrebs bis zum Fischadler kamen hier in uns unvorstellbarer Zahl vor.

Tiefe Gräben sorgen für die Austreibung des Wassers aus dem Boden. Die Absenkung des Grundwasserspiegels und der Abfluß des Wassers in einförmigen Rinnen hat katastrophale Folgen für die Lebensgemeinschaften in unserer Landschaft.

Ein zu Tode ausgebauter Bach

Zu den Brutvögeln der Flußkiesbänke gehört der Flußuferläufer.

rung. Die Zwergschwäne mußten sich nach anderen Gebieten umsehen. Sie fanden sie vor allem auf dem Asseler Sand bei Stade an der Unterelbe. Und ausgerechnet dieses Gebiet sollte als eines der letzten eingedeicht und damit für Zwergschwäne wieder unbewohnbar gemacht werden. Unter großem Einsatz konnten die Naturschützer dieses Vorhaben im letzten Augenblick verhindern.

Die Lebensbedingungen der Wasservögel haben sich insgesamt gesehen in der Bundesrepublik Deutschland gegenüber früher wesentlich verschlechtert. Würden nicht durch Staubecken, Rieselfelder, Teiche und durch Renaturalisierung von Mooren und Feuchtwiesen naturnahe Feuchtgebiete neu geschaffen, wäre es noch schlimmer bestellt. Von den 86 akut gefährdeten Brutvogelarten sind 47 Arten mehr oder weniger stark auf Feuchtgebiete angewiesen.

Nur noch wenige Abschnitte unserer großen Flüsse ziehen große Scharen von Wasservögeln an: Unterelbe, Elbaue zwischen Schnakenburg und Lauenburg, Hunteniederung, Unterer Niederrhein, Rhein zwischen Lörrach und Kehl. Einige Flußabschnitte gewannen nach der Zerstörung der Auen wieder durch Aufstau. In den Innstauseen bildete sich sogar eine fast natürliche Flußlandschaft, in der sich vor allen die Flußauen entwickeln konnten.

Nordische Singschwäne überwintern in Norddeutschland vor allem im Überschwemmungsbereich großer Flüsse. Eingriffe in den Wasserhaushalt haben sie schon vielerorts vertrieben.

Wasseramsel:
Mit jedem begradigten Bach
verliert sie ein Stück Heimat

Unter fast völliger Ausschaltung der Konkurrenz durch Säugetiere, Fische und andere Vogelarten bewohnt die Wasseramsel schnell fließende Bäche und schmale Flüsse. Seine Nahrung sucht der fast starengroße dunkelbraune Vogel mit der Statur eines übergroßen Zaunkönigs vor allem tauchend auf dem Grund der Gewässer. Hier gibt es zu keiner Jahreszeit Nahrungsmangel.

Unter den Singvögeln steht die Wasseramsel mit ihrer Lebensweise einzig da. Sie muß mit sich eigentlich gegenseitig ausschließenden Problemen fertig werden: Für das Fliegen ist ein leichter Körper vorteilhaft, Tauchen verlangt dagegen ein möglichst hohes Gewicht. Das spezifische Gewicht einer Wasseramsel beträgt 0,6 bis 0,8. Der Vogel ist also leichter als Wasser und würde ohne besondere Vorkehrungen wie ein Korken an die Wasseroberfläche schnellen. Um dennoch unter Wasser zu bleiben, nützt die Wasseramsel die Strömung aus: Sie läuft am Grund mit schräg nach vorn gebeugtem Körper und etwas angewinkelten Flügeln gegen die Strömung, die den Vogel auf diese Weise regelrecht nach unten drückt. Um überhaupt erst einmal auf den Grund zu kommen, läuft die Wasseramsel entweder vom Ufer aus ins Wasser oder springt von einem Stein aus hinein. Ja selbst aus dem horizontalen Flug kann sie sich plötzlich ins Wasser stürzen. Der Bachgrund wird dann mit einigen kräftigen Flügelschlägen erreicht.

Fünf bis zehn Sekunden bleibt die Wasseramsel in der Regel untergetaucht; sie schafft im Höchstfall auch dreißig Sekunden. Ein gewissenhafter Beobachter stellte fest, daß eine Wasseramsel 1600mal am Tage tauchte. Sie war zwei Stunden am Tag unter Wasser und legte dabei etwa zwei Kilometer zurück.

Solche imponierenden Leistungen setzen natürlich ganz bestimmte Anpassungen im Körperbau voraus: Zur Erhöhung des spezifischen Gewichts sind fast alle Knochen mit Mark gefüllt, ganz im Gegensatz zu den hohlen Knochen der meisten anderen Vögel. Ferner ist das Gefieder der Wasseramsel außerordentlich dicht. Das kalte Wasser der Gebirgsbäche fordert eine hervorragende Isolation. Hierzu trägt auch das Sekret der auffallend großen Bürzeldrüse bei, mit dem die Wasseramsel ihr Gefieder einfettet. Die relativ kurzen und etwas gebogenen sehr kräftigen Flügel erlauben Flügelschläge unter Wasser. Fuß und Zehen sind besonders kräftig und besitzen Hornplatten und -schienen als Schutz gegen die harten Steine des Bachgerölls. Spitze und scharfkantige Krallen vermögen den Körper am Boden zu halten. Gegen eindringendes Wasser schließen sich beim Tauchen die Nasenöffnungen.

Für die Nahrungssuche besonders lohnend erweisen sich schnellfließende Abschnitte der Bäche. Hohe Strömungsgeschwindigkeit und Turbulenz ermöglichen kleinen Wassertieren einen raschen Stoffumsatz. Deshalb ist hier das Nahrungsangebot für die Wasseramsel besonders

Die Wasseramsel nutzt die Bäche fast bis zu den Quellen.

hoch. In den Ritzen zwischen Geröll und Kieseln und im ruhigen Wasser hinter großen Steinen bieten sich für Larven vieler Wasserinsekten günstige Lebensmöglichkeiten. Grober Kiesgrund ist daher ein bevorzugtes Jagdrevier der Wasseramsel. Sie nimmt unter Wasser kleine Steine in den Schnabel und schleudert sie fort, größere schiebt sie beiseite. Damit ist sie unabhängig von dem, was im Wasser schwimmt oder

Auch im kältesten Winter findet die Wasseramsel im eisigen Bergbach ihr Auskommen. Kein Vogel ist wie sie für das Leben im rasch strömenden Wasser ausgerüstet.

Wasseramsel beim Nestbau: In Steinspalten oder ausgewaschenen Uferböschungen findet sie Möglichkeiten, ihr Nest sicher zu verstecken. Früher boten ihr auch die Bauten der Menschen, vor allem Brücken, willkommene Nistplätze.

oben auf den Steinen sitzt. Sie kann mit ihrer Technik auch in Ritzen oder unter Steinen versteckte Beute erreichen, z.B. Larven von Eintagsfliegen, Köcherfliegen, Steinfliegen, Flohkrebse und Wasserkäfer.

Wasseramseln verlassen sich aber nicht ausschließlich auf den Erfolg ihrer Unterwasserjagd. Sie können sehr wohl auch noch andere Gelegenheiten nützen. So fangen sie z.B. Insekten am Ufer, picken ins Wasser gefallene Insekten von der Wasseroberfläche auf und können sogar nach Art der Fliegenschnäpper fliegende Insekten ein kurzes Stück nachfliegen und sie in der Luft schnappen.

Männchen und Weibchen bauen beide an dem Kugelnest aus Moos, Halmen, Blättern und kleinen Wurzeln, das in Uferböschungen, in Höhlungen, unter ausgewaschenen Baumwurzeln, unter Büschen, zwischen alten Mühlrädern, ja sogar hinter Wasserfällen angelegt wird. Wasseramseln, die ein Nest hinter Wasserfällen bauen, müssen bei jedem An- und Abflug durch den Wasserfall fliegen. Gegen Räuber – wie z. B. das Wiesel – ist ein solcher Standort natürlich besonders sicher. Da die Jungen bereits schwimmen und tauchen, bevor sie fliegen können, bereitet ihnen der Wasserfall beim Verlassen des Nestes keine Schwierigkeiten. Im Gegensatz zu fast allen anderen Kleinvögeln kann das Nest mehrere Jahre für die Brut benutzt werden. Schon im Februar, also sehr früh, werden ausnahmsweise die ersten Eier gelegt. Ein Teil der Brutpaare macht zwei Bruten im Jahr.

Die Jungen siedeln sich in der Regel in der Nähe ihres Geburtsortes an. Haben sie einmal einen Platz gefunden, sind sie, wenn es die Umstände erlauben, Standvögel. In harten Wintern können sie allerdings zu Wanderungen gezwungen werden. Solange es keine geschlossene Eisdecke gibt, finden die Wasseramseln aber auch bei größter Kälte genügend Nahrung unter Wasser.

Wasseramseln sind in vielen Landschaften weniger geworden. In einem 1800 qkm großen Gebiet in Hessen stellte der Ornithologe Otto Jost fest, daß in den letzten Jahren mindestens 122 Reviere aufgegeben wurden, während nur noch 87 Reviere ständig und einige weitere nicht jedes Jahr besetzt waren.

Zunächst schien es so, als würde sich die Tätigkeit des Menschen an den Bachläufen durchaus günstig für die Wasseramseln auswirken. Holz-, Stein- und Metallbrücken schufen gute Verstecke für die Nester. Ja, in manchen Gegenden waren Bauten sogar erst die Voraussetzung für die Ansiedlung der Wasseramsel. Als vorteilhaft erwiesen sich auch kleine Aufstauungen für Mühlengräben mit künstlichen Wasserfällen. Hier waren nicht nur für Wasseramseln, sondern auch für Flußperlmuschel und Flußkrebs günstige Lebensbedingungen. Die heutigen Betonbrücken bieten dagegen in der Regel kaum geeignete Nistplätze.

Wesentlich schlimmer aber wirkten sich Flußbegradigungen, die Beseitigung der Ufergehölze und die Befestigung der Ufer mit Steinpackungen oder mit Beton aus. Natürlich blieben auch Wasserentnahmen großen Stils für Industrie, Trinkwasser und Elektrizitätswerke nicht ohne Einfluß.

Das, was man normalerweise als besonders schlimme Verschmutzung ansieht, wie im Wasser liegende Eimer, Autoreifen, Ziegelsteine und Autowracks, stört die Wasseramsel nicht. Im Gegenteil: Sie findet dort in den Ritzen Nahrung und auf dem »Müll« Sitzplätze. Auch organische Abwässer wirken weniger schädlich, als man bisher geglaubt hat. Erst bei relativ hoher Konzentration solcher Stoffe oder bei Einleitung von Giften, die zum Absterben der Nahrungstiere führen, gibt die Wasseramsel auf und räumt den betreffenden Bach- oder Flußabschnitt.

Auch die Wasseramsel hatte unter Dummheit und Vorurteilen zu leiden. Man nahm an, sie sei

ein Konkurrent des Menschen, weil sie Fische fressen würde. So empfahl z. B. der Ornithologe Christian Ludwig Brehm 1855 die Verwendung von Tellereisen, Leimruten und Schlingen zum Fang von Wasseramseln. Aber schon zu Anfang unseres Jahrhunderts hat man viele Wasseramselmägen untersucht und festgestellt, daß der Anteil von Fischen auf dem Speisezettel dieses Vogels bedeutungslos ist. Dennoch sah das Deutsche Vogelschutzgesetz vom 30.5.1908 Ausnahmen vom vollständigen Schutz vor. Erst durch das Naturschutzgesetz vom 26.6.1935 wurde die Wasseramsel in ganz Deutschland unter Schutz gestellt.

Wie helfen wir den Wasseramseln und mit ihr der Lebewelt gesunder Bach- und Flußläufe? Der Katalog ist vielseitig: Keine neuen Flußbegradigungen; keine Beton- und Steinpackungen am Ufer; Erhaltung und Neuschaffung von Stromschnellen beim Aufstau von Bächen und Flüssen; keine ungeklärten Industrieabwässer in Bäche und Flüsse; Aussparung von Nischen in neuen Brücken als Grundlage für den Bau von Nestern; Anbringung von Spezialnistkästen.

Moderne Betonbauten lassen der Wasseramsel kaum mehr die Möglichkeit, ihr Nest zu bauen. Mit einfachen Nistkästen kann man ihr helfen.

Der Bach ist zu einer betonierten Abflußrinne geworden, untauglich als Lebensraum für Wasseramseln.

Eisvogel: Der »fliegende Edelstein« wurde zur Rarität

Wohl jeder, der zum ersten Mal einen Eisvogel sieht, ist von seiner Farbenpracht überrascht. Der Gedanke drängt sich geradezu auf, daß es sich bei ihm um einen bunten Bewohner der Tropen handeln müsse. Nur ganz wenige einheimische Vögel sind annähernd so prächtig gefärbt wie er.

Der Schwerpunkt der über die ganze Erde verbreiteten Gruppe der Eisvögel liegt tatsächlich in den Tropen, wo wir die meisten Verwandten unseres Eisvogels finden, der allerdings keineswegs ein Tropenvogel ist, sondern sogar erstaunlich weit im Norden vorkommt, z.B. bis Irland, Schottland und Mittelschweden.

Trotz seiner Farbenpracht ist der Eisvogel gar nicht so leicht zu entdecken, wenn er auf einem Ast ruhig über dem Wasser sitzt. Erst wenn er pfeilschnell mit durchdringenden Rufen über das Wasser fliegt, kommt der »fliegende Edelstein« voll zur Geltung.

Seine Beute holt der Eisvogel aus dem Wasser, kleine Fische, Krebse und Wasserinsekten. Er stürzt sich mit dem großen dolchartigen Schnabel voran von seinem Ansitz senkrecht hinunter und durchstößt wie ein Pfeil mit angelegten Flügeln und gestrecktem Körper die Wasseroberfläche. Meist taucht er dann ganz unter. Wie Unterwasseraufnahmen gezeigt haben, wird der Stoß sehr geschickt unter Wasser mit den Flügeln abgefangen, so daß Eisvögel auch im Seichtwasser erfolgreich fischen können, ohne sich am Grund zu verletzen. Mit dem Rücken nach oben treiben sie in wenigen Sekunden wieder an die Wasseroberfläche und starten mit raschen Flügelschlägen, um auf ihren Sitzplatz zurückzukehren. Dann wird die Beute totgeschüttelt oder gegen die Unterlage geschlagen. Fische bis zu sieben Zentimeter Länge verschlingt der Eisvogel ohne große Mühe, bis zehn Zentimeter schafft er sie noch unter einiger Anstrengung. Der Fisch wird immer mit dem Kopf voran verschlungen. Hält ihn ein Eisvogel andersherum, dann darf man sicher sein, daß seine Jungen gefüttert werden, die ja ihrerseits den Fisch mit dem Kopf voran verschlingen müssen. Auch dem Weibchen wird auf diese Weise ein Fisch zu Beginn der Brutzeit vom Männchen angeboten. Alle unverdaulichen Teile der Nahrung – Gräten, Fischschuppen, Chitinteile der Insekten – werden als Gewölle ausgewürgt.

Findet der Eisvogel einmal wenig Möglichkeiten für den Ansitz, kann er auch wie ein Turmfalke rüttelnd in der Luft »stehenbleiben« und

In vielen Schlingen windet sich der urwüchsige Fluß talwärts. Die unterschiedlichen Strömungsverhältnisse in den Flußschlingen sind die Voraussetzungen für die Entstehung neuer Brutplätze für Flußvögel.

Eisvogel im Anflug an seine Bruthöhle. Im Flug leuchtet der türkisfarbene Rücken besonders schön.

Das Hochwasser eines Flusses hat das Ufer angeschnitten. Hier kann der Eisvogel seine Höhle anlegen.

dabei nach Nahrung Ausschau halten. Kopfüber stürzt er sich aus der Luft ins Wasser, wenn er einen geeigneten Fisch entdeckt hat.

Zur Anlage des Nestes graben Männchen und Weibchen in einer steilen Uferböschung eine meist etwas schräg aufwärts führende Röhre vierzig bis hundert Zentimeter tief. Sie wird am Ende zu einem Brutkessel erweitert, in dem das Weibchen sechs bis acht Eier legt. Da in einer dunklen Höhle Tarnfarbe nicht nötig ist, sind die Eier reinweiß. Die nach etwa einundzwanzig Tagen Bebrütung schlüpfenden Jungvögel beschmutzen die Höhle oft recht stark, da ihr dünnflüssiger Kot nicht schnell genug versickert. So müssen sich die in die Höhle einfliegenden Eisvögel nach der Fütterung oft reinigen. Dazu stürzen sie sich sofort ins Wasser und nehmen ein Bad.

Der Brutkessel selbst, die eigentliche Kinderstube, bleibt aber stets sauber, weil nur das Junge, das der Eingangsröhre am nächsten sitzt, gefüttert wird und sich dann nach der Fütterung herumdreht und den Kot in die Röhre spritzt. Nach einer Fütterung rücken die Jungen eins

Der Eisvogel, der »fliegende Edelstein«

Mit raschen, kräftigen Flügelschlägen heben die Eisvögel nach ihrem Tauchstoß auf kleine Fische wieder vom Wasser ab. Nicht jedes Tauchmanöver ist erfolgreich, wie unsere Bilder zeigen.

Eisvögel brauchen Klein-fische in seichtem Wasser als Nahrung. In manchen Gebieten stellt der Stichling einen großen Teil der vom Eisvogel erbeuteten Fische.

Unverdauliche Bestandteile der Fischnahrung, wie Gräten, werden vom Eisvogel als Gewölle ausgespien.

Der Bach wird zum Abfall-haufen: keine Chance mehr für den Eisvogel.

Die Vernichtung des Flusses ist perfekt: In das begradigte und ausbetonierte Flußbett ergießen sich Abwässer, die das wenige, was an Leben noch übriggeblieben ist, restlos zerstören.

weiter, so daß beim nächsten Mal der Nachbar im Fütterungs-Karussell an der Reihe ist. Das Ganze spielt sich weitgehend im Dunkeln ab, da die sehr geringe Lichtmenge, die durch die lange Röhre bis in das Innere dringt, durch den ein-schlüpfenden Eisvogel noch mehr reduziert wird. Die strenge Ordnung sorgt dafür, daß jedes Junge auch im Finstern zu seinem Recht kommt.

Mit etwas über drei Wochen ist das Höhlenleben der Jungen beendet. Sie werden nach dem Ausfliegen noch kurze Zeit von den Eltern gefüttert. Bald zerstreut sich jedoch die Familie; auch die Jungen werden dann schnell zu Einzelgängern wie ihre Eltern außerhalb der Brutzeit. Selten trifft man also mehrere Eisvögel dicht beisammen. *Die Ernährungslage erlaubt es in der Regel nicht, daß sich Eisvögel zu Trupps zusammentun, wie dies bei vielen Vögeln nach der Brutzeit die Regel ist.*

Wahrscheinlich gibt es keine tausend Eisvogelpaare mehr in der Bundesrepublik. In weiten Teilen ist die früher überall verbreitete Vogelart heute verschwunden oder nur zu einem seltenen Gast geworden. Genaue Zahlen lassen sich trotz sorgfältiger Bestandserhebungen für den Eisvogel schwer angeben. Das hat seinen Grund: Ein großer Teil der Brutvögel versucht bei uns zu überwintern. Im normalen Winter ist das problemlos, in strengen erleidet jedoch der Bestand enorme Verluste. Nur wenige Eisvögel, die in Gegenden abgewandert waren, in denen ihnen keine geschlossene Eisschicht die Nahrungsgründe versperrte, überlebten. So kommt es zu Bestandsrückgängen bis weit über fünfzig Prozent. Die Lücken sind nach ein paar Jahren wieder aufgefüllt, denn ein Eisvogelpaar kann in einem Jahr zwei oder sogar drei Bruten großziehen. So schwankt also der Eisvogelbestand über längere Zeit sehr stark. Von strengen Wintern droht ihm keine direkte Gefahr, viel schwerwiegender sind menschliche Eingriffe.

Beim Ausbau der Bäche und Flüsse werden die Dämme auf beiden Seiten mit flachen Böschungen angelegt. Der Eisvogel braucht aber für seine Brutröhre Steilwände, wie sie an natürlichen Flußläufen und Bächen, nicht aber an kanalisierten Rinnsalen, bei Hochwasser immer wieder neu entstehen. *Darüber hinaus verarmt ein ausgebauter Fluß an Wassertieren* – Eisvögel finden nicht mehr genügend Nahrung. Oft fehlen dann auch ruhige Flachwasserbereiche, die zu einer erfolgreichen Fischjagd notwendig sind. Keine Chance bleibt für den Eisvogel bei der heute üblichen starken Verschmutzung vieler unserer Gewässer.

Sport und Freizeit machen ihm zudem das Leben schwer: Ein schönes Wochenende genügt, um viele Eisvogelbruten zu vernichten, weil die Menschen an Flüsse, Teiche und Seen drängen. Auch der beliebte Angelsport setzt dem Eisvogel schwer zu. Wenn Angler nur einen einzigen Tag im Eisvogelbrutgebiet zu dicht stehen, kann er dort nicht mehr brüten. Daher sollten an jedem Bach und Fluß Ruhezonen eingerichtet werden, die von März bis September für Angler tabu sind. Das wirkt sich auch für den Fischbestand und damit wiederum für die Angler günstig aus. In den meisten Fällen lassen sich mit den Anglervereinen ohne große Schwierigkeiten entsprechende Regelungen vereinbaren.

Obwohl die Eisvögel seit einiger Zeit ganzjährigen Schutz genießen, werden sie heute immer noch illegal verfolgt, vor allem an Teichen mit Fischbrut. Hier finden sie kleine Fischchen passender Größe in einer unnatürlich hohen Konzentration. Kein Wunder, daß sie sich vor allem außerhalb der Brutzeit gerne dort einstellen. Da Teiche mit Fischbrut in der Regel relativ klein sind, sollte man sie mit Maschendraht überspannen, falls die Verluste durch Eisvögel nicht in Kauf genommen werden können. Übermäßig groß werden sie ohnehin nicht sein, da meistens nur ein Eisvogel am Teich fischt. Mit Entschiedenheit muß jedenfalls der Abschuß oder Fang abgelehnt werden. Auch unter Berücksichtigung der ökonomischen Belange ist das Töten eines so seltenen Vogels nicht zu verantworten.

Hilfe für den Eisvogel ist möglich. Durch die Anlage von Steilwänden lassen sich leicht Brutmöglichkeiten herstellen. Oft genügen sogar nur wenige Spatenstiche, wenn sich in der Nähe von Teichen, Seen oder Flüssen lehmiger Boden befindet. Ist das Erdmaterial weniger günstig, kann man vor einer Böschung ein Stück einschalen und mit Mineralboden, der mit Kalk durchsetzt ist, auffüllen. Durch Kalkbeimengung bekommt der Boden die nötige Festigkeit zum Graben der Brutröhre. Auch bei der Neuanlage von Teichen kann man auf den Eisvogel Rücksicht nehmen. Aufgeschichtete Erdblöcke auf einer Insel geben die Möglichkeit zur Anlage von Bruthöhlen. Entsprechende Kalkdurchmischungen können auch hier helfen, wenn der Boden für den Röhrenbau zu locker ist.

Uferschwalbe:
Neue Heimat in der Kiesgrube

Zwei Schwalbenarten bauen ihre Nester fast ausschließlich an menschlichen Bauwerken und sind daher jedem Kind bekannt, die Rauch- und Mehlschwalbe. Ihre Nester kleben an senkrechten Wänden, meist unter einem Überhang und werden aus Schlamm und Lehm »gemörtelt«. Eine ganz andere Wohnungsbautechnik hat die dritte heimische Schwalbenart, die Uferschwalbe, entwickelt: Sie ist Höhlengräber.

Männchen und Weibchen graben mit Schnabel und Füßen in steile Sandwände eine 60 bis 160 cm tiefe Röhre, die nach hinten leicht ansteigt und in einem Kessel endet, in dem das Nest angelegt wird. Uferschwalben tragen an den Füßen winzige Federbürsten, die sie beim Ausscharren wie einen Besen verwenden. Schon nach zwei bis drei Tagen kann die Röhre fertig sein.

Nach Schwalbenart jagt auch die zierliche, oberseits braune Uferschwalbe in der Luft nach fliegenden Insekten. Ihr Nahrungsraum ist groß und in den Sommermonaten voller Insekten. Damit stellt der Artgenosse keine ernsthafte Konkurrenz dar, ganz im Gegensatz zum Höhlenbauer Eisvogel, der auf schwer zu fangende Nahrung angewiesen ist, die meist nur in begrenzter Menge zur Verfügung steht. Die Uferschwalbe kann sich also enge Nachbarschaft durchaus leisten, und so stehen immer mehrere Niströhren dicht nebeneinander. Eine solche Uferschwalbenkolonie kann aus zehn, fünfzig mehreren hundert oder sogar gelegentlich tausend Paaren bestehen.

Das Zusammenrücken hat auch noch einen nicht zu unterschätzenden Vorteil: Für Höhlenbauer sind die günstigen Gelegenheiten in der Landschaft nicht allzu zahlreich. Eine geeignete Steilwand kann auf diese Weise für viele Paare zugleich Wohnung bieten. Wenn man sich bei der Nahrungssuche »aus dem Weg geht«, entstehen durch das Zusammenleben am Brutplatz keine Probleme.

Ausschnitt einer Uferschwalbenkolonie in einer Sandgrube. Die Röhren stehen oft dicht beieinander. Nur wenn das Bodenmaterial eine bestimmte Härte nicht überschreitet, können die Uferschwalben ihre Bruthöhlen anlegen.

Uferschwalben sind ge-
wandte Flugjäger, die ausschließlich von fliegenden
Insekten leben.

Die ursprünglichen Lebensräume der Uferschwalbe sind, wie ihr Name richtig sagt, Steilufer
an der Küste und an Flüssen, die zumindest an
den Flüssen heute ausgesprochene Mangelware
geworden sind. Aber auch unter völlig natürlichen Bedingungen unterliegen Steilufer an Flüssen großen Veränderungen durch Hochwasser
oder starke Regenfälle. So mußte die Uferschwalbe schon von jeher flexibel auf Veränderungen ihres Brutplatzes reagieren, um überleben zu können. Diese Anpassungsfähigkeit kam
ihr sehr zustatten, als ihr der Mensch ganz ohne
Absicht neue Brutmöglichkeiten zur Verfügung
stellte: Kiesgruben, Lehmgruben, Torfstiche,
lockere Schichten in Steinbrüchen, steile Auf-
schlüsse und Anschnitte durch Bergbahn- und
Straßenbau. Mit Hilfe solcher neuen Möglichkeiten konnte die Uferschwalbe sogar in Gegenden vordringen, wo ihr Felswände die Ansiedlung bisher unmöglich machten, z.B. im
Bergland. Allerdings sieht die Lage heute für die
Uferschwalbe nicht so günstig aus, wie man meinen könnte, denn der Mensch hat ihr durch Kanalisierung der Flüsse einen großen Teil der natürlichen Brutplätze genommen.

Künstliche Brutplätze haben daher für die
Uferschwalbe heute größte Bedeutung erlangt.
Mit der zunehmenden Mechanisierung beim
Kiesabbau kommt es jedoch immer häufiger zur
Vernichtung ganzer Kolonien. Erfreulicherweise
lassen aber viele Kiesgrubenbesitzer Wände mit
Uferschwalbenkolonien während der Brutzeit
stehen und bauen sie erst ab, wenn die jungen
Schwalben ausgeflogen sind.

Erst Mitte Mai liegen die ersten reinweißen
Eier im Nest am Ende der Röhre, das durch Ein-
tragen einiger Halme, Fasern und Wurzeln in einer kleinen Erweiterung angelegt wird. Nach der
etwa zwölftägigen Bebrütungsdauer schlüpfen
die Jungen und bleiben knapp drei Wochen im
dunklen Nest. Nach dem Ausfliegen kehren sie
aber noch eine Zeitlang immer wieder in ihre
Höhle zurück. Daß sie dabei häufig den Eingang
verwechseln, ist kein Wunder, denn oft liegen die
Höhleneingänge sehr dicht nebeneinander. Die
gleichmäßige Versorgung der Jungen mit Nahrung könnte durch diesen Fehler der Jungen gefährdet werden. Doch dies wird verhindert, denn
die Altvögel lernen ihre Jungen während der
Aufzucht gut kennen, was bei Vögeln übrigens
keineswegs selbstverständlich ist. Ausgeflogene
Junge, die in eine fremde Neströhre hineinkrie-
chen, werden von den Nestbesitzern als Fremdlinge erkannt und hinausgeworfen.

Wie alle typischen Insektenjäger sind auch die
Uferschwalben Zugvögel, die im Herbst die
Brutgebiete verlassen. Ihr Winterquartier liegt
hauptsächlich in Ostafrika.

Die Situation der Uferschwalbe in unserer
Kulturlandschaft ist nicht ganz einfach zu beurteilen, denn vom Abbau in den Kies- und Sandgruben droht ihr nicht nur Gefahr. Sie ist nämlich
auf die Tätigkeit des Menschen angewiesen, denn

Gruben, die nicht mehr abgebaut werden, verlieren bald ihre Bedeutung als Uferschwalbenbrut-
plätze. Das hat zwei Gründe: Die Uferschwalben
können nur in lockerem Material ihre Höhlen
graben. In Kiesgruben sind daher meist nur
schmale Sandbänder in einer Steilwand für sie
nutzbar. Nach einigen Jahren sind diese Bänder
aber durch nachstürzenden Sand und durch immer neue Röhren so durchlöchert, daß sie nicht
mehr für eine stabile Wohnanlage geeignet sind.
Ferner werden die Steilwände durch abstürzen-
des Material immer schräger. Damit kommt
schließlich der Tag, an dem Wiesel bis in die
Höhlen der Uferschwalben vordringen können.
Das wäre das Ende einer Kolonie. Soweit kommt
es aber wohl nie, denn die Uferschwalben verlassen eine allmählich abrutschende Steilwand
schon vorher. Wenn man Uferschwalben auf
Dauer halten will, muß man Steilwände immer
neu abstechen.

Damit sind die wichtigsten Punkte eines Hilfs-
programms schon vorgezeichnet: Schonung der
Kolonien während der Brutzeit durch Aussparung vom Kiesabbau; Herrichten der Steilwände
alter Kiesgruben. Schließlich sei noch angemerkt,
daß sich neue Teiche auf das Nahrungsangebot
sehr günstig auswirken. Davon profitieren auch
unsere beiden anderen Schwalbenarten.

Fast flügge junge Ufer-
schwalben werden am
Höhleneingang gefüttert.

Flußseeschwalbe:
In Hessen, Rheinland-Pfalz
und Westfalen bereits ausgestorben

Die langen, spitzen Flügel sind ein Kennzeichen für ausdauernde Flieger.

Die Flußseeschwalbe brütet gern auf etwas bewachsenen Sand- und Kiesbänken. In der Vegetation können sich die frisch geschlüpften Jungen verstecken.

Mit den Schwalben hat die Flußseeschwalbe nichts zu tun. Lange spitze Schwingen und vor allem der gegabelte Schwanz, der an die Rauchschwalbe erinnert, haben ihr den Namen gegeben und mit ihr einer ganzen Gruppe ähnlicher Vögel. Seeschwalben gehören in die Verwandtschaft der Möwenartigen. Sie sind auf der ganzen Welt zu Hause, meist an den Küsten, und viele von ihnen vollbringen gewaltige Flugleistungen. Einige Flußseeschwalben Europas fliegen z. B. jährlich von ihren Brutgebieten an der Atlantikküste südwärts bis zur Südspitze Afrikas. Da Flußseeschwalben weit über zwanzig Jahre alt werden können, kann man die in einem solchen Leben zurückgelegte Strecke nur ungefähr erahnen. Zusätzliche Anforderungen an ihre Leistungsfähigkeit entstehen durch Wind und Wetter.

Auch außerhalb der weiten Wanderungen spielen Flugkünste im Leben des grazilen Vogels, der mit 140 Gramm im Schnitt nicht viel mehr

wiegt als eine Amsel, eine wichtige Rolle. Zur Nahrungssuche fliegen Flußseeschwalben in einigen Metern Höhe über dem Wasser und halten nach kleinen Fischen, Krabben, Wasserinsekten und Würmern Ausschau. Ist ein Beutetier in günstiger Position entdeckt, stürzt die Seeschwalbe kopfüber ins Wasser und greift mit dem Schnabel zu. Dabei gerät mitunter der Körper ganz unter Wasser, oft schauen nur noch die langen Flügelspitzen heraus. Die Methodik des Stoßtauchens haben mehrere Vögel entwickelt. Kaum einer beherrscht sie aus dem Fluge so perfekt wie die Flußseeschwalbe. Fischadler, die in ähnlicher Weise jagen, greifen ihre Beute mit den Zehen.

An der Küste setzt sich die Nahrung der Flußseeschwalbe zu etwa vierzig Prozent aus Fischen, zu neunzehn Prozent aus Insekten zusammen. Der Rest verteilt sich auf Krebse und Würmer. Besonders beliebt sind Sandaale, kleine Aale, Butt, Steinpicker, Krabben und viele andere. Alle Nahrungstiere werden unzerteilt verschlungen; sie dürfen also nicht zu groß sein.

Flußseeschwalben sind als Brutvögel sowohl an der Küste anzutreffen als auch an geeigneten Gewässern im Binnenland. Die Nester, einfache Mulden, die meist nur mit einigen Halmen etwas ausgekleidet sind, liegen am Boden entweder auf Sand- oder Kiesstrand oder in niedrigem Bewuchs. Früher gab es an der Küste, vor allem auch auf den vorgelagerten Inseln, Kolonien von über 10 000 Paaren. Die Nester stehen meist dicht beisammen; der Zwischenraum beträgt oft kaum mehr als etwa 1 ½ Meter. Auch bei der Flußseeschwalbe ermöglicht die Bildung von dichten Brutkolonien die Ausnutzung der wenigen geeigneten Plätze für die Anlage eines Nestes. Wenn die um Inseln oder Sandbänke liegenden Jagdgründe der flachen Gewässer ausreichend Nahrung anbieten, entstehen aus der Ansiedlung

vieler Paare auf engem Raum für den einzelnen keine Nachteile. Einen unbestreitbaren Vorzug gewinnt das Zusammenbrüten jedoch bei der Abwehr eines Feindes. Viele Schwache sind gemeinsam einem Stärkeren überlegen.

Nach diesem Motto setzen die Flußseeschwalben sehr geschickt ihre Flugkünste gegen Störenfriede ein. *Selbst Menschen werden in Kolonien heftig angegriffen.* Die Seeschwalben setzen wie beim Stoßtauchen zum Sturzflug an und fangen ihn kurz über dem Kopf des Eindringlings ab, wobei sie laute Alarmschreie ausstoßen. Manchmal bekommt der Attackierte auch einen kräftigen Schnabelhieb ab, der zu blutigen Kopfwunden führen kann. Andere verstehen es ausgezeichnet, gezielt mit Kot zu schießen.

Vor der Eiablage balzen Flußseeschwalben zunächst gemeinsam und wenden dann ihr Interesse nur noch einem Partner zu. Die Männchen überreichen ihrem Weibchen als »Geschenk« kleine Fische. Die Übergabe wird von zeremoniellen Balzhandlungen begleitet: Mit tief gesenktem Kopf stehen sich beide Partner auf dem Boden gegenüber. Mit hochgerecktem Schwanz und abgewinkelten Flügeln trippeln sie aufeinander zu und strecken dann voreinander stehend Kopf und Hals steil nach oben. Die Balz dient der Synchronisation der Paare.

Die zwei bis drei Eier sind wie bei vielen Bodenbrütern tarnfarbig. Nach etwa dreiwöchiger Bebrütung schlüpfen die Jungen und verlassen wenige Stunden alt das Nest, um sich in dessen unmittelbarer Nähe in der Vegetation zu verstekken. Auf Rufe ihrer Eltern, die sie möglicherweise individuell erkennen, trippeln sie aus ihrem Versteck hervor, um das Futter in Empfang zu nehmen.

Die Zeit der Brut und Jungenaufzucht ist für die Flußseeschwalbe mit großen Risiken verbunden. Viele Junge gehen zugrunde, bevor sie nach etwa vierundzwanzig bis dreißig Tagen flügge

Balzspiel der Flußseeschwalbe. Der nach unten weisende Schnabel deutet an, daß der Partner sich mit friedlicher Absicht nähert.

Das Hochzeitsgeschenk wird überreicht: Das Flußseeschwalben-Männchen bietet seinem Weibchen einen kleinen Fisch an.

Die voll flugfähigen Jungen werden von ihren Eltern noch einige Zeit mit Nahrung versorgt.

Mitunter profitiert die Flußseeschwalbe von Kunstbauten, auf denen sie ihre Nester anlegt.

Arbeitseinsatz Flußseeschwalben-Insel: Als Ersatz für verlorengegangene Sand- und Kiesbänke kann man den Seeschwalben als Brutplatz künstliche Inseln anbieten. Das bedeutet jedoch Schwerarbeit im Dienst des Vogelschutzes.

werden. Ungünstige und kalte Witterung, Überflutung der Brutgebiete bei Hochwasser und Sturmfluten vernichten nicht selten den gesamten Nachwuchs einer Kolonie. Das hohe Lebensalter der Vögel, die die gefährliche Jugendzeit überstanden haben, ist ein Ausgleich dafür.

Sowohl an der Küste als auch im Binnenland war die Flußseeschwalbe früher wesentlich häufiger als heute. In Hessen, Rheinland-Pfalz und Westfalen ist sie ausgestorben. Kaum 200 Paare beträgt der gesamte Brutbestand Süddeutschlands. Auch im norddeutschen Binnenland sind die Zahlen kleiner geworden.

Zwar zählen wir heute noch mehrere tausend Paare an den deutschen Küsten, aber die sind nur ein schwacher Abglanz früherer Verhältnisse. *Flußregulierungen und Tourismus haben an den meist kleinen Brutplätzen des Binnenlandes zum Rückgang oder Aussterben geführt.* Inseln mit Sand- und Kiesstrand laden nicht nur Flußseeschwalben, sondern auch Bootsfahrer und Sonnenhungrige zum Verweilen ein. In Bayern wird daher eine besonders gefährdete Kolonie in einem Naturschutzgebiet den ganzen Sommer über bewacht. Auch die Verschmutzung unserer Gewässer hat natürlich zum Rückgang beigetragen.

Die Bewachung von Brutplätzen hat sich als Hilfe sehr bewährt. *Ohne den Einsatz freiwilliger Helfer wären neben der Flußseeschwalbe noch andere Seevögel bei uns bereits ausgestorben.* Im Binnenland entstehen nach der Begradigung der meisten Flüsse Sandbänke und Kiesinseln nicht mehr neu; die alten sind verschwunden oder zugewachsen und damit unbrauchbar als Flußseeschwalben-Brutplatz. Deshalb hat man an vielen Orten künstliche Inseln angelegt, die bei günstiger Lage sofort besiedelt werden. Bei verstärktem Einsatz und Unterstützung der Wasserbauämter besteht für den Flußseeschwalbenbestand im Binnenland durchaus die Chance des Weiterbestehens.

Lebensraum
Seen und Teiche

Die Geschichte unserer Gewässer ist die Geschichte unserer Abwässer. In einhundert Jahren, seit Beginn der Industrialisierung, sind Seen und Weiher, Bäche und Flüsse sowie die küstennahen Meeresgebiete unmerklich zunächst, dann, nach dem Zweiten Weltkrieg, in rasendem Tempo nicht selten bis zu ihrem biologischen Tod verschmutzt worden. Um 1900, so sagen es die Alten, konnte man mit dem Wasser der Elbe an ihren küstenferneren Ufern noch getrost seinen Tee aufbrühen. Im Rhein lebten Lachse. Heute ist in diesen Strömen nicht einmal mehr das Baden erlaubt.

Natürlich waren die Bäche und Flüsse schon immer die naturgegebene Kanalisation der Menschen, aber solange die Bevölkerungszahlen gering blieben und die Produktion von Gegenständen des täglichen Bedarfs allein dem Handwerk mit seinen organischen Stoffen oblag, wurden die Gewässer mit den eingeschwemmten Abfallstoffen leicht fertig; ihr Sauerstoffhaushalt blieb ausgeglichen, die Kreisläufe aus pflanzlichen und tierischen Organismen waren intakt.

Dennoch erkannte man früh schon die Gefahr, die den Gewässern durch eine Überfrachtung mit Abfallstoffen drohte. Schützte sie in der Antike noch der Glaube, sie seien Aufenthaltsort der Götter und Geister, so waren doch bereits im 13. Jahrhundert Gesetze nötig. Der in Dingen der Natur so hellsichtige Staufenkaiser Friedrich II. erließ in Süditalien ein solches Gesetz gegen die Benutzung der Flüsse als Müllschlucker. Es ist anzunehmen, daß er sich beim Anblick von häßlichem Schwemmgut tieferreichende Gedanken machte.

Bis zur Mitte des 19. Jahrhunderts sorgte die Selbstreinigungskraft des Wassers für die eigene Gesundheit. Als dann aber im Gefolge der beginnenden Industrialisierung der Zug der Menschen in die Städte einsetzte, als die Fabriken sich an den Flußufern langsam zu ballen begannen, da wuchs die Schmutzlast. Kläranlagen waren lange Zeit unbekannt und fehlen oft genug noch heute; oder sie reichen über eine mechanische Auskämmung von Feststoffen nicht hinaus. Immer größer werdende Städte entließen bis in die jüngste Zeit alle Ausscheidungen ihrer Menschen, Maschinen und Retorten in die Flüsse. Die Bauern machten es mit den Exkrementen ihrer Tiere nicht anders. Im Jahr 1970 noch flossen täglich in der Bundesrepublik von 17,5 Millionen Kubikmeter Abwässern nur 37,9 Prozent vollbiologisch geklärt in die Gewässer. 52,6 Prozent, mehr als die Hälfte also, waren zu annähernd gleichen Teilen entweder überhaupt nicht oder nur mechanisch geklärt.

Zu diesen in die öffentliche Kanalisation eingeleiteten Abwässern (die zum größeren Teil aus Haushalten und Kleingewerbebetrieben, zum kleineren aus der Industrie stammen) fließen über werkseigene Kanäle jährlich weitere zwei Milliarden Kubikmeter Abwässer in die Oberflächengewässer – ein Viertel davon total unbehandelt. Zwei Milliarden Kubikmeter Wasser – das ist exakt der Inhalt des zwar nicht sehr tiefen, aber flächenmäßig größten Binnengewässers Europas, des ungarischen Plattensees.

Trotz forciertem Kläranlagenbau sind die großen Ströme Rhein, Elbe und Weser heute weithin Gewässer, die in biologischer Agonie liegen. Wo man aus ihnen Trinkwasser entnehmen muß, sind Millionenmittel für dessen Aufbereitung nötig, und dennoch ist man sich nie sicher, ob die aufwendigen Reinigungsmethoden auch alle Schadstoffe zu erfassen in der Lage sind. Es werden immer neue chemische Verbindungen erfunden, neue Wirkstoffe synthetisiert, deren Folgen für die menschliche Gesundheit niemand kennt. So ist in den Filterwerken die letzte Barriere zwischen krankem Wasser und (noch) gesunden Menschen ein Bassin, in dem als hochempfindliche Sensoren Bachforellen schwimmen. Verenden sie oder zeigen sie taumelnd Vergiftungserscheinungen, stoppen die Wasserwerke den Zufluß des Wassers in die Leitungen der Verbraucher auch dann, wenn die komplizierten Analysegeräte Normalität anzeigen: Man kann nie wissen, ob nicht ganz neue, unbekannte Schadstoffe in das Flußwasser gelangten.

Hochrechnungen ergaben, daß im Jahr 1985 täglich 22,5 Millionen Kubikmeter Abwasser in die bundesrepublikanischen Gewässer fließen werden. Nach Frederic Vester entspricht schon die heutige tägliche Abwassermenge bei uns dem Rauminhalt eines Güterzugs von 500000 Tankwagen – eine Wagenkette, die von Bonn bis Peking reichen würde. Während einer Anhörung über die Wasserverschmutzung vor dem Deutschen Bundestag wurden 1971 die nötigen Investitionen in Kläranlagen bis zum Jahr 2000 auf 158 Milliarden DM geschätzt, pro Jahr, ab 1971, 5,4 Milliarden DM. Das ist nur ein Minimalprogramm. Wird es nicht verwirklicht, was angesichts der geldleeren öffentlichen Hände anzunehmen ist, werden viele Gewässer biologisch sterben und nichts anderes mehr sein als mit Grund- und Schmelzwasser verdünnte Fließkloaken.

Der Regierung Schmidt-Genscher ist das alles wohlbekannt; sie brachte auch ein Abwasserabgabengesetz durchs Parlament, das aber durch die Industrielobby und die Wachstumshörigkeit der meisten Politiker so verwässert wurde, daß selbst der Bundespräsident – leider nur verbalen – Anstoß daran nahm: Die Abgabensätze sind so gering bemessen, daß es für die Industrie kostengünstiger ist, diese Sätze zu bezahlen, statt ihre Abwässer voll zu klären.

Aber selbst wenn das Miliardenprogramm realisiert würde, bleiben Zweifel an seiner Allheilkraft bestehen. Unser heutiger Weisheit letzter Schluß, die vollbiologische Kläranlage, gibt dem Wasser immer noch nicht seine natürliche Beschaffenheit zurück. Zwar belästigt vollbiologisch geklärtes Abwasser nicht mehr die Nase und bietet auch Krankheitskeimen keinen Nährboden mehr, es enthält jedoch immer noch chemische Verunreinigungen und ist vor allem noch versetzt mit biologischen Nährstoffen, wie Phosphaten. Und gerade diese Verseuchung unserer Seen und Weiher mit Phosphaten, die nicht eigentlich eine Wasserverschmutzung, sondern eine Überdüngung ist, macht den Ökologen größte Sorgen.

Wir stehen in »reiner als rein« gewaschenen Hemden an den Ufern unserer Seen und ringen verzweifelt die Hände über deren Sauerstoffdefizit, Faulschlammbildung und Algenexplosion. Fernsehprogramme über diese ökologischen Kreislaufstörungen unserer Gewässer wechseln ab mit dem fröhlichen Schwachsinn der Waschmittelwerbung, die in der Saubermannsmentalität einer Mehrzahl deutscher Frauen einen ebenso reichen Nährboden hat wie die faulenden, den Sauerstoff aufzehrenden Algen in den Phosphaten. Aus unseren Waschmaschinen gelangen sie über die Kanalisation in unsere Seen. Erst die Beimischung dieser Phosphate, die der Kalkbildung entgegenwirken und den gelösten Schmutz im Waschwasser binden, machte die moderne Waschmaschine überhaupt möglich. Es ist undenkbar, daß die deutsche Frau jemals von ihr lassen wird, und da diese Waschmittelphosphate an der Überdüngung zum Beispiel des Bodensees, noch 1974 mit 59 Prozent beteiligt waren und die Waschmittelindustrie aus verständlichen Gründen von ihrem liebsten Kind, das ihr jährlich zwei Milliarden DM Umsatz sichert, nicht lassen möchte, wird sich die Wasserqualität des Bodensees zu Lasten seines reichen pflanzlichen und tierischen Lebens trotz großer finanzieller Anstrengungen der öffentlichen Hand eher weiter verschlechtern als bessern. Der Vorsitzende eines die Bundesregierung beratenden Ausschusses der Gesellschaft Deutscher Chemiker: »Es gibt nichts Besseres als die Phosphate, es gibt nichts Harmloseres als die Phosphate, und wir wollen abwarten, wie die Dinge sich weiter entwickeln. Wir müssen uns überlegen, ob wir in diesem oder im nächsten Jahrhundert nicht doch mit der Überdüngung werden leben müssen...« Er hätte für seine Branche – weniger zynisch – formulieren sollen: ».... *von* der Überdüngung werden leben müssen.«

Natürlich sind die Waschmittel nicht die einzigen Phosphatträger. Aus dem Kunstdünger der Landwirtschaft werden sie ebenfalls bei Starkregen in den See geschwemmt, der Regen wäscht sie auch aus der Atmosphäre. Vor allem aber enthalten menschliche Fäkalien Phosphate. An der Bodensee-Überdüngung sind sie mit 20 Prozent Anteil der zweitgrößte Schadfaktor. Dies hängt unmittelbar mit der starken Siedlungstätigkeit im Seebereich zusammen.

Einzelne Seegemeinden verzeichneten zwischen 1950 und 1970 einen Bevölkerungszuwachs von über 70 Prozent. Die industriellen Arbeitsplätze stiegen im Seebereich von 1954 bis 1961 um 54 Prozent. Der Fremdenverkehr wird mit allen Kräften weiter angeheizt. 500 000 jährliche Tagesbesucher allein in Lindau, an die sechs Millionen Übernachtungen pro Jahr in nur 58 Gemeinden des Dreiländer-Seebereichs! Die seenahen Bundesstraßen sind sommers stärker von Autos frequentiert als die Autobahn Mannheim–Frankfurt zu Stoßzeiten. Auf den neuen Autobahnen, die zusammen mit neuen Bundesstraßen in schier unbegreiflicher Massierung aus den Ballungsräumen Süddeutschlands an den See geführt werden, wird sich in den kommenden Jahren eine ungeheure Lawine von Kurzurlaubern an den See ergießen. Sie wird die letzten Naturräume, die den Pflanzen und den Tieren noch geblieben sind, unter sich begraben, wenn der Naturschutz nicht Grundeigentumsrecht an ihnen erwerben kann.

Immer wieder, überall in der Bundesrepublik, fallen Tümpel und Teiche, über deren Bedeutung niemand nachdenkt, den Straßenbauern zum Opfer. Oder sie werden durch Schutt und Aushub zugeschüttet. Mit diesem Unsinn hängt der rapide Rückgang unserer Amphibien zusammen. Bis auf den Alpensalamander benötigen alle einheimischen Amphibien Laichtümpel, Kleinstgewässer von geringer Wassertiefe. Das Aufsuchen dieser Tümpel ist in den Tieren als Tradition verankert. Zerstört man ihnen einen Tümpel, an den sie gebunden sind, stirbt die gesamte hier laichende Population aus. Ein trauriges Kapitel ist auch die Zerstörung der Dorfteiche oder ihre Zweckentfremdung als Feuerlöschteich, wozu regelmäßig die Ufer betoniert und befahrbar gemacht werden.

Horst Stern

Vögel an Seen und Teichen: Ihr Lebensraum ist eingeengt – doch Hilfe ist möglich

Reiches Pflanzenleben säumt die Flachufer von Seen und Teichen, die damit zu bevorzugten Lebensräumen vieler Vogelarten werden.

Die Bedeutung der Vögel für die Lebensgemeinschaften von Seen und Teichen liegt vor allem in der Verbreitung von Pflanzen und Tieren. Viele der Kleinlebewesen, die im Wasser leben, werden mit dem Gefieder der Vögel von einem Gewässer zum anderen transportiert und neuentstandene Teiche auf diese Weise oft sehr rasch mit einer großen Zahl von Pflanzen und Tieren besiedelt. Sogar Eier von Fischen und Amphibien werden offensichtlich durch Wasservögel verbreitet.

Darüber hinaus tragen Wasservögel auch dazu bei, allzu üppige Vermehrung von organischer Substanz als Folge der Wasserverschmutzung abzubauen. Wie neuere Untersuchungen zeigen, können große Schwimmvogelmassen damit die Qualität der Gewässer verbessern helfen. Stark übertrieben sind dagegen meistens die Ansichten der Fischer über den Nahrungsbedarf fischfressender Vögel. Die 500 Reiher der Dombes in Südfrankreich verzehren zwar 32 Tonnen Fische

Schilfumsäumte Tümpel und Teiche sind für viele Vögel lebensnotwendig. Sie lassen sich mit relativ einfachen Mitteln herstellen. Schon nach wenigen Jahren sieht man ihnen ihre Entstehung auf dem Reißbrett nicht mehr an.

Hervorragend an das Leben in den Rohrwäldern angepaßt sind die Rohrsänger. Unsere größte Art, der Drosselrohrsänger, macht sich durch seine laute Stimme besonders bemerkbar.

Überall, wo Schilf steht, ist die Rohrammer als Brutvogel anzutreffen.

Auch Frösche bedürfen unseres Schutzes. Wichtig für den Grasfrosch ist vor allem die Erhaltung von Laichgewässern. Alle unsere Frösche und Kröten machen ihre Jugendentwicklung als Kaulquappen im Wasser durch.

im Jahr. Das sind aber nur 2,5% der marktfähigen Fische und nur 1,5% der tatsächlichen Fischproduktion der Teiche überhaupt.

Seen und Teiche haben in der Regel teilweise flache Ufer, und gerade die sind ganz entscheidend für die Vielfalt der an einem Gewässer vorkommenden Vogelarten. Jede Vogelart sucht bevorzugt in ganz bestimmter Wassertiefe nach Nahrung. Mit einem Steilufer – womöglich noch betoniert – können nur wenige Arten etwas anfangen. Aber nicht nur an die Wassertiefe stellt jede Art bestimmte Ansprüche, sondern auch an den Ort, an dem das Nest stehen soll.

Der Lebensraum der Wasservögel ist gegenüber früher viel kleiner geworden. Der Grund dafür liegt in erster Linie in der Kanalisierung der Flüsse. Als Folge davon sind die Auen mit den Seitenarmen der Flüsse, den Altwässern und den Aufstauungen, die durch die Arbeit der Biber entstanden sind, fast vollständig verschwunden. Um so wichtiger ist die Erhaltung und Wiederherstellung der letzten Auwaldreste.

Ein gewisser Ersatz für den zerstörten Lebensraum sind Teiche, die an vielen Orten neu angelegt werden können. Einige von ihnen haben für Wasservögel bereits große Bedeutung erlangt, so die Meißendorfer Teiche bei Celle, die Riddagshäuser Teiche bei Braunschweig, der neuangelegte Teich bei Obersuhl in Hessen und der Mettnau-Teich bei Radolfzell.

Teilweisen Ersatz für Lebensräume der Wasservögel bieten auch Rieselfelder und Speicherbecken, die zur Klärung von Abwässern dienen. Die außerordentlich hohe Produktion an Kleinlebewesen und das flache Wasser ziehen viele Vogelarten z. T. in großen Mengen an.

In kleinen Tümpeln und Weihern zu Hause ist die Krickente, unsere kleinste heimische Entenart.

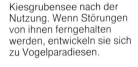

Kiesgrubensee nach der Nutzung. Wenn Störungen von ihnen ferngehalten werden, entwickeln sie sich zu Vogelparadiesen.

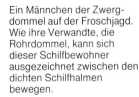

Ein Männchen der Zwergdommel auf der Froschjagd. Wie ihre Verwandte, die Rohrdommel, kann sich dieser Schilfbewohner ausgezeichnet zwischen den dichten Schilfhalmen bewegen.

Zu den heimlichsten Bewohnern der Ufervegetation von Seen und Teichen gehört die Wasserralle. Nur selten bekommt man sie einmal zu Gesicht.

111

Fischadler:
Ein Opfer der Verfolgung

Schmale lange Flügel und eine schneeweiße Unterseite sind die Kennzeichen eines Greifvogels, der unter seinesgleichen zu einem extremen Spezialisten geworden ist. Wie sein Name sagt, lebt der etwas über bussardgroße Fischadler fast ausschließlich von Fischen. Aus zehn bis vierzig Meter Höhe hält er über dem Wasser fliegend Ausschau. Hat er einen Fisch entdeckt, rüttelt der mächtige Vogel auf der Stelle und stürzt dann mit weit vorgestreckten Füßen und vorgestrecktem Kopf schräg nach unten. Das Tempo des Absturzes ist so bemessen, daß der Fischadler den Fisch noch im Auge behalten und sofort den Stoß abfangen kann, wenn der Fisch weiterschwimmt. Ein neues Anvisieren führt dann vielleicht zum Erfolg. Greift der Fischadler zu, taucht er im aufspritzenden Wasser oft völlig unter. Der Fisch wird mit den spitzen gekrümmten Krallen gepackt. Kurze Zeit ruht der Vogel mit ausgebreiteten Flügeln auf dem Wasser, um sich dann mit

wuchtigen Flügelschlägen zu erheben. Mit kräftigen Schüttelbewegungen wird das Wasser aus dem Gefieder geschleudert.

Bis in die Einzelheiten des Fußbaus ist der Fischadler an seine besondere Ernährungsweise angepaßt: Die Füße sind kräftig und gedrungen, die Krallen nadelspitz und gekrümmt, an der Zehenunterseite und an den Gelenkballen der Zehen stehen viele kleine Dornen, die ein Entgleiten der glitschigen Fische verhindern.

Die Kunst des Fischens ist dem Fischadler angeboren. Junge, die nie einen Altvogel fischen sahen, gehen sofort selbst auf die Jagd, sobald sie fliegen können. Allerdings läßt die Treffsicherheit am Anfang noch sehr zu wünschen übrig. Auch scheint zunächst noch eine gewisse Wasserscheu überwunden werden zu müssen. Bei der Auswahl seiner Beute ist der Fischadler nicht eben wählerisch. Er nimmt, was sich bietet, und das sind in der Regel häufig Fische, die an die

Der Fischadler wurde bei uns das Opfer rücksichtsloser Verfolgung.

112

Die größtenteils weiße Unterseite macht den Fischadler schon auf weite Entfernung hin kenntlich, wenn er über dem See seine Kreise zieht.

Wasseroberfläche kommen, z.B. Karpfen, Brachsen, Hechte. Außerhalb der Brutzeit wird die Beute meist zu einem freistehenden Baum getragen und in aller Ruhe verzehrt. Eine Mahlzeit kann länger als eine Stunde dauern.

Die Horste des Fischadlers stehen in der Nähe klarer Gewässer auf Bäumen, neuerdings auch mitunter auf Gittermasten. Künstliche Horstunterlagen nimmt er gerne an. Mindestens fünf Wochen werden die drei Eier vom Weibchen bebrütet. Das Männchen versorgt Weibchen und Brut mit Nahrung. Winzige Futterbrocken werden den Jungen zunächst vorgehalten; sie nehmen sie vom Schnabel und verschlucken sie. Fleisch vom Rumpf des Fisches ist für die Jungen bestimmt, den Kopf frißt das Männchen, Eingeweide, Gräten und Schwanz bleiben für das Weibchen übrig. Erst nach fünfzig bis sechzig Tagen sind die Jungen flügge, müssen aber dann noch einige Zeit versorgt werden, ehe sie selbst Beute schlagen können.

Fischadler auf seiner Ruhe-
warte, auf der er die Beute
verzehrt.

Das Porträt eines Fischadlers:
Der kräftige Hakenschnabel
eignet sich vorzüglich zum
Zerteilen der Beute.

Das Risiko eines Nahrungsmangels durch zu-
gefrorene Gewässer geht der Fischadler nicht ein.
Er verläßt Mitteleuropa bereits im September
und zieht nach Afrika bis südlich der Sahara;
einzelne überwintern auch im Mittelmeerraum.

*Die Geschichte des Fischadlers in Europa ist
eine einzige Folge von Verlustmeldungen. Nur
wenige Lichtblicke lassen für seine Zukunft hoffen.*

In der gesamten Bundesrepublik ist er als
Brutvogel längst ausgerottet; in Baden-Württemberg gibt es seit 1910, in Bayern seit kurz
nach 1900, in Westfalen seit 1940 keine Fischadler mehr; in Schleswig-Holstein haben die letzten
zwischen 1880 und 1920 gebrütet. In Dänemark
wurde der Adler Anfang des zwanzigsten Jahrhunderts ausgerottet; heute kann noch mit höchstens zwei Paaren gelegentlich gerechnet werden.
Fischadlerleer sind längst auch die Tschechoslowakei, Österreich und die Schweiz. In anderen
Ländern, vor allem auch in den USA, ist der Be-

stand stark zurückgegangen. Heute gibt es größere Bestände in Europa nur noch in Schweden (etwa 2000 Paare) und in Finnland (800 bis 900 Paare). Aufregend verlief das Schicksal des Fischadlers in England. Hier fand 1908 die letzte Brut statt. 1955 beobachtete man überraschend die erste Wiederansiedlung, die zwanzig Jahre später bereits vierzehn Paare umfaßte. Die Auswirkungen eines konsequenten Schutzes der Brutplätze sind der Grund für diesen Erfolg. Mit Stacheldraht, Mikrofonen und Bewachung rund um die Uhr sicherte man die Brutplätze vor skrupellosen Eiräubern ab.

Der Mensch hat schon von jeher den Fischadler als »Nahrungskonkurrenten« rücksichtslos verfolgt. Dabei ist der angebliche Schaden des Fischadlers gering. Sein Nahrungsbedarf liegt bei 300 bis 500 Gramm täglich. Genaue Beobachtungen an durchziehenden Adlern haben ergeben, daß sie sich knapp ein Prozent des Karpfenbestandes eines Teiches geholt haben, während der normale Sommerverlust unter anderem durch Krankheit in diesen Teichgebieten fünf bis fünfundzwanzig Prozent beträgt. Katastrophal wirken sich direkte Verfolgungen vor allem dann aus, wenn auch die Umweltverhältnisse für den Adler nicht mehr stimmen. Allein durch Schwefeldioxid, das aus England, Dänemark, der Bundesrepublik, Holland, Frankreich und Schweden durch die Luft in die schwedischen Ge-

wässer gelangt, sind dort bereits über 1000 Seen fischleer. Vergiftungen mit Quecksilber und DDT spielten beim Fischadler eine entscheidende Rolle. Hinzu kommen die Zersiedlung der Landschaft in seinem urwüchsigen Brutgebiet und die Eroberung der einsamen Seen durch den Motorbootsverkehr und durch den Angelsport.

Hilfsmaßnahmen für den Fischadler bedeuten daher gleichzeitig, unsere gesamte Umweltsituation zu verbessern. Für den Adler selbst kann man Ruhezonen in seinem Durchzugsgebiet einrichten. Die Erhaltung von Hochwald in der Nähe von Seen, die Anlage von Nahrungsteichen, auch für andere Fischjäger unter den Vögeln, oder die Anlage von Kunsthorsten in geeigneten Gebieten könnten zu einer Wiederansiedlung führen. Natürlich müssen Fischadler in allen Ländern Europas ganzjährige Schonzeit genießen. Die Reduzierung der Umweltverseuchung als weiterer Programmpunkt kommt nicht nur dem Fischadler zugute.

Der Fischadler baut seinen Horst in einsamen Wäldern in der Nähe des Wassers. Ein Bild, das in Deutschland längst der Vergangenheit angehört.

Ein Fischadler setzt zur Landung auf dem Horst an. Die mit langen sichelförmigen Krallen bewehrten Fänge sind weit vorgestreckt.

115

Graureiher:
Fischen verboten!
Wie soll ein Graureiher da überleben?

Eine sorgfältige Gefieder-pflege ist für den Graureiher lebensnotwendig. Nur mit einem tadellosen Gefieder können die Vögel ihre hohe Körpertemperatur von etwa 40 Grad aufrechterhalten.

Über kaum einen Vogel sind in letzter Zeit die Akten bei verschiedenen Behörden so angewachsen wie über den Graureiher. Selbst Gerichte hat er schon beschäftigt, nachdem Fischzüchter mit Schadenersatzforderungen an den Staat herantraten. Leider ist die Akte Graureiher meist noch nicht geschlossen, denn die Interessenverbände der Fischerei fordern in vielen Gegenden in Deutschland immer noch Abschuß und Dezimierung des »Schädlings«. Man hat zu spät erkannt, daß Graureiher an den Intensivteichen moderner Fischzucht tatsächlich hohen wirtschaftlichen Schaden anrichten können. Scheinbar widersinnig ist angesichts dieser Tatsache die Behauptung der Naturschützer, der Graureiher zähle zu den bedrohten Vogelarten unserer Heimat. Die Teichgutbesitzer beobachteten in den letzten Jahren in vielen Gegenden sogar eine Zunahme der Reiher in ihren Anlagen.

Dieser Widerspruch erklärt sich rasch: Die Situation für den Graureiher in unserer Kulturlandschaft ist in den letzten Jahrzehnten immer schlechter geworden. Fischreiche Gewässer, an denen er vor allem in den Sommermonaten in Ruhe die Nahrung für seine Jungen holen kann, stehen dem Reiher nur noch in Ausnahmefällen zur Verfügung. Er wird geradezu gezwungen, Teichwirtschaften aufzusuchen, um überleben zu können. Wenn man ihn nun dort noch konzentriert verfolgt, wie dies immer wieder gefordert wird, dann hat bald seine letzte Stunde bei uns geschlagen. Daher ist das Gebot des Augenblicks, Graureiherkolonien zu schützen, aber auch für ihn geeignete Nahrungsteiche anzulegen, um ihn von den gewerblichen Fischzuchten fernzuhalten. Ferner gibt es eine ganze Reihe von Methoden, dem Graureiher das Fischen in verbotenen Gewässern zu verleiden, ohne daß man ihn dafür mit dem Tode bestraft.

Wie eine Statue kann ein Graureiher stundenlang am selben Fleck stehen. Wenn er hungrig

Mit schweren Flügelschlägen fliegen die Reiher zu ihren Fischgründen. Sie sind keine typischen Segelflieger wie die Störche.

wird, bewegt er sich im Zeitlupentempo durchs flache Wasser oder über eine Wiese. Kommt ein Tier passender Größe in seine Reichweite, stößt er blitzschnell zu. Dabei packt er Fisch, Maus, Schlange, Frosch oder Libelle zwischen beiden Schnabelhälften oder spießt die Beute mit der Schnabelspitze auf. Für beide Fangarten ist der dolchartige Schnabel maßgeschneidert, genauso wie der lange Hals zum Vorschnellen, wenn eine Maus vorbeiflitzt, und das scharfe Auge zum Erspähen eines Fisches im trüben Wasser.

Viel Zeit verwenden Vögel zur Pflege ihres Gefieders. Dies hat seinen guten Grund: *Wenn die Federn nicht in Ordnung sind, können Vögel ihre hohe Körpertemperatur von etwa 40 Grad nicht halten.* Der Reiher putzt seine Kopffedern, die er mit dem Schnabel nicht erreichen kann, mit den Fußkrallen. Dafür hat ihm die Natur einen Kamm mitgegeben, dessen Zinken an der Kralle seiner Mittelzehe in dichten Reihen stehen. Doch

Auffliegender Graureiher. Für alle Reiher ist typisch, daß sie ihren langen Hals während des Fluges S-förmig krümmen und den Kopf zurücklegen. Die langen Zehen helfen dem Reiher, daß er beim Waten im lockeren Schlamm nicht zu tief einsinkt.

Ruhende Graureiher stehen
wie Statuen oft stundenlang
an einem Fleck.

verläßt sich der Graureiher bei der Gefiederpflege nicht allein auf seinen Läusekamm oder auf die reinigende Kraft des Wassers. Vielmehr stellt er sich sein Waschmittel selbst her, und zwar in Form von Puder. An der Brust und an anderen Körperstellen wachsen, von den großen Federn verdeckt, sogenannte Puderdunen, Federchen, deren Spitzen in winzigen Teilen abbrechen und dann einen wachsartigen wasserabstoßenden Puder bilden. An diesen Federn reibt der Graureiher seinen Kopf, wenn er sich die Kopffedern beim Fischfang mit Schleim verschmiert hat. Das übrige Gefieder reibt er mit dem gepuderten Kopf und mit dem Schnabel ein.

Die Nester der Graureiher stehen auf hohen Bäumen und fast immer in Kolonien beisammen. Große Graureiherkolonien können aus mehreren 100 Nestern bestehen. Solche Siedlungen sind aber heute sehr selten geworden. Um die Jungen zu ernähren, müssen die Graureihereltern ihre Beute oft von weit heranschaffen. Das Transportproblem ist dabei auf praktische Weise gelöst: Die Graureiher verschlucken die Beute und würgen sie den Jungen direkt in deren Schnabel oder auf den Nestboden. Ältere Junge veranlassen ihre Eltern, das Futter zu erbrechen, indem sie deren Schnabel mit ihrem eigenen umfassen.

Die gegenwärtige Bilanz des Graureihers bei uns ist nicht erfreulich. Im Saarland ist er als Brutvogel ausgestorben. Fast im ganzen Bundesgebiet deuten die neueren Zahlen einen starken Rückgang an, z.B. in Niedersachsen (1960 5000, 1971 3600 Paare) oder in Baden-Württemberg (1946 880, 1974 280 Paare). Erfreulicherweise aber haben Schutzmaßnahmen in einigen Bundesländern zur Stabilisierung des Bestandes geführt, in anderen sogar zu einem leichten Wiederanstieg. Die wesentlichen Ursachen für den Rückgang sind in der langanhaltenden, oft rücksichtslosen Verfolgung zu suchen (besonders verheerend wirkten sich die Abschüsse am Nest aus) und in Störungen der Kolonie, zum Beispiel durch Fällen der Horstbäume. Auch Tierfotografen können heute in Reiherkolonien nicht mehr geduldet werden.

Inzwischen wird der Graureiher im ganzen Bundesgebiet von der Jagd verschont. Immer wieder wird aus Fischereikreisen die Wiedereinführung einer Schußzeit beantragt, so daß Jagdbehörden einiger Bundesländer für den Graureiher Abschüsse genehmigen. Dem muß energisch entgegengetreten werden. Graureiher lassen sich an den meisten Fischzuchtanlagen durch sinnreiche Vorkehrungen abschrecken.

Eine wichtige Forderung ist der Schutz aller Graureiherkolonien. Der Behördenkrieg um den Graureiher hat auch sein Gutes. *So hat z. B. Baden-Württemberg einen vorbildlichen Erlaß zum Schutz des Graureihers herausgegeben,* der beweist, wie auch die Interessen des Schutzes einer Vogelart vom Staat wahrgenommen werden können. Der Erlaß hat folgenden Wortlaut:

»Der Graureiher gehört zu den in ihrer Existenz stark bedrohten Vogelarten. Der Brutpaarbestand in Baden-Württemberg ist von 1968 bis 1972 um rund fünfundzwanzig Prozent zurückgegangen. Auch im forstlichen Bereich muß deshalb alles Erdenkliche getan werden, um die Lebensbedingungen des Graureihers zu erhalten oder zu verbessern. Für den Staatswald wird deshalb folgendes angeordnet:

1. In der Reiherkolonie selbst werden in der Regel keine forstlichen Arbeiten durchgeführt. Ausnahmen sind nur zulässig, wenn Maßnahmen zur Abwendung von Gefahren erforderlich werden.

2. Mit dem Bau oder Ausbau von Waldwegen sollte zu einer Reiherkolonie ein Abstand von mindestens 200 m eingehalten werden.

3. In einem Umkreis von mindestens 200 m um eine Reiherkolonie wird auf großflächige Räumung bei der Holznutzung verzichtet.

4. Im Umkreis von 300 m um eine Reiherkolonie werden zwischen dem 1. Februar und dem 31. Juli keine forstlichen Arbeiten durchgeführt.

Diesen Forderungen soll auch im Körperschaftswald im Einvernehmen mit dem Waldbesitzer Rechnung getragen werden. Sollten dabei Schwierigkeiten auftreten, berichtet das Forstamt der Forstdirektion. Es wird gebeten, den privaten Forstverwaltungen zu empfehlen, sich dem Vorgehen im Staatswald und Körperschaftswald anzuschließen. Soweit die Reiherkolonien noch nicht als Naturschutzgebiete oder als Naturdenkmal ausgewiesen sind, ist zu prüfen, ob eine solche Ausweisung sinnvoll ist; gegebenenfalls ist die einstweilige Sicherstellung und die Ausweisung als Naturschutzgebiet bei der zuständigen Naturschutzbehörde zu beantragen. Wenn Schutzverordnungen für die Reiherkolonien Betretungsverbote vorsehen, wirken die Forstbeamten bei der Überwachung mit.«

Noch immer werden Graureiher bei uns von kurzsichtigen Behörden zum Abschuß freigegeben.

Viele Graureiher bleiben auch den Winter über bei uns.

Kolbenente:
Braucht Ruhe vor Touristenrummel

Wenn man sich das Verbreitungsgebiet der Kolbenente auf einer Karte anschaut, wird man nicht recht klug. Zentrum ihres Vorkommens bilden die Steppenseen Asiens, aber auch davon mehr oder minder isoliert einige Gebiete Spaniens. Dazwischen gibt es viele kleine Verbreitungsinseln, die offenbar keinen inneren Zusammenhang verraten. Das Bild wird aber noch komplizierter, wenn wir die Ergebnisse sorgfältiger Wasservogelzählungen auswerten. Im Hochsommer kommt es in manchen Gebieten Mitteleuropas zu großen Ansammlungen, die das Mehrfache des Bestandes der dort ansässigen Brutvögel umfassen. Da in Spanien rund 2000 bis 3000 Paare, in Südfrankreich 300 bis 500 Paare brüten, müssen hier also mitten im Sommer Kolbenenten aus Südwesteuropa nach Mitteleuropa geflogen sein. Das Sonderbare an dieser Wanderung ist, daß sie nach Südosten, also genau in die entgegengesetzte Richtung wie im Spätherbst auf dem Zuge führt, auf dem Kolbenenten aus Südfrankreich z. B. nach Spanien ziehen. Der Grund dieses merkwürdigen Wanderverhaltens in Gegenrichtung des eigentlichen Vogelzuges ist unbekannt. Er beruht offenbar auf Tradition.

Die Männchen der Kolbenente sind wie bei vielen Entenarten prächtig gefärbt. Ihr Prachtkleid ist das Erkennungszeichen für das eigene Weibchen. Eine so auffallende Färbung aber ist für die Sicherheit der Nachkommenschaft vor Räubern wenig geeignet. Das Bebrüten des Geleges und das Führen der Jungen fällt daher als alleinige Aufgabe den tarnfarbigen Weibchen zu. Die Männchen verlassen ihre Weibchen bereits in einem frühen Stadium des Brutgeschäftes. Ihr buntes Federkleid tauschen sie mit wenig auffälligen Federn ein. Damit ist aber der Gefiederwechsel, die Mauser, noch nicht beendet, denn auch die Flügel und Schwanzfedern müssen erneuert werden. Wie vielen Schwimmvögeln fallen auch den Kolbenenten diese für das Fliegen wichtigen Federn auf einmal aus, so daß die Vögel vorübergehend flugunfähig werden, so lange, bis ihnen die neuen Schwingen nachgewachsen sind. Bevor dies geschieht, suchen die Kolbenenten-Männchen geeignete Mauserquartiere auf, in

denen sie in Ruhe diese etwas schwierige Zeit des Schwingenwechsels durchmachen können. Die im Sommer in Mitteleuropa zuwandernden Vögel sind also Mausergäste, wie man in der Fachsprache sagt.

Mauserplätze können in kurzer Zeit aufgegeben und anderswo neu gegründet werden. Im Ermatinger Becken des Bodensees mauserten bis zu 1000 Kolbenenten. Durch Wasserverschmutzung verschwand jedoch die Hauptnahrungspflanze, die Armleuchteralgen. Dies führte in den sechziger Jahren dort zu einer Abnahme, während andererseits in Holland mittlerweile 1600 und auf den Ismaninger Teichen bei München immerhin 700 bis 800 Kolbenenten mausern. Gerade heute, wo die Umweltbedingungen durch den Menschen ständig geändert werden, sind solche schnellen Anpassungen fürs Überleben vieler Arten die letzte Rettung.

Die Neigung der Kolbenente, neue Gebiete zu besiedeln, wenn sie geeignet sind, bietet auch eine

Das farbenprächtige Männchen der Kolbenente

121

Dichte Vegetation an den Ufern benötigen Kolbenenten, um ihr Nest zu verstecken. Die Bebrütung der Eier und das Führen der Jungen besorgen die tarnfarbigen Weibchen allein.

Gut versteckt in der Ufervegetation liegt das Nest der Kolbenente. Am Nestrand erkennen wir Dunen, die sich das Weibchen ausgerupft hat, um die Eier warm zu halten.

wichtige Möglichkeit, ihr zu helfen. Kolbenenten brüten nie weit vom Wasser entfernt. Das Nest ist gut versteckt in der Vegetation untergebracht und enthält sechs bis dreizehn Eier. Für die Ernährung der Kolbenenten sind vor allem eine Reihe von Wasserpflanzen, Armleuchteralgen und Laichkräuter von besonderer Bedeutung. Den Bewuchs unter Wasser können die Kolbenenten bis zu vier Meter unter Wasser nutzen. Je nach Tiefe, in der die Nahrungspflanzen vorkommen, gründeln oder tauchen sie.

Bei uns in der Bundesrepublik ist der Brutbestand sehr gering; etwa fünfundsiebzig Paare sind in Süddeutschland (vor allem am Bodensee und im Ismaninger Teichgebiet) anzusetzen und etwa zwanzig Paare für Schleswig-Holstein (vor allem auf der Insel Fehmarn). Aus früherer Zeit sind aus Deutschland weitere Brutplätze bekannt. Die heutigen Brutgebiete, die sich offenbar in letzter Zeit etwas vermehren, wurden nach einem Rückzug im neunzehnten Jahrhundert erst wieder langsam von 1900 an besetzt.

Das Schicksal der Kolbenenten am Bodensee ist recht charakteristisch für einen anpassungsfähigen Wasservogel. Obwohl die Voraussetzungen zum Brüten für Wasservögel an diesem See gar nicht so günstig sind, war er lange Zeit einer der bedeutendsten Brutplätze Mitteleuropas. Der Wasserspiegel des Sees hat zu Beginn der Brutzeit Anfang April einen sehr niedrigen Stand, das Schilf liegt zu dieser Zeit trocken, und die Enten finden dort keine günstigen Nistplätze. Bis Ende Juni steigt der Seespiegel, allerdings leider oft auch dann noch, wenn die Wasservögel ihre Nester gebaut haben. Dies hat zur Folge, daß viele Nester überflutet und die Eier fortgespült werden. Als nun bei Auffüllungsarbeiten auf der Halbinsel Mettnau der Abfluß aus ehemaligen Riedwiesen des Naturschutzgebietes zerstört wurde, entstand ein Teich von etwa drei Hektar Größe, der völlig unabhängig von den Wasser-

Der Mindelsee, einer der Lebensräume der seltenen Kolbenente in Südwestdeutschland

Kolbenenten (2 Männchen und 1 Weibchen) in ihrem Brutgebiet

standsschwankungen des Bodensees ist. Neben vielen anderen Enten (s. S. 219) haben vor allem auch die Kolbenenten sofort diese neuen idealen Lebensbedingungen erkannt und davon Besitz ergriffen. 1974 haben mindestens dreiundzwanzig Weibchen ihre Jungen dort erbrütet.

Was gewissermaßen aus Versehen so gut funktioniert, sollte man auch planmäßig erreichen können. So wurden 1973 am Mindelsee, der nur wenige Kilometer vom Bodensee entfernt liegt, ehemalige Fischteiche, die ganz verlandet waren, für Wasserpflanzen und Wassertiere als Lebensraum wiederhergestellt. Schon ein Jahr später und von da an jedes Jahr stellte sich die Kolbenente als Brutvogel ein. Durch diese guten Erfahrungen ermuntert, wurde im Februar 1976 im Rahmen der Aktion »Rettet die Vögel – wir brauchen sie« im Wollmatinger Ried ein Teich angelegt, der noch im selben Jahr von der Kolbenente als Brutplatz angenommen wurde. Es ist

zu erwarten, daß er sich ähnlich günstig entwickeln wird wie der Mettnau-Teich.

Bleibt noch anzumerken, daß die Mittel für die Baggerarbeiten am Mindelsee und im Wollmatinger Ried Prof. Grzimek von der Zool. Gesellschaft von 1858, Frankfurt, zur Verfügung stellte. Wie die Entwicklung zeigt, ein gut angelegtes Geld, das von privaten Spendern durch viele kleine und wenige große Zuwendungen zusammenkommt. Ohne diese Hilfe wäre es um den Naturschutz in der Bundesrepublik Deutschland noch wesentlich schlechter bestellt, als es ohnehin ist. Spenden aus der Bevölkerung für bestimmte Projekte haben fast immer zur Folge, daß sich auch Behörden auf ihre Aufgaben, die Natur zu erhalten, besinnen und ebenfalls erhebliche Mittel für die Lebensraumerhaltung und -gestaltung zur Verfügung stellen. Alles zusammen ist aber immer noch viel zu wenig für einen durchgreifenden Naturschutz.

Dort, wo Kolbenenten brüten, zieht meistens auch die Reiherente ihre Jungen auf. Links ist das Weibchen und rechts das Männchen zu sehen.

Blaukehlchen: Flußbegradigung und Entwässerung verursachen sein Aussterben

Die leuchtend kornblumenblaue Brust des Blaukehlchens ist das Ergebnis einer Täuschung: Nicht ein blauer Farbstoff vermittelt uns den lebhaften Farbeindruck, sondern die Zerlegung des sichtbaren Lichtes durch den mikroskopischen Feinbau der Federn. Sie sind so konstruiert, daß nur der blaue Anteil des sichtbaren Lichtes unser Auge erreicht. Mitteleuropäische Blaukehlchen tragen auf der blauen Brust einen weißen »Stern«. Die skandinavischen und nordrussischen sind dagegen rotsternig und kommen bei uns nur auf dem Durchzug vor. Die Weibchen beider Blaukehlchenrassen sind auf der Brust weißlich gefärbt, manchmal durchsetzt mit einzelnen blauen Federn.

Das Blau der Brust spielt eine große Rolle bei den Auseinandersetzungen mit Rivalen. Die Männchen versuchen sich damit gegenseitig durch Imponieren einzuschüchtern. So werden unnötige Raufereien, die eventuell auch einmal zu Verletzungen führen könnten, vermieden. Auch bei der Balz ist das Farbsignal für die Partner eines Paares von Bedeutung. Auffällige Farben, ein scheinbar beziehungsloses Spiel der Natur, erhalten so bei näherer Untersuchung ihre genau zugemessene Bedeutung.

Unsere Blaukehlchen treffen im März bis Anfang April an ihren Brutplätzen ein, die Männchen einige Tage früher als die Weibchen. In der Regel besetzen die Männchen sofort ihre Reviere, die sie gegenüber anderen Männchen mit viel Gesang verteidigen. Wie Braunkehlchen sitzen auch die Blaukehlchen dabei gern auf erhöhten Warten, einem dürren Ast, einem Leitungsdraht oder einem Schilfhalm.

Die Wirkung ihres Gesanges wird noch dadurch gesteigert, daß sie dabei oft senkrecht in die Luft steigen und im Gleitflug wieder zum Ausgangspunkt oder auch zu einer anderen Sitzwarte zurückkehren. Solche Singflüge kann man oft bei Arten beobachten, die in einer freien Landschaft

Das bescheiden gefärbte Weibchen des Blaukehlchens. Nur bei manchen Weibchen sind einige blaue Federn an der sonst grauschwarzweiß gezeichneten Kehle zu erkennen.

Neben der strahlend blauen Brust verfügt das Blaukehlchen auch über einen auffällig gefärbten Schwanz, der bei Erregung gefächert wird.

mit einzelnen Büschen und Bäumen leben. Der
Sänger kann dadurch die Aufmerksamkeit noch
stärker auf sich lenken, als wenn er dabei irgendwo sitzen würde.

Den Vogel mit den tausend Zungen nennen
die Lappen in Nordskandinavien das Blaukehlchen, denn sein Gesang ist außerordentlich ab-
wechslungsreich. Die Stimmen anderer Vogelarten, ja sogar von Fröschen und Insekten, werden
in den eigenen Gesang eingewoben.

Gut versteckt in der Nähe des Bodens wird das
Nest des Blaukehlchens vom Weibchen angelegt.
Das Männchen beteiligt sich weder am Nestbau
noch an der Bebrütung der fünf bis sieben Eier.
Erst wieder bei der Fütterung der Jungen schaltet
es sich in die Sorge um die Nachkommenschaft
ein. Ihre Nahrung suchen die Altvögel auf dem
Boden zwischen den Pflanzen, in erster Linie Insekten, Spinnen, Würmer, kleine Schnecken sowie Beeren vom Roten und Schwarzen Holunder
und vom Faulbaum.

Bei uns kommt das Blaukehlchen im feuchten
bis sumpfigen Gelände der Flußniederungen und
des norddeutschen Tieflandes vor. Genügend
Gebüsch mit Weiden, Erlen und Schilf muß vorhanden sein. Gerne werden Wasserlachen ehe-
maliger Torfstiche besiedelt, in manchen Gegenden auch Fischteiche und Staubecken, wenn sie
nur genügend Randvegetation aufweisen. Zwischen August und Oktober verlassen uns die
Blaukehlchen, um meist in Nordwestafrika zu
überwintern.

In der norddeutschen Tiefebene war früher das
Blaukehlchen weit verbreitet. Heute wird der
Bestand dort auf etwa vierzig Paare geschätzt. In
günstigen Gebieten Süddeutschlands sind es
zwar noch wesentlich mehr, aber auch hier ist die
Art sehr stark zurückgegangen.

Als Vogel, der Feuchtgebiete braucht und dabei noch besondere Ansprüche stellt, ist das
Blaukehlchen ganz entscheidend von Flußbegradigungen und Entwässerungen betroffen. In
manchen Gegenden mag auch der Fang beim
Rückgang der Art eine Rolle spielen, denn das
Blaukehlchen wird als besonders schöner und gut
singender Vogel von Vogelliebhabern gerne im
Käfig gehalten. Das Schicksal des Blaukehlchens
hängt entscheidend von der Erhaltung der
Feuchtgebiete ab.

Die Blaukehlchen Mittel-
europas tragen im Gegensatz
zu ihren Verwandten aus
Skandinavien einen weißen
Stern auf der blauen Brust.

Im gleichen Lebensraum wie
das Blaukehlchen kommt der
Kuckuck vor, der sich hier als
Wirtsvogel den Teichrohr-
sänger ausgesucht hat. Das
Nest ist für den Jungkuckuck
schon viel zu klein.

Lebensraum
Moor und Heide

Es geht etwas Schwermütiges, ja Drohendes von ihm aus. Düstere Geschichten von gurgelnden Tiefen und von Menschen, die darin versanken, machen in Dorfkrügen die Runde. Die Leitfarbe ist Braun. Die spärlichen Bäume kriechen wie Krüppel am Boden hin und krallen sich mit den gichtigen Krummfingern ihrer Wurzeln in einen Grund, der nicht trägt. Der menschliche Fuß tritt wie auf Schwämme. Wasser steigt um ihn auf. Es riecht moderig nach Tod, und selbst unschuldigen Pflanzen haftet etwas Mörderisches an: Sonnentau, der mit glitzernden Leimfingern Insekten anzieht, um sie sich einzuverleiben.

So nimmt es nicht wunder, daß von allen unseren Landschaftsformen das Moor von jeher die geringste menschliche Wertschätzung erfuhr. Man ging ihm entweder im weiten Bogen aus dem Weg oder versuchte, es als »Unland« durch Wasserentzug zu zerstören und zu nutzen. Faszinierend ist ein Moor nur für den, der etwas von seiner Entstehung, von seinen Pflanzengesellschaften und von seinen Unterschieden weiß, denn Moor ist nicht gleich Moor. Eines nur haben sie alle gemeinsam: Ihr Untergrund ist Torf. Es sind abgestorbene Pflanzenteile, an die das reichliche Wasser keine Luft heranließ; so konnten sie sich nicht zu Humus zersetzen und häuften durch die Zeiten Schicht um Schicht aufeinander, sieben Meter in fünfzehntausend Jahren, so langsam geht das.

Den einen kommt ihr vieles Wasser von unten, aus dem Grundwasser, aus Schichtquellen oder aus verlandenden Seen. Das sind die Niedermoore: flach hingestreckt, dem Grundwasserspiegel parallel, wo nicht gar mit ihm identisch, und durch Zufuhr mineralischer Stoffe freundlicher, bunter in ihrer Vegetation als die anderen Moortypen. Denn während die Torfschicht in die Höhe wächst, verliert die Pflanzenwelt obenauf allmählich den Kontakt mit dem Grundwasser: ein Übergangsmoor mit teilweise ärmeren Pflanzengesellschaften entsteht. Wölbt sich schließlich die Torfschicht zur Mitte eines Moors wie ein Uhrglas auf und bezieht sie für ihre noch lebende Vegetationshaut das Wasser nur noch aus der Atmosphäre, dann haben wir es mit einem nährstoffarmen, übersäuerten Hochmoor zu tun – ein Wort, das nicht die Höhenlage eines Moors bezeichnet, sondern seine Torfaufwölbung hoch über dem Grundwasser.

Moore entstanden durch Seeverlandung oder Versumpfung: wenn der Seeboden sich durch Sandanschwemmungen und absterbendes Röhricht aufhöhte und Moorgesellschaften die Pflanzensozietäten des Sees ablösten, oder wenn ausgelaufene, wasserfreie Seeböden und vernäßte Talmulden über undurchlässigen Bodenschichten versumpften. Seggen, Binsen, Rohrkolben und Wollgras, Mehlprimel, Fettkraut und Lilien, zum Teil massenhaft und in großer Flächendeckung, sind nur einige der Pflanzen in Niedermooren, Enziane und Knabenkraut auch, dazwischen Moose und – als immer seltener werdende Kostbarkeit – Erlenbruchwälder als letztes Glied in der Verlandung nährstoffreicher Seen.

Die Übergangsmoore haben sich noch am längsten der Zerstörung durch Menschen entzogen. Da sie meistens im Zusammenhang mit Seen stehen, hätte man, um sie trockenlegen zu können, erst den Seewasserspiegel absenken müssen. Das schreckte ab. So blieben uns vereinzelt solche Moortypen als Reste eiszeitlicher Urlandschaften erhalten. Torfmoosrasen und Braunmoose, die ständig unter Wasser leben können, wechseln in ihnen ab mit den Pflanzengesellschaften der Niedermoore. Und dort, wo die Torfmoose Hügel bilden, »Bulte« bis zu einem Meter Höhe, die dann als Inseln über das Wasser hinausragen, da siedeln sich erste Pflanzenarten der Hochmoore an: Moosbeere, Lavendelheide, Sonnentau und Bergkiefern. Besonders deren krüppelige Formen geben dem Moor dort, wo es sich endgültig dem Grundwasser enthob und zum regengespeisten Hochmoor mit vegetativen Hungerformen wurde, das braungetönte, schwermütige Aussehen subarktischer Tundren.

Den Rückgang deutscher Moore durch »Kultivierung« mögen ein paar Zahlen verdeutlichen: Von 2,25 Millionen Hektar noch im Jahr 1918 waren 1938 nur noch 277000 ha verblieben. In der Bundesrepublik gingen die Moore von 247000 ha (1951) noch einmal auf 174000 ha (1969) zurück, und die Tendenz ist weiter negativ. Nur sehr langsam bricht sich die Erkenntnis Bahn, daß Moore nicht nur unersetzliche Zufluchtsorte eiszeitlicher Pflanzengesellschaften und der an sie angepaßten Tiere sind, deren schandbare Vernichtung uns aus dem Kreis abendländischer Kulturnationen entfernen müßte, man beginnt auch zu begreifen, daß Moore in einer Zeit des unmäßigen Wasserverbrauchs und der Trinkwasserentnahme aus verseuchten Flüssen wertvolle Rückhaltebecken sowohl des Grundwassers in Niedermooren als auch der Niederschläge in Hochmooren sind. Moose speichern Wasser bis zum Zwanzigfachen ihres Trockengewichts.

Die Nutzung der Moore ist alt. In Holland begann man schon im 16. Jahrhundert mit dem Abbau von Torf zu Brennzwecken. Das griff nach Norddeutschland über. Jeder kennt die romantischen Bilder von Torfkähnen, die mit ihrer Fracht durch das Teufelsmoor bei Bremen segeln. Was diese Bilder nicht sagten: Die Kanäle für die Torfkähne wirkten wie blutende Hauptschlagadern, weil sich in ihnen das Wasser aus den vielen Entwässerungsgräben sammelte. Auch mit Feuer ging man nach mäßiger Entwässerung den Mooren zu Leibe. In die Torfasche wurde Buchweizensaat eingebracht. Am radikalsten aber wirkten und wirken Torfstiche am Rand der Hochmoore: Von ihrer aufgewölbten Mitte her bluten sie langsam aus.

Schließlich noch gab es in unserem Jahrhundert die sogenannte »Deutsche Hochmoorkultur«: Auf entwässertem, aber nicht abgetorftem Moorboden baute man Höfe, von denen aus der Moorboden gekalkt und gedüngt wurde, um Ackerbau darauf treiben zu können. Während des Dritten Reiches behob man Massenarbeitslosigkeit mit Landgewinnung durch Moorzerstörungen. Nach dem Krieg dann, in den sechziger Jahren, fielen viele dieser Flächen im Zeichen einer ihre Erträge maximierenden Landwirtschaft als unrentabel brach.

Ähnliches geschieht noch heute. Immer wieder werden Naßbiotope von der Landwirtschaft entwässert, um Brüsseler Prämien teilhaftig zu werden, die an die Größe der Nutzfläche und der Vieheinheiten gebunden sind. Oft aber geben die erwachsenen Kinder dieser Bauern dann doch die Landwirtschaft als unrentabel auf, und das nicht rückgängig zu machende Opfer an Natur war vergebens. Auch der unmäßige Straßenbau frißt nicht nur direkt, sondern auch indirekt solche Flächen. Wo Bauern für die Trassen Land opfern müssen, legt die Flurbereinigung ihnen zum Ausgleich Feuchtwiesen trocken. Allein im Landkreis Lindau standen 1977 aus solchen Gründen über dreißig Feuchtwiesen auf der Opferliste. Nur die botanisch wertvollsten konnten vom Naturschutz gerettet werden.

Industrieller Torfabbau durch Blumenerdefabrikanten greift immer noch in Oberschwabens Moore ein. In München gab sogar die Oberste Naturschutzbehörde im oberbayerischen Kendlfilz den gewerblichen Torfabbau frei. Immer begründet man: Die in Frage stehenden Moore seien weitgehend durch Nutzung beeinträchtigt und verdienten den vollen Schutz nicht mehr. Das Moor hat seine Schuldigkeit getan, das Moor kann gehen.

Die staatliche Naturfürsorge drückt sich indessen am wahrhaftigsten in Etatzahlen aus. Ein Beispiel: Das in Feuchtgebiete eingreifende Bauvolumen der staatlichen Wasserwirtschaft in Niedersachsen belief sich 1974 auf 202 Millionen DM. Der gesamten Landespflege stellte Hannover im selben Jahr nur eine einzige Million zur Verfügung. Während 1975 in den Wasser- und Landwirtschaftsverwaltungen des Landes Niedersachsen über 4000 hauptamtlich Beschäftigte tätig waren, arbeiteten in der Landespflege nur 26 Beamte und Angestellte. In andern Bundesländern ist es nicht sehr viel anders. Der Naturschutz ist das Stiefkind der Politik.

Wir wollen noch ein paar Sätze über die Heide verlieren, teils weil sie an manchen Orten auf ausgetrockneten Hochmooren entstand, teils weil sie, wie die Moore, zu den Unterprivilegierten im Kranz unserer Landschaften gehört: Sie bringt mit ihren sauren, kalkarmen Böden nichts ein. So forstet man sie gern mit der anspruchslosen Kiefer auf, und alsbald geht das stark lichtbedürftige Heidekraut im Baumschatten ein.

Merkwürdigerweise bringt die Heide sich auch selber um: So dicht wächst das Heidekraut, daß seine Samen die Erde nicht mehr erreichen. Als es in Deutschland noch große Schafherden gab, besorgten diese die Pflege der Heide, indem sie das Heidekraut verbissen und vor allem die angeflogenen, die Heide bedrohenden Baumpflanzen abfraßen. Außerdem schlugen die Bauern das Heidekraut mitsamt den Wurzelpolstern heraus und streuten es im Winter ihren Tieren unter, die es zu Dünger verwandelten, der dann auf die Felder kam. »Plaggen« nannten die Alten dieses Abschlagen der Heidekrautpolster, das für die Heide insgesamt eine wuchsfördernde Auslichtung war. Nach ein paar Jahren waren die geplaggten Flächen wieder dicht. Die heidetypischen dunklen Kerzen des Wacholders betrachteten die Schäfer übrigens als Weideunkraut. Keiner von ihnen versäumte es, den Wacholderjungwuchs, wo immer er ihn traf, mit seiner Schäferschippe auszustechen.

Zwar gibt es auch von Natur aus waldfreie Erica-Heideformen, aber unsere bekannteste Heide, die bei Lüneburg – die man fälschlich auch eine Erica-Heide nennt, während sie in Wahrheit eine Calluna (Besen)-Heide ist –, die Lüneburger Heide also ist durch Abholzen der Wälder für die Salzsiedereien entstanden. Die Schafe erhielten sie am Leben, und von Mensch und Schaf wurde sie daran gehindert, wieder zu Wald zu werden. So ist die Lüneburger Heide, obwohl ein berühmtes Naturschutzgebiet, alles andere als Natur. Sie ist ein reines Kulturprodukt aus Menschenhand, dessen sich heute vermehrt der Naturschutz annimmt. Denn sie ist schön, und mancherlei Pflanzen und Tiere haben sich dieser immer ein bißchen melancholischen Landschaftsform angepaßt.

Horst Stern

Vögel in Moor und Heide: Zunehmend ohne Heimat

Der Goldregenpfeifer brütet nur noch in ganz wenigen Paaren auf wenigen Mooren in Norddeutschland. Dieses Bild stammt von den Brutplätzen in Skandinavien.

Wiederbewässertes Moor. Durch Aufstau wird die Grundlage für einen ursprünglichen Zustand wiederhergestellt.

Hochmoore werden von relativ wenigen Vogelarten bewohnt. Das liegt an der Artenarmut der Pflanzen, die wiederum eine Folge des Nährstoffmangels und hohen Säuregehalts des Bodens ist. Unter den Vögeln, die im Moor vorkommen, verdienen Birkhuhn, Bruchwasserläufer, Rotschenkel, Goldregenpfeifer, Brachvogel, Bekassine, Uferschnepfe, Krick- und Knäkente, Kranich, Korn- und Wiesenweihe besonderen Schutz. Sie sind alle im Bestand gefährdet. Vom Bruchwasserläufer gibt es nur noch fünfzig Paare, vom Goldregenpfeifer fünfundzwanzig, vom Kranich fünfzehn und von der Kornweihe fünfzehn Paare. Das ist kein Wunder, wenn man bedenkt, wie rücksichtslos der Mensch die Moore vernichtet oder verändert hat.

Zur Erhaltung der Moorvögel ist nicht nur der Schutz dieser Flächen notwendig, vielmehr sind Eingriffe zur Renaturalisierung unabänderlich. Die durch die Entwässerung verursachte Bebu-

schung und Bewaldung muß durch Rodung, vorsichtiges Abbrennen, Mähen oder Beweidung rückgängig gemacht werden. Danach müssen die Entwässerungsgräben zugeschüttet werden, um das Ablaufen von Regenwasser zu verhindern. Nur flach abgetorfte Flächen lassen sich durch Aufstau ebenfalls renaturalisieren.

Mit solchen Maßnahmen, die in Mooren Niedersachsens durchgeführt wurden, konnte der Restbestand des Goldregenpfeifers vorerst gerettet werden. Birkhuhn, Rotschenkel, Krickente, Knäkente und Uferschnepfe reagierten mit einer Bestandszunahme.

Durch eine besondere Wirtschaftsweise sind in früheren Jahren wertvolle naturnahe Landschaften entstanden. Zunächst hat man die Erlenbruchwälder und die Gebüschzonen an den flachen Seeufern so stark als Brennholz genutzt, daß sie ganz verschwunden sind. Anstelle der Bäume und Sträucher konnten sich nun Seggen,

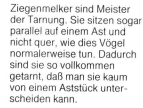

Ziegenmelker sind Meister der Tarnung. Sie sitzen sogar parallel auf einem Ast und nicht quer, wie dies Vögel normalerweise tun. Dadurch sind sie so vollkommen getarnt, daß man sie kaum von einem Aststück unterscheiden kann.

Ziegenmelker werden erst in tiefer Dämmerung aktiv. Die Männchen führen ihre eigenartigen Balzflüge aus, bei denen die weißen Abzeichen an Flügel und Schwanz in der Dunkelheit hell aufleuchten. Der helle Fleck am Kopf stammt vom Blitzlicht des Fotografen, das sich im großen dunklen Auge des Nachtvogels widerspiegelt.

Wie alle Würger spießt auch der in offenen Landschaften lebende Raubwürger seine Beute auf Dornen und spitze Zweige auf. Als einziger seiner Verwandtschaft kann der Raubwürger auch den Winter über bei uns verbringen.

Der Bruchwasserläufer gehört zu den bedrohtesten Brutvogelarten Deutschlands. Er ist nur noch in einigen Mooren in Schleswig-Holstein zu Hause.

Blühende Glockenheide

Die Lüneburger Heide in
voller Blüte

Gräser und Hochstauden ausbreiten. Die Landwirte mähten diese Wiesen im Winter und verwandten das Mähgut als Streu in den Viehställen.
Dieser Wirtschaftsweise hatten sich viele Pflan-
zen- und Tierarten angepaßt, die sonst keine Lebensmöglichkeit mehr haben. Doch sind die
Landwirte jetzt an dieser Nutzungsform nicht
mehr interessiert. Streuwiesen wandeln sich daher über verschiedene Zwischenstadien wieder in
Bruchwald zurück. Damit verschwinden gerade
solche Pflanzen- und Tierarten, die anderswo
keine oder nur noch selten zusagende Lebensbedingungen finden. Deshalb wird ein Teil dieser
Flächen heute vom Naturschutz regelmäßig gemäht.

In der Heide kommen viele Vogelarten vor,
die eigentlich Waldvögel sind. Andere sind Bewohner der busch- und baumbestandenen offenen
Landschaft: Heidelerche, Raubwürger und Ziegenmelker. Alle drei sind im Bestand gefährdet.

Birkhuhn:
Bedroht durch Lebensraumzerstörung, Tourismus und Abschuß

Birkhühner hat die Natur vor allem in zweierlei Hinsicht geprägt, einmal durch die unerbittlichen Bedingungen arktischer und alpiner Winterkälte und zum zweiten durch die Gruppenbalz auf einer Arena.

Birkhühner sind Standvögel, bleiben also das ganze Jahr am Brutplatz und in seiner Umgebung, auch in den Alpen und in Skandinavien. Da heißt es sich anpassen an Schnee, Kälte, Eissturm und an das wenige, was die Natur unter diesen Bedingungen noch an Eßbarem zu bieten hat. Wie Schneeschuhe wirken zwei Reihen von Hornschildern und stiftartigen Federgebilden an den Zehen; so können sich Birkhühner auch im Tiefschnee zu Fuß fortbewegen, ohne nennenswert einzusinken. Gegen Kälte schützen sie sich außer durch ihr dichtes Körpergefieder durch Federn vor den Nasenlöchern, an den Beinen und Füßen – sie gehören zur Gruppe der Rauhfußhühner – und durch Schlafen und Ruhen in

selbstgegrabenen Schneehöhlen. Wenn sie genügend gefressen haben, lassen sie sich mitunter einfach vom Baum in den Schnee fallen und sind innerhalb von einer Minute wie vom Erdboden verschluckt. Den Eingang scharren sie von innen mit lockerem Schnee zu.

Im Gebirge bevorzugt das Birkhuhn mit Zwergsträuchern bewachsene Flächen an der Baumgrenze und in den Niederungen Moor, Heide und lichte Wälder. Selbst in solchen Gebieten ist das Nahrungsangebot vielseitig, wenn man einen so guten Verdauungsapparat hat wie das Birkhuhn, der sogar mit Kiefernnadeln fertig wird. Im Sommer werden vor allem von den Jungen Insekten gefressen: Schmetterlingsraupen, Blattwespen, Käfer, Ameisen, Ameisenpuppen, Heuschrecken, Fliegen, dazu Spinnen, Schnecken und Würmer. Die pflanzliche Nahrung überwiegt jedoch: Nadeln von Kiefern und Lärchen, Blatt-, Nadel- und Blütenknospen, junge Zapfen von

Eine wichtige Nahrungsquelle für das Birkwild bilden die Knospen der Bäume. Aufgebäumte Birkhennen bei der Mahlzeit

Die bescheiden gefärbten Birkhennen halten sich am Rand der Turnierplätze auf und wählen sich ein Männchen aus. Sie allein kümmern sich um die Nachkommenschaft.

Birkhähne bei der Balz. Durch Gefiederspreizen werden die wichtigsten Farbzeichen zur Schau gestellt: die leierförmigen äußeren Schwanzfedern, die strahlendweißen Unterschwanzfedern und die stark geblähten roten Rosen.

Lärche und Kiefer, Kätzchen von Birke, Erle, Pappel, Weide und Hasel, dazu Blätter und Knospen von Sträuchern und Kräutern, Beeren und Samen. Das Menü des Birkhuhns richtet sich nach dem jeweiligen Angebot und dem Nährstoffgehalt. In den Alpen werden im Winter vom Wind freigefegte Flächen und die aus dem Schnee herausragenden Zwergsträucher zur Nahrungsaufnahme aufgesucht. Bei hohem Schnee weichen die Birkhühner auf Sträucher und Bäume aus. Durch Anfliegen auf einen Zweig werden die Nadeln von Neuschnee freigefegt, oder der Ast wird mit dem Schnabel geschüttelt. Lange Nadeln der Koniferen knappt das Birkhuhn mit seinen scharfen Schnabelkanten von der Spitze her in Stücken ab.

Bei vielen Vogelarten sehen Männchen und Weibchen gleich aus. Bei anderen fallen uns mehr oder weniger starke Unterschiede auf. Häufig sind sie darauf zurückzuführen, daß nur das Weibchen brütet, das Männchen also nicht so gut getarnt sein muß oder sich die Männchen im Rahmen einer Gruppenbalz auf einer Arena der Wahl der Weibchen stellen. In Färbung, Verhalten und Lautäußerung besonders auffallende Männchen haben hier am ehesten die Chance, von den Weibchen erwählt zu werden.

Beim Birkhuhn treffen beide Voraussetzungen zu, und das Ergebnis ist besonders augenfällig. Bei der Birkhenne ist alles auf Unauffälligkeit ausgerichtet; abgesehen von der anderen Schwanzform, ähnelt sie sehr einer Fasanenhenne. Der Birkhahn ist genau das Gegenteil: Viel größer als das Weibchen, glänzt sein schwarzbraunes Körpergefieder blauviolett. Die äußeren Schwanzfedern sind leierförmig nach außen gebogen und nicht nur für den Birkhahn, sondern auch für den Trachtenhut zu einem begehrten Schmuck geworden. Flugtechnisch sind sie eher hinderlich. Hinzu kommen weiße »Abzeichen« am Flügel und an der Unterseite des Schwanzes und knallrote nackte Hautvorwölbungen über dem Auge, die sogenannten »Rosen«. Diese »Rosen« sind übrigens der einzige Luxus, den sich das Weibchen in seinem Aussehen leistet. Richtig zur Geltung kommen Schwanzform und -farben erst durch die Schau bei der Balz, die vom kilometerweit zu hörenden Kullern begleitet wird. Die Birkhahnbalz fasziniert seit langem Jäger, Naturfreunde und Wissenschaftler und ist daher oft beschrieben worden.

Die Sorge für die Nachkommenschaft vollzieht sich im verborgenen. Das Nest ist eine bescheidene Mulde im Boden, die mit ein paar Blättern, Halmen oder Federn ausgelegt ist. Die brütende Henne ist kaum wahrzunehmen und drückt sich bei Annäherung einer Gefahr fest auf die sechs bis zehn Eier, die etwa sechsundzwanzig Tage bebrütet werden. Schon kurz nach dem Schlüpfen verlassen die Küken als extreme Nestflüchter ihre Kinderstube; sie werden aber während der ersten achtzehn Lebenstage noch sehr viel von der Mutter gewärmt.

Das wird aus einem Moor, wenn man das Wasser dem Boden entzieht und die Maschinen der modernen Landwirtschaft den Ton angeben.

Das Birkhuhn ist mit den harten Lebensbedingungen in seinem Lebensraum fertig geworden, nicht aber mit den durch Menschen verursachten Zerstörungen und Eingriffen. In Rheinland-Pfalz, Nordrhein-Westfalen und Baden-Württemberg ist es in neuerer Zeit verschwunden; in Hessen halten sich noch kümmerliche Restbestände von zwölf bis fünfzehn Männchen. Größere Bestände registrieren wir zwar noch in Niedersachsen, Schleswig-Holstein und Bayern, aber auch hier hat das Birkhuhn viele ehemalige besiedelte Lebensräume aufgeben müssen.

Solange Heide und Moore extensiv genutzt wurden durch Beweidung, Torfstiche und Moorbrände, konnte sich das Birkhuhn gut behaupten. Einige dieser Eingriffe erwiesen sich als durchaus förderlich. Erst die intensive Entwässerung mit Ackerbau und Aufforstung mit Fichte als Folge führten zu einem großräumigen Bestandsrückgang. Dazu kam auch zu starke und unsachgemäße Bejagung, z. B. während der Balz,

und die Erschließung abgelegener Gebiete für den Erholungsrummel.

Ganzjährige Schonzeit in allen Bundesländern ist daher eine dringende Voraussetzung für seine Erhaltung auch in Schleswig-Holstein und Bayern. Nicht nur der Jäger muß in Zukunft Zurückhaltung üben, sondern auch der Tierfotograf an den Balzplätzen und der Freizeitbürger. Immer mehr Störungen, z. B. Segel- oder Modellflugplätze, dringen in die letzten noch nicht intensiv genutzten Flächen vor.

Der Kauf geeigneter Flächen kann Lebensräume sicherstellen, doch müssen sinnvolle Eingriffe von vornherein mit eingeplant werden. Notwendig sind vor allem Wiederaufbau des mooreigenen Wasserhaushalts durch Aufstau der künstlichen Abzugsgräben, Beseitigung des Gehölzanflugs mit folgender Vernässung oder Beweidung, Verjüngung überalterter Heideflächen durch Mähen oder vorsichtiges Abbrennen im Winter.

Kranich:
Durch neue Lebensräume zu retten

Der Zug der Kraniche gehört zu den erregendsten Naturschauspielen. Über Mitteleuropa ziehen zu jeder Zugzeit etwa 20000 bis 30000 Kraniche in einem engen Korridor im Herbst nach Südwesten, im Frühjahr nach Nordosten. Teile Nordwestdeutschlands und Süddeutschlands liegen bereits außerhalb der Zugstraße, die die Kraniche alljährlich benützen.

Durch ihren trompetenartigen Ruf machen fliegende Kraniche auf sich aufmerksam. Meist halten die Trupps eine ganz bestimmte Flugformation ein, die Keilform, bei der der Spitzenvogel die größte Arbeit leisten muß und daher von Zeit zu Zeit abgelöst wird. Vor ihrem Abzug in die Winterquartiere in Südspanien, Südportugal und Nordafrika versammeln sich im südlichen Skandinavien und an den Südufern der Ostsee große Scharen auf weltberühmten Kranichrastplätzen, bevor sie sich auf ihre Wanderung begeben. Die Jungen schließen sich dabei den Alten an und fliegen mit ihnen zusammen ins Winterquartier.

Der Kranich ist größer als ein Weißstorch. Mit seinen langen Beinen und seinem langen dolchartigen Schnabel ähnelt er Reihern und Störchen, obwohl er mit ganz anderen Vogelarten verwandt ist, nämlich mit den Rallen, zu denen unser Bläßhuhn gehört. Das, was man beim Kranich nach oberflächlicher Betrachtung für den Schwanz halten könnte, ist gar kein Schwanz, sondern sind verlängerte Schmuckfedern des Ellenbogens, die schleppenartig über Rücken und Schwanz hängen und vor allem bei der Balz »prahlerisch« aufgestellt werden. Eine weitere Besonderheit im Bauplan des Kranichs ist seine verlängerte Luftröhre, die damit als Resonanzraum seine Stimme trompetenartig verstärkt.

Anders als Störche und Reiher ernährt sich der Kranich zu einem großen Teil von Samen, Beeren, Eicheln und grünen Pflanzenteilen. Daneben nimmt er Libellen, Käfer, Larven von Insekten sowie Regenwürmer, Schnecken und kleine Wirbeltiere zu sich.

Der Kranich braucht zum Brüten Moore, sumpfige Wälder, kleinere Waldseen, verlassene Torfstiche oder feuchte Wiesen. Mitte März treffen die Kraniche am Brutplatz ein. Sie schlafen meist im flachen Wasser stehend und fliegen dann noch vor Sonnenaufgang zum Balzplatz auf einer Viehweide oder einem Feld. Während das Weibchen scheinbar unbeteiligt umherläuft, schreitet das Männchen rufend mit Stechschritten im Parademarsch hinter ihm her. Schließlich spreizt das Weibchen seine Flügel, reckt den Vorderkörper nach oben und fordert das Männchen mit dieser Haltung zur Begattung auf. Nach der Paarung trompetet das Männchen, und dann stoßen beide einen schmetternden Schrei aus. Dem Prahlmarsch des Männchens kann ein »Tanzen« vorausgehen, einem Umherhüpfen mit ausgebreiteten Flügeln, wobei Flügel, Hals und Beine nach vorne geworfen werden. An derartigen Tänzen kann sich auch das Weibchen beteiligen. Das der Begattung vorausgehende Ri-

tual, das bei jeder Vogelart anders ausgeführt wird, dient der genauen Abstimmung der Partner eines Paares, denn nur wenn alle Handlungen während der Brut- und Aufzuchtzeit genau zueinander passen, ist ein Bruterfolg möglich.

Die Kraniche bauen ihr Nest auf dem Boden. Das Vollgelege besteht aus zwei olivbraunen Eiern, von denen jedes mit 150 bis 210 g drei- bis viermal soviel wiegt wie ein Hühnerei. Dreißig Tage werden die Eier von beiden Partnern abwechselnd bebrütet. Vierundzwanzig Stunden nach dem Schlüpfen verlassen die Jungen das Nest, sie sind also Nestflüchter, während Reiher und Störche Nesthocker sind. Den Jungen werden in den ersten Lebenstagen kleine Nahrungsbrocken vorgehalten, mit drei Tagen fangen sie selbst an zu picken, und mit zehn Wochen sind sie flugfähig.

Fast alle Brutvorkommen des Kranichs in Europa, außerhalb der Brutgebiete von Skandinavien, Niedersachsen und Schleswig-Holstein, sind erloschen. So gibt es z. B. in der Tschechoslowakei, in Österreich, Ungarn, Bulgarien, Jugoslawien, Spanien, Italien, England und auch in Süddeutschland längst keine Kraniche mehr. Die Vernichtung des Lebensraums – sumpfige Wälder, feuchte Wiesen, verlandete Seen – ist die Hauptursache dieser unheilvollen Entwicklung. In Niedersachsen und Schleswig-Holstein brütete einst ein großer Bestand; er ist heute auf weniger als fünfzehn Paare zusammengeschmolzen. In diesen beiden Ländern ist die Sicherung der wenigen geeigneten Brutplätze unbedingt notwendig; Entwässerungen dürfen nicht mehr vorgenommen werden, und auch während der Brutzeit muß für die wenigen Plätze ein Betretungsverbot ausgesprochen werden. Darüber hinaus läßt sich durch Erhaltung traditioneller und Schaffung neuer Rastplätze im Durchzugsgebiet für den Kranich etwas tun. Schließlich ist auch an die Erhaltung der Lebensmöglichkeiten im Winterquartier zu denken.

Kranichtrupps auf der Rast. Ungestörte Rast- und Brutplätze sind für die Erhaltung des scheuen Vogels unbedingte Vorraussetzung.

Ziehende Kraniche

Brachvogel: Der Meistersänger im Moor – wie lange ist er noch zu hören?

Unter den Schnepfenvögeln ist der Brachvogel der größte. Er erreicht etwa das Gewicht eines Fasans, wirkt aber eigentlich noch größer, da sein Körper auf außerordentlich langen Beinen ruht. Der lange Schnepfenschnabel weicht bei ihm von der Norm ab, denn er ist in einem sanften Bogen nach vorne abwärts gekrümmt. Durch diese Biegung ist der Brachvogelschnabel fester, als ein gerader Schnabel gleicher Länge sein könnte.

Die Nahrung des Brachvogels ist vielseitig und besteht aus Schnecken, Würmern, Krebsen, Insekten und deren Larven, Spinnen und kleinen Fröschen; daneben werden auch gerne Beeren sowie Samen von Gräsern und Knöterich-Arten aufgenommen. Wie andere Schnepfen stochert auch der Brachvogel im Schlamm und ertastet seine Beutetiere. Er sucht zudem Wiesen, Moor- und Heideflächen mit dem Auge sorgfältig nach Nahrung ab.

Durch Aufstau entstandene
Feuchtwiesen, die vom
Brachvogel als Nahrungs-
raum genutzt werden.

Der lange, gekrümmte
Schnabel ist das unver-
wechselbare Kennzeichen
des Brachvogels.

Schon zeitig im Frühjahr treffen die Brachvögel in kleinen Trupps in ihren Brutgebieten ein.
Kurz danach verteilen sich die Paare auf einzelne
Reviere. Im weithin offenen Land gibt es wenig
Möglichkeiten, Reviere zu markieren. Dies besorgen die Männchen mit einem eigenartigen
Markierungsflug: Sie steigen flatternd zwanzig
bis vierzig Meter steil aufwärts und segeln dann
mit aufwärts gehaltenen, ausgebreiteten Flügeln
nach unten. Das kann sich viele Male wiederholen. Das Aufwärtssteigen wird durch tief einset-
zende Flötentöne begleitet, im Segelflug folgt
dann ein schnell gereihtes Trillern. Der Gesang
des Brachvogels gehört zu den klangvollsten Vo-
gelstimmen, die als fester Bestandteil aus einer
Moorlandschaft nicht mehr fortzudenken sind.

Wie viele Schnepfenvögel macht sich auch der
Brachvogel nicht viel Mühe mit dem Nest. Er
kratzt eine Mulde aus, die dann mit Halmen und
Krautstengeln etwas ausgekleidet wird. Bevorzugt in Wiesen, Mooren oder Heiden steht das
Nest auf Flächen, auf denen sich die Umgebung
gut überblicken läßt. Dies ist wichtig für den immer scheuen und aufmerksamen Vogel. Das
vollständige Gelege besteht aus vier Eiern, die
eine kreiselförmige Gestalt haben. In der Regel
liegen die Eier mit dem spitzen Pol nach innen,
so daß die Fläche, die der brütende Vogel bedek-
ken muß, relativ klein ist. Die Eier benötigen zur
Entwicklung eine hohe Temperatur (siebenund-
dreißig bis vierzig Grad), die nur durch den direkten Kontakt mit der Haut des brütenden Vogels auf die Eier übertragen werden kann. Zu
diesem Zweck fallen den Vögeln kurz vor der
Brutzeit auf dem Bauch Federn aus. Es entsteht
der sogenannte Brutfleck, der besonders intensiv
durchblutet ist.

Bei Gefahr drückt sich der brütende Brachvogel tief auf seine Nestmulde, denn er ist selbst
ausgezeichnet getarnt. Erst später verläßt er
meist zu Fuß das Gelege. Die oliv oder oliv-
braun gefärbten Eier mit dunklen Flecken sind

Geschlüpftes Brachvogel-
küken, ein paar Stunden alt.
Das dichte, tarnfarbige
Daunenkleid ist schon
getrocknet und umhüllt den
Körper des kleinen Nest-
flüchters lückenlos. Das
zweite Ei des Geleges
(Vordergrund) ist bereits
angepickt.

ebenfalls nicht leicht in der Landschaft zu entdek-
ken. *Tarnung ist für Bodenbrüter in offenem Gelände lebensnotwendig.* Beide Geschlechter beim
Brachvogel kümmern sich um das Brutgeschäft;
das Männchen ist genauso tarnfarbig wie das
Weibchen. Nach etwa sechsundzwanzig bis achtundzwanzig Tagen kommen die Jungen als Nestflüchter zur Welt und sind so weit entwickelt, daß
sie ihr Nest bald nach dem Schlüpfen verlassen
können. Bei Gefahr werden sie von den Altvö-
geln gewarnt, die einen eigenen Kükenwarnruf
ausstoßen und auch gegen den Störenfried At-
tacken fliegen.

Die jungen Brachvögel sind gleich nach dem
Verlassen des Nestes außerordentlich geschickt
im Verstecken und daher schwer zu finden. Erst
mit sechs Wochen können sie fliegen. Schon im
Juli verlassen unsere heimischen Brutvögel die
Brutplätze, bleiben aber dann meist noch lange
an Rastplätzen in Mitteleuropa. Ein Teil von ihnen überwintert in Afrika, ein Teil in den Mittelmeerländern oder auch sogar in der Nähe des
Brutgebietes. Für die skandinavischen Brachvögel sind England, die Niederlande und Nord-
frankreich beliebte Winterplätze. Brachvögel
ziehen übrigens teilweise auch in der Nacht, und
man kann dann gelegentlich ihre wundervollen
Rufe vom nächtlichen Himmel herab hören.

*Auf zwei Schwerpunkte konzentrierte sich die
Verbreitung des Brachvogels bei uns von jeher,
nämlich auf die Norddeutsche Tiefebene und die
Moore und Flußniederungen in Süddeutschland.*
Gegenüber früher sind an beiden Stellen nur
noch Restbestände anzutreffen, auch wenn die
Zahlen im Augenblick noch nicht so gefährlich
niedrig scheinen. Der Gesamtbestand in Süddeutschland dürfte noch etwas über 1000 betragen, während in Niedersachsen und Schleswig-
Holstein nicht einmal mehr 500 Brachvogelpaare
gezählt werden. Neben rund 450 Paaren in
Westfalen gibt es nur noch einige kleinere Restvorkommen in anderen Gegenden. Wahrscheinlich werden wir erst in einigen Jahren wissen, wie
schlecht es um den Brachvogelbestand wirklich
bei uns bestellt ist. Brachvögel reagieren außerordentlich empfindlich auf die Veränderungen
der Bodenbedeckung durch die Landwirtschaft.
Da sie aber ein hohes Alter erreichen, werden
starke Ausfälle des Nachwuchses erst mit der
Verzögerung von einigen Jahren sichtbar, nämlich dann, wenn die alte Generation der neuen
Platz macht.

So sind denn auch die Ursachen für den Rückgang vor allem in der Landwirtschaft zu suchen.
In Nordrhein-Westfalen fällt z.B. der Nachwuchs in vielen Gebieten vollständig aus, weil die
früher extensiv genutzten Wiesen heute so stark
verkrautet sind, daß sich die Jungen in diesem
dichten Bewuchs nicht mehr bewegen können.

In noch weit größerem Maß haben sich Trok-
kenlegung von Mooren und Feuchtgebieten und
Flußregulierungen ausgewirkt. In neuester Zeit
kommt die sich immer stärker vollziehende Umwandlung von Wiesen in Maisäcker dazu. *Sinkt
der Anteil der Wiesen unter fünfzig Prozent der
bewirtschafteten Fläche, ist der Brachvogel zum
Aussterben verurteilt.* Viele Lebensräume des
Brachvogels werden auch durch Kiesgruben,
Überbauungen und andere Einwirkungen des
Menschen zerstört.

Bekassine:
Ehemals ein Allerweltsvogel

Bekassinen bekommt man meist erst dann zu Gesicht, wenn sie dicht vor einem auffliegen und dabei ihren Alarmruf, der wie ein gedämpftes »ätsch« klingt, hören lassen. Naht eine Gefahr, verläßt sich die Bekassine auf ihre hervorragende Tarnfarbe. Das Muster des braungelben Rückengefieders ahmt Färbung, Licht und Schatten der Vegetation nach, in die sich Bekassinen bei Auftreten eines Feindes drücken.

Der lange, gerade Schnepfenschnabel ist ein hervorragendes Werkzeug, Nahrung auch dort herauszuholen, wo man sie nicht ohne weiteres vermutet. Bei der Nahrungssuche stochern die Bekassinen mit dem Schnabel mit schnellen Bewegungen in dem Schlamm. An der Schnabelspitze befinden sich viele winzige Tastsinneszellen, mit deren Hilfe der Vogel Würmer und Insektenlarven im Boden ertastet. Auch bei sonst geschlossenem Schnabel kann durch einen sinnreichen Mechanismus die Bekassine die Schnabelspitze abspreizen. Sie ergreift ihre Beute mit der Schnabelspitze und saugt sie mit der Zunge nach oben in den Schlund. Das funktioniert so vollkommen, daß die Bekassine den Schnabel nicht einmal aus dem Schlamm zu ziehen braucht. Sie hat die Methode des Sondierens mit dem Schnabel in solcher Perfektion entwickelt, daß das Auge bei der Prüfung eines Teilchens auf Eßbarkeit eigentlich gar keine Rolle mehr spielt.

Bekassinen können allerdings auch Insekten von der Oberfläche des Bodens oder Samen abpikken, die sie vorher mit dem Auge ausgemacht haben.

Bald nach der Ankunft der Bekassine im Brutrevier – die meisten überwintern in Afrika – im März oder April hört man ihren merkwürdigen Gesang, ein hölzernes metronomhaftes »tücke tücke tücke«. Die singende Bekassine sitzt meistens auf einem etwas erhöhten Platz, auf einem dünnen Ast eines einzeln stehenden Baumes

Bekassine bei der Gefieder-
pflege. Vögel müssen
merkwürdige Verrenkungen
ausführen, um alle Federn
sorgfältig pflegen zu können.

oder auf einem Weidepfahl. Wesentlich bekannter ist allerdings eine andere Lautäußerung der Bekassine, die nicht, wie sonst bei Vögeln üblich, im inneren Kehlkopf erzeugt wird. *Die Bekassine kann nämlich auch mit ihrem Schwanz singen:*

In einer Höhe von 100 bis 150 m fliegt das Männchen mit flatternden Flügelschlägen in horizontalen Kreisbögen, die es plötzlich durch zehn bis fünfzehn Meter tiefe Sturzflüge unterbricht. Bei diesen Sturzflügen werden die Flügel vom Körper abgehalten und der Schwanz gefächert. Die äußersten Schwanzfedern sind von den übrigen dabei besonders weit abgespreizt. Sie geraten bei den Sturzflügen in Schwingungen und verursachen dadurch ein Geräusch, das dem Meckern einer Ziege entfernt ähnelt. Dieser Instrumentallaut hat der Bekassine den volkstümlichen Namen Himmelsziege eingebracht. Da sich eine normale Feder als Gesangsinstrument wenig eignen würde, ist die äußerste Schwanzfeder der Bekassine dafür durch eine harte, steife Konstruktion hergerichtet. Besonders oft kann man das Meckern der Bekassine in der Morgen- und Abenddämmerung hören, also dann, wenn auch die anderen Vogelarten am meisten singen.

Als hervorragende Meister der Tarnung erweisen sich die Bekassinen auch beim Nestbau. Meist findet man ein Bekassinennest nur durch Zufall beim Durchstreifen feuchter Wiesen und Sümpfe durch das plötzliche Herausfliegen des brütenden Vogels. Gut versteckt unter einem Seggenbusch auf dem Boden oder sonst in dichter Vegetation, enthält die Mulde vier Eier, die sich in ihrer Färbung von ihrer Umgebung nur wenig abheben. Die Eier sind relativ groß, und das hat seinen Grund. Die Jungen der Bekassine schlüpfen bereits als sehr weit entwickelte Küken, die ihr Nest schon nach etwa einem Tag verlassen.

Geradezu perfekte Tarnzeichnung besitzen auch die Bekassinen-Küken, die eigentlich wie »verschimmelte Torfstücke« aussehen und sich bei Gefahr fest an den Boden drücken.

Obwohl die Bekassine in allen Bundesländern brütet, sind die heutigen Bestände gegenüber früher lediglich ein Restvorkommen, z.B. in Bayern und Baden-Württemberg noch etwa 750, in Hessen noch etwa 400, in Rheinland-Pfalz noch etwa 30, im Saarland 20, im Rheinland 30 und in Westfalen 300 Paare. Größere Bestände gibt es nur noch in Niedersachsen und Schleswig-Holstein. Wie häufig diese Vogelart einst in Deutschland gewesen sein muß, läßt sich aus der Schilderung des Ornithologen Johann Friedrich Naumann aus der Mitte des 19. Jahrhunderts ersehen:

»Diese Sumpfschnepfe verdient den Beinamen ›gemein‹ mit vollem Recht, da sie nicht allein fast über die ganze Erde . . . sondern auch fast überall in unglaublicher Anzahl vorkommt . . . Die Bekassinenjagd mancher deutscher Landesteile ist berühmt und berüchtigt genug, so im Brandenburgischen, Oldenburgischen und anderen mehr,

wo manche Jagdreviere Kornsäcke voll dieses Wildprets auf einmal zu Markte schicken . . . Ein einzelner, ganz vorzüglicher Schütze, mit allen nötigen Requisiten versehen, kann unter den begünstigenden Umständen an einem Tage allenfalls 70 bis 80 Stück erlegen.«

Die Zeiten der Bekassinenjagd sind zum Glück bei uns vorbei; der Vogel darf wegen seiner Gefährdung nirgends mehr bejagt werden. Lebensraumzerstörung durch Entwässerung, Flußbegradigung oder sonstige Absenkung des Grundwasserspiegels sind die Hauptursachen des Rückganges. Dabei stellt die Bekassine von allen einheimischen Schnepfen die geringsten Ansprüche an ihren Lebensraum. Um so mehr ist ihr Rückgang ein bestürzendes Zeichen der Veränderung und Verarmung unserer Landschaft.

Relativ einfach kann man der Bekassine helfen durch Mähen im Winter oder Beweiden von feuchtem Brachland. Hilfreich sind darüber hinaus die Anlage von Schlammbänken und die Einrichtung von Ruhezonen in Feuchtgebieten. Künstliche Bewässerung oder künstlich gehobener Wasserstand wirken sich sofort positiv für diesen Vogel aus.

Kornweihe:
Bestand in der Bundesrepublik –
weniger als 15 Paare

Weibchen der Kornweihe. Für alle Weihenarten sind lange Flügel und ein schlanker Körper kennzeichnend.

Die Kinderstube der Kornweihe in einem Getreidefeld. Wie viele Greifvögel schlüpfen auch die jungen Kornweihen in Abständen aus dem Ei und sind daher ungleich weit entwickelt.

Von den drei einheimischen Weihenarten, Rohrweihe, Wiesenweihe und Kornweihe, ist die Kornweihe als Brutvogel am seltensten. Ein gemeinsames Merkmal dieser interessanten Greifvogelgruppe ist das Segeln mit etwas angehobenen Flügeln. Segelnde Weihen sehen deshalb von vorn wie ein V aus. Mit dieser Segelweise verstehen es die Weihen, nicht nur Aufwinde zu nutzen wie gute Segelflieger, sondern auch Alpenpässe ohne aktiven Ruderflug zu überqueren. Sie können ihre Flugweise auch sehr geschickt bei der Jagd einsetzen: Niedrig, mit recht geringer Geschwindigkeit patrouilliert die Kornweihe im gaukelnden Segelflug das Nahrungsgebiet ab. Erblickt sie ein Beutetier, kann sie in einer ganz plötzlichen Wendung blitzschnell aus diesem Gaukelflug zustoßen.

Ihr beliebtestes Beutetier ist die Feldmaus, die besonders bei Massenvermehrungen einen hohen Anteil der Nahrung ausmacht. Daneben wird alles genommen, was überwältigt werden kann:

andere Mäuse, Spitzmäuse, Ratten, junge Kaninchen, junge Hasen sowie Vögel, vor allem solche, die sich am Boden aufhalten, wie Pieper, Lerchen, Ammern, junge Watvögel, junge Enten und Rebhühner. Weihen sind im allgemeinen sehr vielseitige Jäger.

Die Kornweihe baut ihr Nest – wie alle unsere Weihen – auf dem Boden, meistens im hohen Pflanzenbestand von Schilf, Heide, Farn, Weiden und Sanddorn. Es besteht aus einer Zweigschicht als Unterlage mit darübergelegten Gras- und Schilfhalmen. Ein Teil der Nester kann auch im Schilf über Wasser stehen. Wenn der Wasserspiegel steigt, wird das Nest höher gebaut, oder die schon größeren Jungen ziehen auf eine neue Nestplattform um. In der Regel baut vor allem das Weibchen. Ein Männchen kann, falls Not am Mann ist, mit mehreren Weibchen gleichzeitig verpaart sein.

Schon während der Eiablage versorgt das Männchen das Weibchen mit Beute. Erst wenn die Jungen etwa zwanzig Tage alt sind, geht das Weibchen wieder selbst regelmäßig auf Jagd. Eine ähnliche Arbeitsteilung kann auch bei anderen Greifvögeln vorkommen.

Erscheint das Männchen rufend in der Nähe des Horstes, um Nahrung heranzubringen, fliegt ihm das Weibchen entgegen. Dann läßt das Männchen die Beute entweder fallen und das Weibchen fängt sie geschickt auf, oder die Übergabe findet in der Luft von Fang zu Fang statt. Nur das Weibchen füttert die Jungen in der für Greifvögel typischen Weise: Es reißt kleine Fleischstücke ab und hält sie den Jungen vor, die die Nahrung vom Schnabel ihrer Mutter abnehmen.

In der ersten Woche werden die Jungen fast den ganzen Tag über gehudert, also mit Wärme versorgt. Dies ist sehr wichtig, damit die Jungen die ihnen mit der Nahrung zugeführte Energie zum großen Teil für das Wachstum verwenden können und nicht für die Aufrechterhaltung der

Körpertemperatur aufbrauchen müssen. Ohne dauernde Wärmezufuhr von der Mutter würden die Jungen sehr schnell verklammen und sterben. Aber nicht nur Kälte und Regen, auch zu starke Sonneneinstrahlung ist den Jungen abträglich. Deshalb breitet das Weibchen die Flügel über die Jungen aus und beschattet sie, wenn es sehr warm ist und die Sonne direkt in den Horst scheint.

Die weitgehende Arbeitsteilung der Kornweihe bringt natürlich auch einige Nachteile mit sich. So kann es vorkommen, daß die Jungen bei Verlust des Weibchens verhungern, weil das Männchen außerstande ist, sie in den ersten Lebenswochen aufzuziehen.

In der norddeutschen Tiefebene war früher die Kornweihe in Flußtälern, Mooren und Heiden ein weitverbreiteter Brutvogel. Zwischen 1935 und 1945 setzte dann ein sehr starker Rückgang ein, der in einigen Gebieten zum völligen Verschwinden führte. *Gegenwärtig brüten in der gesamten Bundesrepublik weniger als fünfzehn Paare;* in vielen Bundesländern, wie Bayern, Hessen und Nordrhein-Westfalen, ist sie ausgestorben. Mit ihrem geringen Bestand gehört die Kornweihe zu den akut gefährdeten Arten.

Auch in anderen europäischen Ländern hat ihr Bestand abgenommen. Ausgestorben ist die Kornweihe in der Schweiz, Österreich und Ungarn, während sie in England und Holland (gegenwärtig wieder 100 Paare) neuerdings leicht zugenommen hat.

Die Ursachen des Rückgangs sind im Ver-

schwinden von geeignetem Lebensraum zu suchen, aber auch in Störungen am Brutplatz und durch die Verfolgung. Daher müssen die Brutgebiete während der Brutzeit konsequent vor Störungen geschützt werden. Gerade für die Kornweihe lassen sich neue Brutgebiete gestalten. Die Zunahme im benachbarten Holland läßt auch bei uns eine Wiederbesiedlung erwarten, wenn die Voraussetzungen dafür günstig sind.

Alle Greifvogelarten werden jetzt auch bei uns ganzjährig von der Jagd verschont, unter anderem auch, weil sonst besonders gefährdete Arten versehentlich abgeschossen werden, wie das leider immer wieder geschieht.

Ein Weibchen der Kornweihe im Winter über seinem Jagdrevier.

Heidelerche:
Sie singt auch um Mitternacht

Heidelerche in ihrem
typischen Lebensraum.
Die Entwicklung der letzten
Jahrzehnte hat auch für
sie immer weniger Lebens-
raum übriggelassen.

Der kurze, gerade abge-
schnittene Schwanz ist ein
gutes Kennzeichen der
bescheiden braun und grau
gefärbten Heidelerche.
Umgekehrt wie die überall
verbreitete Feldlerche steigt
sie nicht zum Singen in die
Luft, sondern läßt sich von
einem erhöhten Punkt aus
langsam singend zu Boden
gleiten.

Den wenigsten Menschen ist der kleine unscheinbare Vogel bekannt; doch gehört sein Gesang, der sogar mitten in der Nacht vorgetragen wird, zu den schönsten Vogelliedern unserer Landschaft. Einzelne Bäume und nicht zu dichter Bewuchs mit Heidekraut ist der Lebensraum, den die Heidelerche liebt. Er entstand vor allem als Folge der Eingriffe des Menschen, als vor etwa 5000 Jahren mit dem Beginn der Viehzucht der Wald lichter wurde und an vielen Stellen ein parkähnliches Gesicht bekam. Durch die Rodung der Wälder in der Lüneburger Heide und die Beweidung des Landes mit Schafen entstanden weite Räume, die der wärmeliebende Vogel besiedeln konnte. Ähnliche Lebensräume entwickelten sich auch im Gebirge und in den Obstanlagen Südwestdeutschlands. So war die Heidelerche ursprünglich ein Nutznießer des Menschen.

Seit zehn bis fünfzehn Jahren nimmt ihr Bestand jedoch in vielen Gebieten unseres Landes sehr stark ab. Vermutlich sind Änderungen in ihrem Lebensraum die Gründe dafür, daß auch dieser bescheidene Vogel in vielen Gegenden nicht mehr sein Auskommen findet.

Heiden sind durch die Beweidung von Schafen entstanden. Heute leistet die Schafhaltung manchen wertvollen Dienst zur Erhaltung einer in Jahrhunderten gewachsenen Kulturlandschaft, die zum Lebensraum für viele Vögel geworden ist.

147

Lebensraum
Küste und Meer

Wir zögern hier, nach all den voraufgegangenen Hiobsbotschaften den Leser mit weiteren Berichten von Naturzerstörungen zu überfordern und ihn abzustumpfen für die Botschaft dieses Buches: die Vögel zu retten, weil wir sie brauchen. Doch müssen wir um der Wahrheit willen fortfahren, denn wir kommen nun zum Lebensraum Meer, und kaum irgendwo anders ist das Überleben der Vögel gerade in jüngster Zeit mehr in Gefahr geraten als hier. Wir reden nicht von der Ölpest, die immer wieder zu spektakulären Bildern von der Agonie der Seevögel in den Medien führt: Nach dem »Torrey Canyon«-Unfall 1967 flossen 1978 aus der »Amoco Cadiz« über 200000 Tonnen Rohöl in den Ärmelkanal. Es wird dies immer wieder geschehen. Wir reden auch nicht von der fast vollendeten Ausrottung der größten Säugetiere der Erde, den Walen: 57000 dieser Großtiere harpuniert in einem Jahr (1966). Wir reden auch nicht vom Zusammenbruch einst riesiger Heringspopulationen im Nordmeer durch rücksichtslose Überfischung. Wir lassen die drei Millionen Tonnen Phosphor, die allein der Rhein im Jahr ins Meer schwemmt, und all die Säuren, Laugen, Schwermetalle, die Phenole und die radioaktiven Abfälle beiseite, die Jahr für Jahr durch die Flüsse in die Nordsee gelangen. Überhaupt reden wir nur von ihr, denn weltweit sind die Verschmutzungen kaum noch faßbar: allein 12 Millionen Tonnen Öleintrag im Jahr, dazu, um ihn zu verteilen, Detergentien, die noch giftiger sind als das Öl. Der einzelne, wissende Mensch hat längst aufgehört zu begreifen, was er in seiner Gesamtheit, als eine die Erde verwüstende Art, anrichtet.

So wollen wir uns denn auf ein überschaubares Teilgebiet beschränken, zu dessen Rettung jedermann beitragen kann, sei es mit dem Stimmzettel oder durch Mitgliedschaft in den Naturschutzorganisationen. Wir meinen das Wattenmeer der Nordsee, und hier besonders die Gebiete des Rodenäs-Vorlandes und der Nordstrander Bucht, die durch Eindeichungspläne der Landesregierung von Schleswig-Holstein schwer gefährdet sind. 6000 Hektar Land sollen ihren natürlichen Kreisläufen entzogen werden – auf Kosten wertvollster Abschnitte der zum Europareservat erklärten Naturschutzgebiete »Vogelfreistätte Wattenmeer östlich Sylt«, »Nordfriesisches Wattenmeer« und »Hamburger Hallig«.

Die Tide, von den Anziehungskräften des Mondes und der Sonne auf die sich täglich einmal um ihre Achse drehende Erde bewirkt, gibt zweimal in vierundzwanzig Stunden zwischen Holland und Dänemark 5000 Quadratkilometer Nordseeboden frei: das Watt. In weitverzweigten Stromsystemen, den Prielen, läuft das Wasser als Flut in sechs Stunden auf, der Festlandlinie zu, und in sechs Stunden als Ebbe wieder ab, hinter die Wattlinie zurück.

Es gibt viele Schlickküsten auf der Erde, aber keine gleicht dem Nordseewatt, weshalb seine

Zerstörung oder auch nur Beeinträchtigung keine nationale Frage ist, die wir allein zu entscheiden hätten. Diese Wattlandschaft stellt das letzte natürliche Ökosystem Mitteleuropas dar, das sich noch selbst reguliert. Deicht man es großflächig ein, gerät sein Kreislauf ins Stocken, wo nicht gar an den Rand eines Kollapses. Unter dem Einfluß der Tidenhübe transportieren sowohl die offene See als auch die Flüsse große Mengen organischer und anorganischer Sinkstoffe ins Watt und verteilen sie in Schlick- und Mischzonen. Mit Hilfe dieses Nährbodens unter der kreislauftreibenden Kraft der Sonne produziert das Watt im Jahr auf jedem Hektar drei Tonnen organische Trockenmasse, dem Bonner Zoologen Kneitz zufolge der Blattproduktion eines mitteleuropäischen Mischwaldes vergleichbar. Fische und Vögel verzehren den Überschuß und halten das ökologische Gleichgewicht dieses Naturraums aufrecht.

Man macht sich kaum eine Vorstellung von den pflanzlichen und tierischen Biomassen, die im Watt leben. Zwar ist das Tierleben nicht sehr artenreich, weil das Watt bei allem Wechsel doch sehr gleichförmig ist und gleichförmige Lebensräume, wie besonders spektakulär die Eiswüste der Antarktis mit ihren riesigen Pinguinherden, nur wenige Arten hervorbringen, aber diese dafür in ungeheuer großer Individuenzahl. Bis zu 40000 Schlickkrebse zählt man im Watt auf einem einzigen Quadratmeter. In ungeheuren Mengen auch treten die Wattschnecke, die Strandschnecke und der Wattringelwurm auf. Algen finden sich bis zu einer Million in einem einzigen Kubikzentimeter Watt.

Entsprechend groß sind die Zahlen der Vögel und Fische, die hier den Nahrungsüberschuß abschöpfen, ohne das System je zu erschöpfen – solange der Mensch die Finger von ihm läßt. 80 Prozent der Schollen, 70 Prozent der Seezungen und 40 Prozent der Heringe der Nordsee haben hier ihre Kinderstube und wachsen im ersten und zum Teil auch in ihrem zweiten Lebensjahr im Watt heran.

Von der großen Individuenzahl der hier vor allem auf dem Zug sich kräftigenden Vögel geben die Zahlen eine Vorstellung, die sich allein auf das zur Eindeichung anstehende Teilgebiet des deutschen Nordseewatts beziehen:

15000 Kurzschnabelgänse aus Spitzbergen, die schon mehrfach durch menschliche Eingriffe von ihren Frühjahrsrastplätzen vertrieben wurden, zuletzt bei Föhr durch landwirtschaftliche Maßnahmen. Verlieren sie mit dem Rodenäs-Vorland auch ihren letzten bedeutenden Rastplatz noch, dann werden sie nicht mehr in der Lage sein, sich die Fettdepots anzufuttern, die sie für den langen, nahezu pausenlosen Zug in ihr Brutgebiet auf Spitzbergen benötigen.

13000 Tiere der sibirischen Ringelganspopulation (das sind 15 Prozent des Weltbestands) verlieren ebenfalls durch die geplanten Landgewinnungsmaßnahmen ihre unersetzlichen Frühjahrsrastplätze. Sie können ohne das Watt und die Salzwiesen überhaupt nicht leben.

25000 Weißwangengänse würden mit der Hamburger Hallig und dem Rodenäs-Vorland ihrer letzten entscheidenden Äsungsgebiete in der östlichen Nordsee verlustig gehen. (Im Zusammenhang mit diesen Vorhaben taucht in den Planbeschreibungen der Satz auf, daß man hier Baumanpflanzungen vorgesehen habe, »damit die Gänse aus ackerbaulich nutzbaren Bereichen ferngehalten werden«. Er zeigt verräterisch, worum es geht: nicht so sehr um Sicherheit vor Sturmfluten, sondern um mehr Landwirtschaft.)

30000 Brandgänse, 20 Prozent des nordwesteuropäischen Gesamtbestandes, ernähren sich fast ausschließlich von den Mollusken des zur Eindeichung vorgesehenen großen Schlickwattsockels.

80000 Limikolen, das sind Strandläufer, Austernfischer, Brachvögel und Pfuhlschnepfen, werden ihrer Rastplätze und Nahrungsquellen beraubt, auf die diese Arten während der physiologisch so kritischen Zeit des Gefiederwechsels und während der Wintermonate angewiesen sind.

Die zivilisierte Welt wird uns, wenn diese aberwitzigen Pläne einer steinreichen Wohlstandsgesellschaft nicht verhindert werden, fragen, mit welchem moralischen Recht wir die Bewohner des armen italienischen Südens als Mörder europäischer Singvogelarten anklagen. Es ist ja nicht nur die geplante Eindeichung riesiger Wattflächen allein, die instrumental ist in unserem eigenen Vogelvölkermord. Es wird hier nach Erdgas und Erdöl gebohrt; folgenschwere Unfälle werden nicht zu vermeiden sein. Das Watt ist ferner als Standort und Kühlmedium mehrerer großer Atomkraftwerke vorgesehen. 40 Millionen Kubikmeter Kühlwasser, weit mehr als die doppelte Abwassermenge der Bundesrepublik, sind täglich nötig, um 10000 Megawatt elektrischer Leistung zu produzieren. Hinzu tritt die Aufheizung des Wassers: eine thermische Belastung, die in zunehmend verschmutzten Strom-Mündungen in ihrer Wirkung auf schon angeschlagene ökologische Kreisläufe überhaupt noch nicht abgeschätzt werden kann.

Im Zusammenhang mit diesen Kraftwerksvorhaben stehen neugeplante Ketten von giftausscheidenden Industrieanlagen an den Unterläufen von Elbe, Weser, Dollart und Jade, ferner riesige Hafenprojekte auf den Inseln Neuwerk und Scharhörn als Außenhafen von Hamburg, und ein neuer Hafen für Emden. Alles dies steht im eindeutigen Gegensatz zum Bundesnaturschutzgesetz, das die Leistungsfähigkeit des Naturhaushalts (hier: Bioproduktion des Watts), die Nutzungsfähigkeit der Naturgüter (Fischfang) und die Vielfalt, Eigenart und Schönheit der Natur und Landschaft schützt (Eigenschaften, die dem Watt auch als Ort menschlicher Erholung unwidersprochen in hohem

Maße eigen sind).

Von den Wirtschaftsführern wird man es nicht erwarten können. Aber wann werden die geistigen Führer unserer Nation, die Künstler, die Wissenschaftler und die Philosophen durch spektakuläre Aktionen endlich Solidarität üben mit den immer noch wenigen Naturwissenschaftlern, die den Untergang ihrer höchsteigenen Welt nicht nur professoral beklagen, sondern in Naturschutz-Initiativen aktiv zu verhindern suchen? *Hier* ist der Ort für akademische Radikalität. Es gilt nicht, Gesetze zu brechen, sondern Politiker zu zwingen, sie endlich einzuhalten.

»Internationale Übereinkünfte«, schrieb die Aktionsgemeinschaft Nordseewatten an den Ministerpräsidenten des Landes Schleswig-Holstein, Dr. Gerhard Stoltenberg, »sowie auf überstaatlicher Ebene geschaffene Kriterien weisen das Nordfriesische Wattenmeer als ein naturbelassenes Gebiet aus, das vor menschlichen Zugriffen jeder Art zu bewahren ist. Die Ramsar-Konvention von 1971, die zwischenzeitlich auch von der Bundesrepublik Deutschland ratifiziert wurde, verpflichtet die Vertragsparteien zur Erhaltung von Feuchtgebieten sowie zur Hege der Bestände von Watt- und Wasservögeln. Dieser Übereinkunft wird zuwidergehandelt. Dies wiegt um so schwerer, als die Landesregierung von Schleswig-Holstein ihre Weigerung, das Nordfriesische Wattenmeer in die »Liste international bedeutender Feuchtgebiete« aufnehmen zu lassen, mit dem Hinweis begründet, die vorhandenen Schutzbestimmungen seien ausreichend. Die Landesregierung hat sich in diesem Punkt des Irrtums über ihre eigenen Planungen überführt.

Dr. Gerhard Stoltenberg, so ist zu fürchten, wird davon nur mit dem Stimmzettel zu überzeugen sein.

Horst Stern

Vögel an Küste und Meer: Millionen sind gefährdet

Das Wattenmeer, Nahrungs-
raum von Millionen rastender
Vögel, hier neben der Insel
Borkum.

Hundertausende von
Kleinlebewesen hausen im
Watt auf engstem Raum
zusammen. Die Häufchen
der Sandwürmer
signalisieren den Vögeln
einen ständig gedeckten
Tisch.

Die Zwergseeschwalbe ist
an der deutschen Nordsee-
Küste akut gefährdet.

Die Küste der Nordsee, das Wattenmeer mit seinen Inseln stellt Nahrung für Vögel in schier unvorstellbarer Fülle zur Verfügung: einzellige Algen und andere Wasserpflanzen, Würmer,
Schnecken, Muscheln, Krebse und Fische. Besonders für Seeschwalben, Möwen, Meeresenten,
Gänse und Wattvögel hat dieser Lebensraum internationale Bedeutung.

Im Watt und an der Küste rasten in jedem Jahr
viele Millionen Vögel im Frühjahr und im
Herbst, und noch viele Hunderttausende überwintern hier oder benützen das Watt als Mauserplatz.

So versammeln sich auf dem Großen Knechtsand, einem Wattgebiet zwischen Elbe und We-
sermündung, von Juli bis August zwischen
70 000 und 100 000 Brandgänse. Sie kommen
von ihren Brutplätzen aus der Deutschen Bucht,
aus England, Irland, Belgien, den Niederlanden,
aus Dänemark, Südnorwegen, Schweden und der
UdSSR. Diese internationale Gesellschaft trifft

152

sich, um den auch bei anderen Enten- und Gänsevögeln mit vorübergehender Flugunfähigkeit verbundenen Gefiederwechsel am Knechtsand durchzumachen. Hier sind sie ungestört und finden vor allem auch ausreichend Nahrung.

Ausgerechnet die so vogelfreundlichen Engländer waren eine Zeitlang der Ansicht, daß der Knechtsand als Übungsplatz für Bombenabwürfe besonders geeignet sei. Es dauerte nach dem Krieg viele Jahre, bis die Argumente der Naturschützer das Militär überzeugten und die Bombenabwürfe eingestellt wurden.

In besonders großen Mengen nützen Knutts und Alpenstrandläufer das Wattenmeer als Rastplatz auf dem Durchzug, oft monatelang. Allein für das nordfriesische Wattenmeer schätzt man den Bestand dieser beiden Arten bis zu 400 000 bzw. 300 000 Individuen, die gleichzeitig in den ausgedehnten Wattenmeeren Nahrung suchen.

Zu den Überwinterern an der Küste schließlich zählen Kurzschnabelgans, Weißwangengans, Ringelgans, Brandgans, Eiderente, Trauerente, Pfeifente, Austernfischer, Brachvogel und Alpenstrandläufer.

Küste und Inseln sind aber nicht nur für die genannten Wasservogelarten von großer Bedeutung, sondern bilden wichtige Rastplätze für durchziehende Landvögel, die nach weitem Flug über das Meer dringend der Rast bedürfen, Süßwasser trinken und nach Nahrung suchen. Auf den Inseln haben Vögel die Landschaft sogar stark mitgeprägt. Die riesigen Buschlandschaften auf den Ostfriesischen Inseln sind z.B. durch Verbreitung von Samen durch beerenfressende Vögel entstanden.

Es ist selbstverständlich, daß *eine Landschaft, die mühelos für mehrere Monate Millionen von Vögeln nebeneinander ernähren kann*, auch zu einem bevorzugten Brutgebiet für eine ganze Reihe von Vogelarten geworden ist. Für die See-

Nordische Gäste in großer Zahl: Weißwangen- und Bläßgänse fallen auf einem Rastplatz ein.

Ein Trupp Austernfischer vor einem aufziehenden Gewittersturm im Watt der Nordsee.

Zum Wechsel des Gefieders suchen Zehntausende von Brandgänsen den Knechtsand in der Deutschen Bucht auf.

Brandseeschwalben am Wattenmeer

Auch die Küstenseeschwalbe ist im Bestand gefährdet.

Im Unterschied zu allen anderen Möwen brütet die Dreizehenmöwe auf steilen Felswänden.

schwalben sind die Inseln die wichtigsten Brutplätze. Ihre Kolonien waren allerdings von jeher besonders gefährdet, da ihre Eier bei den größeren Möwenarten und auch bei den Insel- und Küstenbewohnern sehr beliebt waren. Aber wie überall, wo die Natur für eine begrenzte Zahl von Menschen eine begrenzte Menge von Nahrung bereithielt, nutzten die Einheimischen dieses Angebot in Maßen: Sie sammelten jedes Jahr alle Eier bis zu einem bestimmten Termin ab und ließen die Vogelkolonien dann in Ruhe, damit die Vögel aus Nachgelegen Junge großziehen konnten. Diese pflegliche Behandlung war notwendig, um die Nahrungsquellen auf Dauer zu erhalten. Mit der Zunahme der Bevölkerung und dem Beginn des Tourismus brach jedoch dieses System zusammen.

Zum Glück begann mit der Erschließung der Nordsee-Inseln für den Tourismus auch die Zeit des ideellen Vogelschutzes, sonst gäbe es heute keine Seeschwalbe mehr an unserer Küste. Die meisten Brutkolonien der Seevögel an der Nordseeküste werden während der Brutzeit von privaten Vereinen betreut. Man bewacht die Kolonien vor Störungen, führt aber andererseits auch interessierte Besucher heran, jedoch nicht hinein. Die Zahl der brütenden Vögel wird genau erfaßt, wenn nötig werden Gelege vor Hochwasser geschützt und Ratten bekämpft. So finden wir heute immerhin noch fünf Seeschwalbenarten an der deutschen Küste als regelmäßige Brutvögel, Brandseeschwalben (etwa 6000 Paare), Flußseeschwalben, Küstenseeschwalben und Zwergseeschwalben (etwa 350 Paare). Nur noch in etwa vierzig Paaren brütet die Lachseeschwalbe, die Raubseeschwalbe ist schon 1914 ausgestorben.

Die intensive Betreuung und der vollständige gesetzliche Schutz von Seevogelbrutplätzen hat nicht nur die Seeschwalben in unsere Zeit hinübergerettet, sondern auch viele weitere Arten, darunter Brandgans, Austernfischer und Säbelschnäbler.

154

Seeadler:
Nur noch 4 Paare in Deutschland

Mehr als ein Mensch groß wird, nämlich 2,45 m, spannen die Flügel des größten unserer Greifvögel. Beim Seeadler ist alles mächtig und groß, vor allem die Werkzeuge für das Ergreifen, Töten und Bearbeiten der Beute, nämlich die Läufe, die Zehen, die Krallen und der Schnabel.

Der immer etwas plump wirkende Vogel hat vielseitige und erfolgreiche Jagdmethoden entwickelt. Von einem erhöhten Punkt oder einfach vom Erdboden aus beobachtet er ruhig sitzend seine Umgebung und stößt plötzlich zu oder fliegt ruhig gleitend dicht über dem Boden und überrumpelt seine Beute. Selbst Reiher, Störche und Kraniche können ihm zum Opfer fallen. Er räubert die Nester anderer Greifvögel und Reiher aus oder läßt sich aus großer Höhe steil ins Wasser fallen, wobei er wie der Fischadler vollkommen eintauchen kann. Bis zu acht Kilogramm schwere Hechte können dabei seine Beute werden, während er selbst nur zwischen drei und sie-

FAUST

Das Porträt des Wappen-vogels: der Seeadler

ben Kilogramm wiegt. Nicht immer gelingt es ihm, ein Bläßhuhn, einen Taucher oder eine Ente zu überrumpeln. Dann ermüdet er sie durch dauernde Angriffe, denen sich das Opfer durch Tauchen zu entziehen versucht. Ein Bläßhuhn wird auf diese Weise in dreiundvierzig bis fünfundsechzig Angriffen so ermattet, daß es sich schließlich nach fünfunddreißig bis fünfundvierzig Minuten greifen läßt, wenn der Seeadler hartnäckig genug bleibt. Schneller zum Ziel kommen Adler, wenn zwei gemeinsam jagen. Dann kann sich immer einer sofort auf den wieder auftauchenden Wasservogel stürzen. Bei dieser Jagdart werden Seeadler sogar mit dem über gänsegroßen Eistaucher fertig.

Aber auch eine andere Art, zu Nahrung zu kommen, hat sich der Seeadler angewöhnt, selbst wenn sie nicht besonders »majestätisch« ist: Man kann Schwächeren die Beute abjagen. Der Seeadler sucht sich dafür besonders den wesentlich kleineren Fischadler aus und an den Küsten die

Möwen. Im Winter gehen Seeadler häufig auch an Aas. Ihr Speisezettel ist entsprechend der vielen Jagdmethoden sehr vielseitig und besteht neben Fischen und Vögeln (bis zur Größe eines Schwans) auch aus Mäusen, Maulwürfen, Füchsen, kleinen Hunden, Rehen und Frischlingen.

Der Seeadlerhorst steht bevorzugt am Waldrand auf besonders hohen Bäumen oder auf unzugänglichen Ostseeinseln auch auf dem Boden. *Im Laufe der Jahre kann ein Seeadlerhorst zwei Meter breit und drei bis fünf Meter hoch werden und damit zu einem Gewicht von sechshundert Kilogramm anwachsen.* Für den Unterbau werden Äste bis Besenstielstärke verwendet. Der Oberbau besteht dann aus feinen Ästen; die Mulde wird mit Gras, Heu, Moos und Rasenstücken ausgepolstert. Im Laufe der Jahre kann sich ein Paar mehrere Horste zulegen, zwischen denen es dann wechselt. Die Brutzeit ist außerordentlich lang. Die ein bis drei Eier müssen fünf bis sechs Wochen bebrütet werden, und die Jun-

156

gen brauchen zwölf bis dreizehn Wochen, bis sie fliegen können.

Das Seeadlerpaar lebt in Dauerehe, und die alten Vögel halten sich bei uns das ganze Jahr im Brutgebiet auf. Von den Jungen zieht ein Teil den Wasservogelscharen folgend zur Donau, ins Voralpengebiet und an die Mittelelbe. Erst im fünften Lebensjahr wird ein Seeadler geschlechtsreif. Ehedem war der Seeadler in der Norddeutschen Tiefebene ein verbreiteter Brutvogel. In den Wäldern Bayerns hat er bis 1860 gebrütet, und in Niedersachsen fand sogar 1960 der letzte Brutversuch statt. In Schleswig-Holstein dagegen war schon bald nach 1875 der Bestand erloschen. 1927 scheiterte ein Wiederansiedlungsversuch durch den Abschuß des Weibchens. Um 1946 wurde Schleswig-Holstein von Mecklenburg aus wieder besiedelt; heute brüten dort vier bis fünf Paare.

In vielen Ländern ist der Seeadler ausgestorben, so in Dänemark (1960), Irland (1910, 1911), England (1916), Österreich (1946), Sardinien und Korsika. Nur noch kleine Bestände gibt es in Finnland (neun Paare), in der Tschechoslowakei (ein Paar), in Rumänien, Griechenland und Jugoslawien. Überall muß man um den Fortbestand des mächtigen Greifvogels äußerst besorgt sein.

Viele Ursachen führten zum katastrophalen Niedergang des europäischen Seeadlerbestandes. Rücksichtslose Verfolgung des angeblichen Nahrungskonkurrenten, Schießlust, Eierraub, Vertreibung vom Brutplatz durch Neugierige, Abholzen alter Baumbestände, Holzeinschlag während der Brutzeit gehen unmittelbar auf das Konto verständnisloser Menschen. Als Endglied von vielen Nahrungsketten sammeln sich im Organismus des Seeadlers besonders hohe Rückstände an Pestiziden und anderen giftigen Stoffen (z.B. PCB = polychlorierte Biphenyle) an. In den Eiern keiner anderen Vogelart wurden bei uns so hohe Mengen von Rückständen dieser gif-

tigen Stoffe festgestellt wie beim Seeadler. Als Folge davon werden die Eischalen dünner und zerbrechen beim Brüten, oder die Jungen sterben ab.

Zu alldem ist in den letzten zehn bis zwanzig Jahren eine neue schwerwiegende Beeinträchtigung dazugekommen, die den Seeadlerbestand der ganzen Welt betrifft: die Greifvogelhaltung zur Schaustellung. Allein in Baden-Württemberg werden mehr Seeadler in Gefangenschaft gehalten (nämlich siebzehn Exemplare), als in der ganzen Bundesrepublik brüten (vier bis fünf Paare). Der Wert eines Volierenseeadlers beträgt immerhin 1600 DM.

Die letzten Seeadler Deutschlands müssen vor unbefugten Eingriffen streng geschützt werden. Horstbaum des Seeadlers mit den notwendigen Sicherungen gegen Eierräuber und rücksichtslose Fotografen. Abgesehen von diesen Vorkehrungen werden die Horste zur Brutzeit rund um die Uhr bewacht.

Die Burg des Seeadlers

157

Kormoran:
Als Nahrungskonkurrent
schon immer verfolgt

Wie ein Kreuz wirkt das Flugbild des Kormorans.

Wenn der gänsegroße Kormoran mit weit gespreizten Flügeln auf einem Seezeichen oder am Strand sitzt, sieht er wie eine Statue aus. Freilich sitzt er dort nicht Modell für einen Bildhauer, sondern tut etwas für sein eigenes Überleben: er trocknet seine Flügelfedern, die bei jedem Tauchen naß werden. Damit unterscheidet er sich von den meisten anderen Wasservögeln, deren Federn wasserabweisend konstruiert sind und außerdem eingefettet werden. Wie andere Wasservögel auch, ist der Kormoran schlecht zu Fuß. Seine Stärken sind Schwimmen, Tauchen und Fliegen.

Bei der Jagd halten Kormorane schwimmend mit dem Kopf unter Wasser Ausschau nach Beute. Besonders gern stellen sie Fischen nach, die auf dem Grund oder halb im Boden leben, so den tagsüber im Schlamm eingewühlten Aalen, die sie mit ihrem Hakenschnabel an der aus dem Schlamm ragenden sichtbaren Mundspitze pakken. Frei schwimmende Fische ergreifen sie hinter den Kiemen. Zur Hauptnahrung der Kormorane gehören Hering, Plötze, Zander, Brachsen und Barsch. Auf Fischschwärme halten sie regelrechte Treibjagden ab. Selbst Vögel sind vor dem blitzschnellen Zugriff des Kormorans nicht sicher, der sitzend gelegentlich sogar niedrig fliegende Schwalben in der Luft greift.

Kormorane bauen ihr Reisignest auf Bäumen, Klippen oder deren Ersatz: Leuchttürme, gelegentlich sogar im Rohrdickicht oder auf dem Boden. Haben sie die Wahl, bevorzugen sie größere Bäume; einmal zählte man 145 Nester auf einer über dreißig Meter hohen Buche. Vier, fünf Jahre genügen, und ein solcher Baum ist ruiniert: Seine dürren Äste und sein Laub müssen als Nistmaterial herhalten, den Rest besorgt der ätzende Kot. Dann kommt der nächste Baum an die Reihe. Sind alle Bäume tot, nisten die Kormorane im Gebüsch und schließlich auf dem Boden. Kristallisationspunkte einer neuen Kormorankolonie sind häufig die Kolonien des Graureihers, de-

Ein Kormoran-Paar im Nest. Deutlich ist der kräftige Schnabel zu sehen, der sich an der Spitze zu einem Haken krümmt, mit dessen Hilfe der Kormoran aus dem lockeren Grund der Seen Fische herausziehen kann.

159

Kormorane müssen nach dem Tauchen ihre Federn an der Luft trocknen.

Kormorane leben nicht nur während der Brutzeit gesellig. Sie suchen auch gerne gemeinsam einen Baum zur Rast nach der Fischjagd auf.

ren Nester er besetzt oder abbaut. Nach den Streitigkeiten während der Bauphase vertragen sich beide Arten recht gut.

Die Jungen schlüpfen nach rund fünfundzwanzig Tagen aus den drei oder vier hellblauen Eiern. Sieben Wochen bleiben sie im Nest, zuletzt turnen sie schon in dessen Umgebung auf den Zweigen herum; mit zwei Monaten können sie fliegen, und mit drei Monaten sind sie selbständig.

Die jahrelange Beringung in einer Kolonie in Schottland hat ergeben, daß *siebzig Prozent der Jungen vor Vollendung ihres ersten Lebensjahres sterben,* zehn Prozent im zweiten und sechs Prozent im dritten. Erst wer drei Jahre überlebt hat, kann selbst brüten, denn Kormorane sind in der Regel erst im vierten Jahr fortpflanzungsfähig.

Die milden Winter in England ersparen den dortigen Brutvögeln den Zug in wärmere Gebiete. Kormorane aus dem Bereich der Ostsee ziehen dagegen im Herbst nach Süden. Sie überwintern in den Mittelmeerländern. Die ausdauerndsten Wanderer erreichen Ägypten, Tunesien und Marokko, sie legen also eine Strecke von über 2000 Kilometer Luftlinie zurück. Schon im Juni starten die ersten Jungvögel. Einige Kormorane bleiben aber auch in Mitteleuropa, solange die Gewässer eisfrei sind. Auf dem Bodensee überwintern um die zweihundert Stück. An ihren Brutplätzen erscheinen die ersten bereits im Januar.

In der Norddeutschen Tiefebene war der Kormoran in seenreichen Gebieten häufiger Brutvogel. Seine Geschichte ist kurz erzählt. Sie war eine erbarmungslose Verfolgungsjagd, die von drei Eigenheiten dieser Vogelart »provoziert« wurde: 1. Kormorane bringen ihre Nistbäume in wenigen Jahren zum Absterben. – 2. Wo sich Kormorane ansiedeln, entstehen schnell große Kolonien von mitunter tausend und mehr Paaren. – 3. Kormorane ernähren sich von Fischen.

Jede einzelne dieser Verhaltensweisen findet der Mensch unerträglich, jedenfalls bei uns. Das kleine Holland leistet sich dagegen über tausend Paare. Jäger, Militär und Feuerwehr wurden bei uns schon im 19. Jahrhundert aufgeboten, um Kormoran-Kolonien zu vernichten. Letzte Zufluchtsstätte sind einige Leuchttürme in der Nordsee, wo etwa zwanzig Paare brüten. In der Liste der bedrohten Arten steht er bei uns in der ersten Kategorie. In anderen Ländern geht man schonender mit diesen Vögeln um, so in Holland, wo die Kolonien von einer bestimmten Größe an zwar reduziert, aber nicht ausgelöscht werden. *Ein Land von der Größe und vom Reichtum der Bundesrepublik Deutschland, das sich keine Kormorane leisten kann, ist ein armes Land.* Zur Zeit ist in Niedersachsen ein Wiederansiedlungsprogramm angelaufen in einem dafür geeigneten Gebiet. Es ist zu hoffen, daß sich die Menschen verträglicher gegen die Neubürger verhalten werden.

Silbermöwe:
Müllplätze lassen sie gut über den Winter kommen

Wer mit dem Schiff in See sticht, hat in Küstennähe als ständige Begleiter Silbermöwen um sich, die darauf warten, gefüttert zu werden. Die Silbermöwe brütet an der Küste. Sie ist Nutznießer von Seevogelschutzgebieten, die sie zum Teil flächendeckend besiedelt mit Kolonien bis zu 6500 Paaren. Durch ihren Kot wird der Dünenboden mit Stickstoff stark überdüngt mit der Folge, daß stickstoffliebende Pflanzen gut gedeihen. Die wiederum sind günstig als Verstecke für die Küken. Die Silbermöwe schafft sich also für sie günstige Bedingungen selbst.

Der Bestand der Silbermöwe hat sehr stark zugenommen, vor allem, weil sie gut über den Winter kommt. Auf Müllplätzen und in Fischereihäfen findet sie auch im Winter genügend Nahrung. Früher gingen dagegen viele Silbermöwen während der kalten Jahreszeit an Nahrungsmangel ein. Ihre natürlichen Beutetiere sind vor allem Herzmuschel und Strandkrabbe. In großen Silbermöwenkolonien haben die meisten anderen Küstenvögel kaum Chancen, Junge erfolgreich großzuziehen, denn ein Teil der Silbermöwen ist darauf spezialisiert, Eier und Küken anderer Vogelarten zu verspeisen. Betroffen sind davon vor allem Seeschwalben und Regenpfeifer.

Silbermöwen an ihrem Nahrungsplatz, einer dicht mit Miesmuscheln überzogenen Buhne. Deutlich sind die braun gesprenkelten Jungen von den Altmöwen zu unterscheiden.

Die Silbermöwe ist die häufigste Möwenart unserer Küsten. Sie hat sich in letzter Zeit sehr stark vermehrt.

Brandseeschwalbe: Nur Schutzgebiete garantieren ihr Überleben

Auf den deutschen Nordseeinseln brüten 6000 bis 7000 Paar Brandseeschwalben. Das mag manchen viel erscheinen und zur Frage berechtigen, warum dieser Vogel zu den bedrohten Arten gerechnet wird. Er ist es in der Tat, denn er braucht zum Brüten einen Luxusartikel unserer Zeit – Ruhe. Die findet die Brandseeschwalbe bei uns nur noch an wenigen Stellen auf unbewohnten Inseln: Oldeoog, Knechtsand, Trischen, Süderoog und Norderoog.

Den meisten Menschen sagen diese Namen nichts. Für die Vogelkundler sind sie feste Begriffe als Oasen der Ruhe und Rückzugsgebiete vieler gefährdeter Vogelarten. Sie liegen alle in Seevogelschutzgebieten. Ohne diese Schutzgebiete und ohne deren jahrzehntelange Betreuung durch Vogelschutzvereine wäre die Brandseeschwalbe bei uns längst verschwunden. Wenn sie brütet, kommt sie fast immer gleich in mehreren hundert oder tausend Paaren vor. Die Paare legen ihre Nester ganz dicht beieinander im Dünensand an, oft so dicht, daß sich die Schwanzspitzen der Brütenden berühren. Da die Jungen das Nest schon wenige Tage nach dem Schlüpfen verlassen, entsteht zwangsläufig ein großes Gewimmel und damit das Problem: Wie finden die Eltern ihre Jungen, wenn sie vom Fischfang mit Beute zurückkommen? So wie wir jeden einzelnen unserer Verwandten und Bekannten erkennen, erkennen sich auch die Brandseeschwalben gegenseitig an der Stimme.

Neben Störungen sind die Brandseeschwalben vor allem durch Gifte gefährdet. In den Niederlanden ist ihr Bestand durch Vergiftung um mehrere zehntausend Paare zurückgegangen.

Brütende Brandseeschwalbe

Im Flug entfalten die Seeschwalben ihre volle Eleganz: Brandseeschwalben nach der Brutzeit.

Sehr eng geht es in den Kolonien der Brandseeschwalbe zu, dabei kann es schon einmal zu einer kleinen Auseinandersetzung zwischen Nachbarn kommen.

Weißwangengans:
Der Wintergast aus Nordrußland
soll bei uns nicht gejagt werden

Zugvögel sind für uns Vogelarten, die die kalte Jahreszeit im Süden verbringen und im Frühjahr wieder zu uns zurückkehren. Weniger bekannt ist dagegen, daß auch unser Land Winterquartier für viele Hunderttausende von Vögeln ist, die weiter nördlich brüten und bei uns den Winter überstehen. Ein solcher Wintergast ist die Weißwangengans. Ihre Brutplätze liegen so weit nördlich, wie es überhaupt geht, nämlich in Grönland und Spitzbergen und auf der russischen Eismeerinsel Nowaja Semlja. Von dieser Insel stammen die bei uns durchziehenden und überwinternden Scharen, die bis zu 10 000 Gänse umfassen können.

Weißwangengänse brüten auf Felsklippen nahe der Küsten, an Fjorden und Seen oft meh-rere hundert Meter über dem Wasserspiegel. Während das Weibchen brütet, hält das Männchen Wache. In dieser Zeit nehmen beide fast keine Nahrung zu sich, so daß sie stark abmagern. Es ist zu gefährlich, das Nest für längere Zeit zu verlassen. Raubmöwen warten nur darauf, um an die Eier zu gelangen.

Den Jungen gelingt es zum Teil aus eigener Kraft, von den Felsen zum Wasser zu kommen, oder sie werden von den Eltern im Schnabel transportiert. Mit ihren Eltern zusammen fliegen die Jungen nach der Brutzeit an die Küsten Nordfrieslands, zur Elbemündung, Emsmündung und in die Niederlande. Vor allem Ruhe vor der Jagd ist es, was die Weißwangengans in ihrem Winterquartier bei uns benötigt.

Weißwangengänse sind zur Rast eingefallen. Ihre Heimat liegt im äußersten Norden Rußlands.

Brandgans:
Ein Erfolgsbeispiel des Vogelschutzes

Die Brandgans geht zum Brüten in den Untergrund, am häufigsten in Kaninchenhöhlen, die sie in den Dünen der Nordseeinseln in großer Zahl vorfindet. Unsichtbar vor den Augen räuberischer Silbermöwen bebrütet das Weibchen seine acht bis zwölf Eier achtundzwanzig Tage lang im Dunkel der Höhle. Das Männchen beschränkt sich darauf, seine Partnerin vom Nest und zu den täglichen Flügen zu den Nahrungsgründen im Watt abzuholen und wieder zurückzubringen. Die eben geschlüpften Jungen gehören zu den anmutigsten Vogelküken, die es gibt. Sie werden von ihren Eltern sofort ans Wasser geführt. Treffen dort mehrere Familien zusammen, vermischen sich die Jungen. Viele Altvögel verlassen außerdem ihre Jungen, bevor diese flügge geworden sind. So betreuen Altvögel mitunter einen Kindergarten von hundert Jungen. Die meisten werden allerdings von Silbermöwen gefressen, bevor sie erwachsen werden.

Nach der Aufzucht der Jungen fliegen die Brandgänse zu einem Mauserplatz, wo sie ihre alten Federn abwerfen und durch neue ersetzen. In dieser Zeit können sie fünfundzwanzig bis dreißig Tage nicht fliegen. Sicherheit vor Feinden ist in dieser Zeit oberstes Gebot – und viel Nahrung muß auch vorhanden sein. Beides finden sie auf dem Knechtsand – einer großen Sandbank zwischen Weser- und Elbemündung (s. S. 152).

Um 1900 war der Bestand der Brandgans sehr stark zurückgegangen. Heute ist sie an der Nordseeküste wieder häufig – Symbol eines konsequenten Vogelschutzes.

Begegnung im Wattenmeer: Brandgans und Säbelschnäbler

Zu den hübschesten Vogelküken zählen junge Brandgänse.

Ein Pärchen Brandgänse. Das Männchen ist an dem roten Schnabelhöcker zu erkennen.

Seeregenpfeifer:
Tourismus stört sein Brutgeschäft

Der Seeregenpfeifer bebrütet sein Gelege nahe der Hochwasserlinie.

Seeregenpfeifer haben sich einen Brutplatz ausgesucht, der von Natur aus mit vielen Gefahren verbunden ist. Sie brüten auf Sandstränden der Küste, nur wenig über der mittleren Hochwasserlinie. Von der Ablage des ersten Eies an darf die Flut achtundzwanzig Tage lang nicht wesentlich höher als normal steigen – andernfalls werden die Eier fortgeschwemmt. Die Mühe der Eibildung und des Brütens war dann umsonst. Aber nicht nur das Wasser, auch der Sand in Verbindung mit Wind gefährdet das Gelege. Gegen Sandverwehung ist der Seeregenpfeifer jedoch nicht so machtlos wie gegen Hochwasser. Bei Sandsturm steht er ständig mit den Füßen buddelnd über den Eiern. Wird er bei Sandsturm von einem vorübergehenden Menschen gestört, kann das verlassene Gelege in ganz kurzer Zeit zugesandet sein. Er scharrt es nach der Störung sofort frei, wobei er haargenau an der richtigen Stelle zu arbeiten beginnt.

Der laufende Seeregenpfeifer bewegt seine Beine so schnell, daß man meinen könnte, eine Kugel rolle über den Sand. Laufen können die erst wenige Stunden alten Küken auch schon, zwar nicht so schnell und ausdauernd wie ihre Eltern, doch was nicht ist, wird hier sehr bald.

Der Bestand des Seeregenpfeifers ist rückläufig. Sein ärgster Feind ist der Massentourismus. Ein schöner Tag, der viele Menschen an seine Brutplätze lockt, wird dem kleinen Strandvogel oft zum Verhängnis, denn Ausflügler bemerken das gut getarnte Gelege nicht. Stundenlange Erhitzung durch die Sonne sind für die Küken eine größere Gefahr als Abkühlung.

Der lockere Sand, der die Dünen aufbaut, gefährdet bei Sturm die Gelege des Seeregenpfeifers.

Seeregenpfeifer an seinem Gelege. Er brütet gerne dort, wo Menschen sich sonnen. So werden viele Seeregenpfeifer von den Gelegen vertrieben.

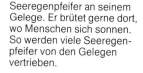

165

Rotschenkel:
Im Binnenland erheblich
zurückgegangen

Am häufigsten brütet der Rotschenkel im Grünland vor den Deichen an der Küste.

Mit seinen langen roten Beinen wirkt der Rotschenkel so groß, daß man ihm sein Gewicht nicht glauben möchte; er wiegt nicht mehr als eine Drossel.

Die meisten Rotschenkel brüten an der Küste und auf den Inseln außerhalb der Deiche. Ihr Nest ist gegen Räuber gleich dreifach getarnt: Es steht in dichtem Pflanzenwuchs, die Eier verschmelzen durch Färbung und Fleckung mit der Umgebung, und über dem Nest zieht der brütende Vogel die Halme zu einer Haube zusammen. Das Weibchen brütet vor allem tags, das Männchen nachts. Seine Nahrung findet der Rotschenkel mit zwei verschiedenen Methoden: Er pickt Würmer, Schnecken, Krebse und Insekten auf, die er beim Umherlaufen erspäht hat, oder er pflügt mit geöffnetem Schnabel schnell laufend durch den Schlick und ertastet dabei seine Beutetiere. Mit Hilfe dieser Methode kann der Rotschenkel auch bei Nacht Nahrung suchen. Oft wäscht er seine Beute vor dem Verschlucken durch Hin- und Herschlenkern im Wasser.

Der Rotschenkel ist unmittelbar vor den Deichen an der Küste noch häufig, aber schon hinter den Deichen geht er überall zurück, weil die feuchten Wiesen entwässert werden. Früher kam er auch an vielen Orten im Binnenland vor. In Süddeutschland gibt es nur noch dreizehn Paare. Und im norddeutschen Binnenland ist er regional auch schon verschwunden. Die Erhaltung und Neugestaltung von vielen Feuchtgebieten ist für den Rotschenkel eine Überlebensfrage.

Der Rotschenkel ist nur noch an der Küste ein verbreiteter Brutvogel.

Alpenstrandläufer:
Noch Tausende Zugvögel,
aber nur 50–70 Brutpaare

Der starengroße Alpenstrandläufer ist dem kundigen Küstenbeobachter eine vertraute Erscheinung. Auf dem Zuge und bei der Rast kommt er in Schwärmen von mehreren zehntausend Vögeln vor. Im Schwarm fliegende Alpenstrandläufer verhalten sich ganz ähnlich wie Stare. Plötzliche Schwenkungen in der Flugrichtung machen alle Vögel gleichzeitig mit. Das sieht so aus, als ob die Vögel präzise auf ein Kommando reagieren. Wie sie ihre Flugänderung so schnell miteinander abstimmen, ist nicht bekannt.

Die großen Scharen der in Skandinavien und in der Sowjetunion brütenden Alpenstrandläufer halten sich bei uns vor allem im Herbst lange Zeit auf, wo sie bei Ebbe auf dem trockengefallenen Boden nach Nahrung suchen. Dabei stochern sie mit ihrem Schnabel im Boden mit Bewegungen, die an eine Nähmaschine erinnern. Auf dem Zuge erreichen Alpenstrandläufer eine Geschwindigkeit von 80 km in der Stunde – eine bemerkenswerte Leistung für den relativ kleinen Vogel.

Der einst große Bestand an Brutvögeln in Norddeutschland ist auf fünfzig bis siebzig Paare zusammengeschmolzen. Die Ursache dafür liegt in der Entwässerung und dem Rückgang der Beweidung, denn der Alpenstrandläufer braucht zum Brüten feuchten, kurzrasigen Boden.

Alpenstrandläufer suchen im Schlamm schnell mit dem Schnabel stochernd nach Nahrung.

Austernfischer:
Besonders geschätzt
für wissenschaftliche Untersuchungen

Der taubengroße, schwarz-weiß-rot gefärbte Austernfischer ist sehr häufig und leicht zu beobachten. Daher gehört er zu den bekanntesten Küsten- und Inselvögeln. Wegen seiner Häufigkeit ist er auch ein beliebter Vogel für wissenschaftliche Untersuchungen. Vielen Austernfischern wurden Farbringe mit wechselnden Kombinationen um den Fuß gelegt, so daß man jedes Individuum an seinen Farbringen erkennen kann. Die genaue Beobachtung, oft über mehrere Jahrzehnte, brachte viele interessante Einzelheiten zutage: Die Austernfischer brüten zum ersten Mal mit drei, vier oder fünf Jahren. Lebenslange Gattentreue ist die Regel. Die längste beobachtete Ehe währte zwanzig Jahre. Manche Vögel setzen mitunter mit dem Brüten aus. Ein sechsunddreißigjähriger Austernfischer war immer noch sexuell aktiv.

In der zweiten Hälfte des 19. Jahrhunderts hatte der Austernfischer stark abgenommen durch Bejagung, Eierabsammeln und Störungen am Brutplatz. Konsequenter Vogelschutz führte schon 1930 zum Wiederanstieg der Bestände, der bis heute anhält. An den deutschen Küsten der Nord- und Ostsee brüten 10000 bis 13000 Paare. Von 1950 an drang der Austernfischer zum Brüten sogar immer weiter ins Binnenland vor. Er gehört zu den wenigen Arten, die durch die Entwässerungen der Wiesen eher Vorteile als Nachteile haben.

Austernfischer sind als Brutvögel auch in den Wiesen hinter den Küstendeichen anzutreffen.

Die schwarz-weiß-roten Austernfischer gehören zu den auffallendsten Vögeln der Küste. Im Hintergrund liegen Pfeif- und Reiherenten.

Säbelschnäbler:
Vor dem Aussterben bewahrt

Keine Laune der Natur, sondern ein zweckmäßiges Werkzeug: Mit seinem nach oben gebogenen Schnabel kämmt der Säbelschnäbler geschickt das Seichtwasser nach Kleinlebewesen durch.

Sieht man einen Säbelschnäbler zum ersten Mal, könnte man glauben, er habe eine Schnabelverletzung, denn sein Schnabel ist nach oben gebogen. Das ist einmalig in der heimischen Vogelwelt. Doch wie bei allen anderen Vögeln auch ist diese merkwürdige Schnabelform nichts anderes als eine vorzügliche Anpassung an den Nahrungserwerb. Im seichten Wasser watend, zieht der Säbelschnäbler seinen leicht geöffneten Schnabel nach links und rechts durch den Schlick, wobei er Würmer, Insekten, Larven und kleine Krebse ertastet, packt und verschluckt. Wenn mehrere Säbelschnäbler dicht beieinander säbelnd vorwärtsschreiten, werden aufgescheuchte, im Wasser schwimmende Beutetiere aufgenommen. Die eben geschlüpften Küken verfügen bereits über die Säbelbewegung; sie ist also rein angeboren und nicht erlernt.

Mit diesem speziellen Nahrungserwerb kann der Säbelschnäbler bei uns nur an der Küste brüten, wo er ständig seichtes Wasser mit wenig Pflanzenwuchs und vielen Nahrungstieren vorfindet. Er brütet auf kurzrasigem Boden in Kolonien; gerne auf Weiden. Das Weidevieh hält der brütende Vogel erfolgreich vom Nest fern, indem er in verschiedenen Stellungen sein auffälliges schwarz-weißes Gefieder zur Schau stellt und damit die grasenden Kühe und Schafe zur Richtungsänderung bewegt.

Wie Brandgans und Austernfischer ist der Säbelschnäbler ein Beispiel für erfolgreichen Vogelschutz: Die einst großen Bestände an unseren Küsten nahmen Mitte des vorigen Jahrhunderts durch Verfolgung, Eiersammeln und Störungen stark ab. Heute brüten wieder 2600 Paare an unserer Nord- und Ostseeküste.

Das »Nest« des Säbelschnäblers verdient kaum seinen Namen.

Lebensraum Gebirge

Die Zerstörung der Alpen – dieses Schlagwort, das in den letzten Jahren die Runde durch die Medien machte, stieß außerhalb der Fachwelt überall auf Unglauben: Wer oder was sollte wohl die Alpen zu zerstören imstande sein? Stellen sie nicht die menschenfeindlichste, kulturabweisendste, grandioseste Landschaft überhaupt dar, vergleichbar allenfalls den Weltozeanen? Eher zerstören sie Menschenwerk, als daß der Mensch diesen Gebirgsriesen etwas anhaben könnte.

Nun hatte von den Warnern auch niemand die Hochgebirgsmassive im Sinn; sie unterliegen durch Wind- und Eiskräfte der Selbstzerstörung durch Erosion. Aber das ist ein natürlicher, in Jahrmillionen zu sehender Vorgang, der uns nicht zu berühren braucht. Gemeint war immer der Alpen*raum,* die von Menschenhand geprägte subalpine Kulturlandschaft aus Talgründen, Hängen, Almen und Matten. Und der Gebirgswald als die einst flächendeckende Vegetationsform im gesamten Alpenraum bis hinauf an die Gletscher.

Daß die Bilderbuchlandschaft der Alpen auf die Menschen wie ein Magnet wirkt, der sie massenweise anzieht, ist durch den viel publizierten Ferienrummel im Sommer wie im Winter allseits bekannt. Vielen, die nur als Gäste kamen, gefiel es hier so gut, daß sie beschlossen zu bleiben oder sich eine Zweitwohnung zu kaufen. Von den 1968 gezählten 90000 Wohngebäuden (ohne Wochenend- und Ferienhäuser) im Alpenraum sind allein 40000, also fast die Hälfte, nach 1949 gebaut worden. Zu den 2000 Wohngebäuden, die Jahr für Jahr errichtet werden, kommen jährlich noch 300 bis 400 Wochenend- und Ferienhäuser sowie 2500 bis 3000 reine Zweitwohnungen hinzu. Das ergibt Jahr für Jahr eine Fläche von sechs Quadratkilometern, die mit Häusern zugebaut wird. Nirgends in Deutschland kann berechtigter von einer Zersiedelung der Landschaft gesprochen werden als im alpenländischen Raum.

Natürlich wuchs mit der Siedlungsdichte auch die Infrastruktur: Straßen, Parkplätze, Stromversorgungsleitungen und Freizeiteinrichtungen vielfältigster Art fraßen die landwirtschaftlich kostbarsten, weil ebenen Talgründe. Die Dörfer wuchsen nicht nur zu Städten an, auch die Menschen verstädterten. Um die Seen fließen die Orte zusammen. Der Tegernsee ist nur ein, freilich das unrühmlichste Beispiel. Garmisch-Partenkirchen ist längst breiig zerflossen. Für die letzten Kühe, die abends von der Weide in ihre nun schon mitten in der Stadt gelegenen Stallungen zurückkehren, werden zur Belustigung der Touristen die Ampeln auf Grün geschaltet: der Autoverkehr muß warten.

Anfang der siebziger Jahre schockte der Direktor des Instituts für Landeskunde in Bonn, Ganser, ein Fachauditorium des Deutschen Werkbundes in Bayern mit der Vision, es würden unseren Alpenraum einstens, statt der drei-viertel Million von heute, drei Millionen Einwohner bevölkern. Drei Millionen Menschen im deutschen Alpenraum (der ja nur zu seinem kleineren Teil für menschliches Wohnen geeignet ist): das würde einer Bevölkerungsdichte von 600 Einwohnern auf den Quadratkilometer entsprechen – eine Siedlungsdichte, wie sie derzeit im Ruhrgebiet herrscht. Die Täler würden vollaufen mit Beton und Asphalt, der Siedlungsbrei kröche nicht nur die Hänge hoch, er müßte auch überschwappen in Hochtäler und Almbereiche. Die Vision ist zu ekelhaft, um sie weiter auszumalen.

Ihrer Talweiden als der Futterbasis ledig, gaben die Alpenbauern vielfach auch die Almen auf. Von ihnen allein konnten Kühe und Menschen nicht mehr leben, und die Jungen wollen ohnehin den harten und einsamen Dienst als Senn und Sennerin nicht mehr leisten. So liegen seit den letzten beiden Jahrzehnten viele Almen brach. Das führte zu ganz neuen ökologischen Problemen. Erosionen setzten ein, das heißt, die nicht mehr beweideten Steilhänge brachen schorfig auf, wobei wir uns um den wissenschaftlichen Ursachenstreit hier nicht zu kümmern brauchen: ob nun das lange Gras in den Schnee einfror und von ihm mitsamt den Wurzelballen talwärts ausgerissen wurde oder ob der bergab schiebende Schnee den von Hirten nicht mehr entfernten Einzelbaumwuchs mitsamt seinen Wurzeln aus dem Boden riß und so die Grashaut für weitere Abschürfungen öffnete. Wie auch immer, Fels und Geröll traten zutage; Kulturland ging verloren, wo nicht der Wald sich die aufgegebenen Almflächen zurückholte, die man ihm einst durch Rodungen entrissen hatte.

Aber da zeigte sich schon wieder ein Problem: Es kommt nicht mehr der alte, ökologisch stabile Bergmischwald zurück, dessen Tannen-, Buchen- und Ahornbeimischungen den flachwurzelnden, für Rutschungen, Lawinenabgänge und Windbrüche anfälligen Fichtenanteil stützten. Es kommt fast überall allein die Fichte, die von Natur aus nur im oberen Waldgürtel im Reinbestand steht. In tieferen Lagen, bis in die Täler hinunter, herrschte einst der gemischte Wald vor: etwa 45 Prozent Fichte, 25 Prozent Tanne und 30 Prozent Buche. Heute hat hier die Fichte örtlich einen Anteil bis zu 90 Prozent erreicht.

Wiederum wollen wir nicht näher in den fachlichen Ursachenstreit darüber eintreten, wer letztlich für diese Baumarten-Entmischung und nachfolgende Labilität der Bergwälder verantwortlich ist: der Förster, der bei Aufforstungen der wirtschaftlicheren Fichte den Vorzug gibt, oder der Jäger, indem er durch eine jagdlustbetonte Überhege den viel zu vielen Hirschen (ihre Zahl übersteigt die des Almviehs) den so wichtigen Tannen- und Ahornnachwuchs zum Fraß vorwirft. Es kommt halt das eine zum andern.

Gewiß ist, daß die Hirsche in die waldschädigende Rolle eingetreten sind, die jahrhundertelang das Vieh spielte, das zur Weide in die Wälder getrieben wurde. Die Folgen sind nicht nur in Form einer verarmten Mischung im Bergwald zu sehen (die Fichte wird vom Wild weit weniger als Tanne, Buche und Ahorn verbissen), sondern auch in einer Überalterung vieler Bestände. Der Wald vergreist. Die alten Bäume stehen vielerorts licht, Gras wächst zwischen ihnen hoch, statt der eigenen Verjüngung; das zu viele Wild läßt sie außerhalb der Zäune nicht mehr aufkommen, und Zäune sind im Gebirgswald alsbald zerstört. Hochlagen-Untersuchungen der Universität München lassen diese Vergreisungsgefahr für große Teile des Gebirgswaldes als realistisch erscheinen, und die Mitursache »Wild« wurde überzeugend bewiesen.

Die Ökologen, unter ihnen zunehmend Forstleute, fordern daher immer ungeduldiger die drastische Verringerung von Hirsch und Reh und das Zurückdrängen des Fichtenanteils am Bergwald. Sie verweisen auf die Lawinen und Muren, deren Abgänge im stabilen Mischwald eher aufgehalten werden als im labilen Fichtenwald. Auch die staatliche Wasserwirtschaft schließt sich dieser Forderung an. Sie ist gezwungen, ungeheure Summen Steuergeld auszugeben, um mit Hilfe von oft scheußlich anzuschauenden Bachverbauungen die Siedlungen vor Hochwasser zu schützen – auch dies eine Folge der zunehmenden Auflichtung und Verfichtung der Bergwälder, denn geschlossene Mischwälder machen den Boden durchlässig und lassen die Niederschläge rasch ins Grundwasser versickern; auf den dichten Nadelböden der Fichtenwälder aber fließt das meiste Wasser an der Oberfläche zu Tal und läßt die Bäche zu reißenden Strömen werden.

Man kann die lange Liste der ökologischen Gefahren, die dem Alpenraum drohen, nicht abschließen, ohne die Inflation der Berghütten, Bergbahnen, Sessellifte und Skipisten zu erwähnen. Nicht nur, daß aus geldorientierten Gründen immer mehr Berggipfel verdrahtet und in ihrer ästhetischen Schönheit schwer beeinträchtigt werden, es leidet auch der Wald unter den Schneisen, die für diese Touristenbagger und Rennstrecken in ihn hineingehauen werden: Stürme und Lawinen haben mit den Wundrändern, Erosionen mit der Vegetationsdecke leichtes Spiel. Auch werden Lebensräume des Wildes brutal zerschnitten, das Wild selber durch immer mehr Wanderwege, Loipen und Liftkombinationen in dauernde Angst versetzt. Holzwirtschaftliche Maßnahmen, überzogener Forststraßenbau und der Einsatz von forstlichen Großmaschinen geben manchen Tierpopulationen den Rest, zum Beispiel dem Auerwild, das ohne die alten Bergmischwälder nicht leben kann. Ausgerechnet in ihnen, die ohnehin schon, wie dargetan, vielfältig bedroht sind, wird immer wieder aus rein wirtschaftlichen Gründen Holz gemacht.

Es gibt Anzeichen der Vernunft auf seiten der Politik und der Regierenden, ohne Frage. Aber dies sind schwache Pflänzchen, und allzu viele politisch potente Hirsche – Fremdenverkehr, Waldbesitz, Landwirtschaft und Jagd – machen ihnen das Aufkommen schwer, wo nicht gar unmöglich.

Ein krasses Beispiel für die Macht des nutzungsorientierten Lobbyismus bietet das Gesetzgebungsverfahren für den Hochgebirgs-Nationalpark Königssee im Berchtesgadener Land. Nach jahrelangem Tauziehen, finstersten Intrigen und Verleumdungen der Ziele des Naturschutzes wurde vom bayerischen Landtag eine Verordnung verabschiedet, die im weltweit verbreiteten Nationalparkwesen einmalig ist: Man unterstellte die Parkverwaltung dem Landrat von Berchtesgaden, einem erklärten Erschließungsfanatiker im Interesse des Fremdenverkehrs. Wer auch nur ein bißchen etwas von den Pressionen weiß, denen sich ein politischer Beamter, wie es ein bayerischer Landrat nun einmal ist, ausgesetzt sieht, der wird um diesen größten deutschen Nationalpark auch dann bangen müssen, wenn ihm einmal ein Mann guten Willens vorstehen sollte. Fünf Münchner Ministerien reden nun in die Parkverwaltung hinein. Vergebens geißelte die Opposition im Landtag diesen auf Konflikt angelegten Zustand. Die CSU setzte sich mit ihrer absoluten Mehrheit rigoros über alle fachlichen Einreden hinweg: Ein Paradefall für den unseligen Einfluß der Lobbyisten aus Holzwirtschaft, Landwirtschaft, Jagd und Tourismus. Es ist für sie unvorstellbar, daß es in Deutschland eine große zusammenhängende Fläche geben könnte, auf der nicht gewirtschaftet wird: Freilich, hört man sie reden, so liegt ihnen allen der Naturschutz ungeheuer am Herzen. Aber das ist ja keine bayerische Spezialität; sie ist bundesweit verbreitet.

Horst Stern

Vögel im Gebirge:
Letzte Zuflucht für einige Arten

Im Gebirge liegen verschiedene Lebensbereiche übereinander. Eine der wichtigsten Lebenslinien ist die Baumgrenze, die in den deutschen Alpen etwa bei 1700 bis 1900 m erreicht wird. Darüber erstreckt sich die alpine Stufe bis an die Gletscher. Hier besteht die Pflanzendecke nur aus kleinen Sträuchern und Gräsern und anderen niedrigwachsenden Pflanzen. Die obersten Stockwerke des Bergwaldes werden fast nur noch von Nadelwäldern eingenommen. Man nennt das oberste Waldstockwerk die subalpine Stufe. Darunter liegt das Gebiet von Laub- und Mischwäldern, das bei uns bis etwa 1400 bis 1500 m Meereshöhe reicht.

Die Waldstufe stellt an die Vögel im allgemeinen noch keine außergewöhnlichen Anforderungen. Eine ganze Reihe von Waldvogelarten, die wir aus dem Flachland oder dem Mittelgebirge kennen, kommen bis fast an die Baumgrenze vor, wie z. B. der Waldbaumläufer, die Tannenmeise,

Unberührte, naturnahe Bergwälder und klare Alpenseen sind nicht nur eine Zierde der Landschaft, sondern Rückzugsgebiet bedrohter Vogelarten.

Die Alpendohle ist ein Nutznießer der Touristen: Zugeworfene Brocken fangen die Alpendohlen geschickt in der Luft, und Abfälle werden auf Eßbares durchsucht.

das Wintergoldhähnchen oder der Buchfink. Andere freilich erreichen schon vorher ihr Existenzminimum, da auch in den höheren Stufen des Bergwaldes das Klima recht rauh ist.

Ausgesprochen lebensfeindlich sind dagegen die Bedingungen in der alpinen Stufe. Sauerstoffmangel, große Temperaturschwankungen zwischen Tag und Nacht, schnelle und sehr starke Veränderungen der Luftfeuchtigkeit, starke Winde, z. T. große Trockenheit wie in den Südalpen oder gewaltige Niederschlagsmengen wie in den Westalpen, schaffen auch für Vögel gewisse Probleme. Besonders entscheidend in den höchsten Gebirgslagen ist der kurze Sommer, der nicht durch das Frühjahr und den Herbst vom Winter getrennt wird. *Wer in der alpinen Stufe auf Dauer überleben will, muß sich in Körperbau und Verhaltensweisen ganz besonders anpassen.*

Im allgemeinen werden die in großen Höhen herrschenden Bedingungen von Vögeln offenbar leichter ertragen als z. B. vom Menschen. Vögel fliegen sogar noch in Höhen, in denen wir ohne Hilfsgeräte nicht existieren können. So hat man über dem Himalaja ziehende Enten und Gänse in 8000 m Höhe beobachtet.

Vögel, die über längere Zeit in großen Höhen vorkommen, haben in der Regel größere Herzen und sind insgesamt auch größer als in der Ebene. Das größere Herz dient der besseren Versorgung des Körpers mit Sauerstoff. Ein größerer Körper ist im allgemeinen besser gegen Kälte geschützt. Einige der Vogelarten, die im Bereich der Baumgrenze oder sogar noch darüber das ganze Jahr über aushalten, haben zusätzliche Anpassungen entwickelt. Birkhuhn und Alpenschneehuhn besitzen ein sehr dichtes Gefieder, befiederte Füße und Federn an den Nasenlöchern als Wärmeschutz. Besonders ausgebildete Federn und Hornplatten an den Zehen wirken wie Schneeschuhe im hohen Schnee; der Vogel kann kaum einsinken. Das Alpenschneehuhn wechselt im Herbst sein Federkleid in schneeweiße Federn, so daß es für Feinde, vor allem für den Steinadler, schwer erkennbar ist.

Im Windschutz von Geröll und Felsvorsprüngen oder an senkrechten Wänden, die auch im Winter eine starke Sonneneinstrahlung aufweisen, läßt es sich besser überleben. Hier finden sich auch zur kalten Jahreszeit noch begehrte Insekten und Nahrungspflanzen. Dies nützt der Mauerläufer aus, der vor allem in Schluchten brütet, in denen es in Mauerritzen noch genügend Insekten und kleine Spinnen gibt. Auch viele weitere Felsbewohner brüten im Windschutz von Spalten und Felsen, so der Alpensegler, die Felsenschwalbe und auch die Mehlschwalbe, die bis in Höhen von 2000 m vorkommt.

Echte Hochgebirgsvögel sind freilich nur wenige Vogelarten, so z. B. der Schneefink und die Alpenbraunelle, die nur über der Baumgrenze vorkommen. Die so vorzüglich an das Gebirgsleben angepaßten Birkhühner und Alpenschnee-

hühner sind dagegen auch im Norden Europas verbreitet, wo die Bedingungen ähnlich sind wie in den Alpen. Andere Arten locken nur die Felsen zum Brüten in die höchsten Lagen der Gebirge. Dies gilt z. B. für die Alpenkrähe und den Hausrotschwanz, die gleichermaßen auch in Felsen an der Küste zu Hause sind oder auch in alten Ruinen. Der Hausrotschwanz fühlt sich zudem an den Häusern unserer Dörfer und Städte als Felsenersatz recht wohl. Auch der Steinschmätzer kommt sowohl in der Ebene als auch auf den Geröllfeldern der hohen Gebirgslagen vor. Er besiedelt Tundra, Heide, Moore, Ödland, Kiefernkahlschläge, Sandgruben, Bahndämme, Dünen und Gebirgsmatten und gehört damit zu den anpassungsfähigsten Vögeln.

Andere Arten sind nur scheinbar auf das Gebirge beschränkt. Sie waren früher viel weiter verbreitet und haben sich in die vom Menschen noch nicht so vollständig veränderten und erschlossenen Gebirgslandschaften zurückziehen müssen. Dies gilt vor allem für den Steinadler, aber auch für den Kolkraben und den Uhu, die in weiten Teilen des Flachlandes und der Mittelgebirge ausgerottet worden sind.

Aber selbst die Vögel der Alpen sind heute vielen Gefährdungen ausgesetzt. Steinadler, Uhu und stark spezialisierte Waldbewohner, wie Auerhuhn und Haselhuhn, dürfen sich auch in den Alpen nicht mehr sicher fühlen. Selbst die Schneehühner werden offenbar durch den zunehmenden Wintertourismus in den Hochlagen bedroht. Nur noch an wenigen Stellen haben die Bergwälder ihr ursprüngliches Aussehen bewahrt. Auch im Hochgebirge hat die moderne Forstwirtschaft bereits das Zepter an sich gerissen. Riesige Skipisten durchschneiden das Waldkleid, und große Forststraßen führen auch in die entlegensten Waldbezirke. Dies kann nicht ohne Einfluß auf besonders empfindliche Bergwaldbewohner der Vogelwelt bleiben.

Vergängliche Blütenpracht im kurzen Bergsommer: Nur wenige Tage bedecken die Krokusblüten wie frischgefallener Neuschnee saftige Bergwiesen.

Im Herbst fallen dem Alpenschneehuhn die dunklen Federn aus. Sie werden durch schneeweiße ersetzt. Auf diese Weise ist der Vogel das ganze Jahr über gut getarnt.

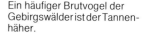

Ein häufiger Brutvogel der Gebirgswälder ist der Tannenhäher.

Ein seltener Schnappschuß: Eine Felsenschwalbe im Abflug von ihrer in hohen Felswänden versteckten Brutstelle.

Auch für das Haselhuhn bedeuten naturnahe, ungestörte Bergmischwälder letzte Rückzugsgebiete.

Steinadler:
Stirbt der König der Lüfte aus?

Steinadler kommen bei uns heute nur noch im Hochgebirge vor und bewohnen hier die Talgründe der Hochlagen.

Ein ausgewachsener Steinadler erreicht zwar fast das Gewicht eines Seeadlers, mißt aber »nur« zwei Meter von Flügelspitze zu Flügelspitze. Auch Schnabel und Zehen sind lange nicht so kräftig ausgebildet wie beim Seeadler. Erst im fünften Lebensjahr werden die Adler geschlechtsreif. Offenbar halten die Partner eines Paares ein Leben lang zusammen, verpaaren sich aber rasch neu, wenn ein Partner ausfällt. In freier Natur kann ein Adler fünfzehn bis achtzehn Jahre alt werden, in Gefangenschaft erreicht er sogar vierzig bis siebenundfünfzig Jahre.

In den Alpen werden fast alle Adlerhorste auf Felsvorsprüngen gebaut, nur ganz selten auf Bäumen. In Skandinavien ist der Steinadler dagegen sowohl Fels- wie auch Baumbrüter. Schon im Februar wird mit dem Nestbau begonnen. Die Nestgrundlage besteht aus bis zu zwei Meter langen Ästen, die am Boden aufgelesen oder von Bäumen abgebrochen oder abgezwickt werden. Leichtes Nestmaterial wird mit dem Schnabel, schweres mit den Zehen transportiert.

Jedes Paar besitzt in seinem Revier mehrere Horste, die, wenn möglich, immer wieder benutzt werden. Auf diese Weise kann eine Adlerburg zwei bis drei Meter hoch werden. In Schottland hat man sogar einmal eine Nesthöhe von 5,7 m auf einem Baum gemessen.

Ende Februar bis Anfang Mai legt das Weibchen meist zwei Eier. Jedes Paar brütet nur einmal im Jahr. Verlorengegangene Bruten werden meistens nicht ersetzt. Oft finden auch in einem Steinadlerrevier nicht jedes Jahr Bruten statt. Mit vierundvierzig Tagen ist die Brutzeit außerordentlich lang. Ebenso die Nestlingszeit mit vierundsiebzig bis achtzig Tagen. Schlüpfen zwei oder gar drei Junge in einem Horst, kommt es regelmäßig zu Kämpfen zwischen den Jungen, die sehr oft tödlich ausgehen, so daß häufig nur ein Junges flügge wird. Erst wenn die Jungen mit vier Wochen selbst anfangen zu fressen, hören die Kämpfe auf. Haben bis dahin beide Junge eines Horstes überlebt, werden meistens auch beide flügge. Die Eltern kümmern sich um die kämpfenden Jungen überhaupt nicht. Da sie offensichtlich ohne Schwierigkeiten zwei Junge großziehen können, ist der Sinn der Jungenkämpfe, die übrigens auch bei anderen Adlerarten beobachtet werden, nicht erklärlich.

Das Männchen versorgt das brütende Weibchen mit Nahrung. Während der ersten vier Lebenswochen werden die Jungen allein vom Weibchen gefüttert, das winzige Brocken von den Nahrungstieren abreißt und den Jungen vorhält. Danach fangen die Jungen selbst an, Fleischbrocken abzuzupfen. Aber erst mit über sieben Wochen ist der Jungadler in der Lage, unverletzte Beute selbst zu öffnen und zu zerlegen. Das Weibchen sorgt für Hygiene im Haus, indem es ältere Nahrungsreste und verschmutztes Nistma-

terial in die Krallen nimmt, damit fortfliegt und den Abfall irgendwo fallen läßt.

Steinadler sind ausgezeichnete Segel- und Gleitflieger, die geschickt die Aufwinde an den Berghängen ausnutzen. Sie erreichen im Gleitflug sehr hohe Geschwindigkeiten, bis zu 160 km in der Stunde, im steilen Sturzflug auf die Beute sogar fast 300 km/Stunde, und nähern sich damit dem Geschwindigkeitsrekord des Wanderfalken.

Bei der Jagd nützen Steinadler in der Regel in erster Linie den Überraschungseffekt aus. Niedrig über dem Boden oder um eine Felskante streichend, verfolgen sie die überraschten Beutetiere im bodennahen Gleitflug oder Verfolgungsflug. Im Sturzflug nach Wanderfalkenart werden meistens nur fliegende Vögel geschlagen. Kleine Beute kröpft der Steinadler oft schon im Flug, größere trägt er an einen sicheren Ort, wenn sie nicht zu schwer ist. Übersteigt das Beutetier das eigene Gewicht des Steinadlers, muß es an

Nur noch in wenigen Gebieten der deutschen Alpen jagt der Steinadler.

Steinadler in seinem Revier

Ort und Stelle verzehrt werden. Ein großer Teil der Nahrung des Steinadlers besteht aus Aas. Diese Ernährung spielt vor allem im Nachwinter, wenn das Fallwild aus den Lawinen ausapert, eine große Rolle.

Bei größeren Tierarten, die zur Beute des Steinadlers werden, handelt es sich meistens um Jungtiere. Junge Schafe, Gemsen, Rehe und Hirsche werden entweder neben der Mutter gegriffen, oder der Steinadler versucht, das Junge von der Mutter abzudrängen, kopfscheu zu machen und an einen Abgrund zu drängen, wo er zupacken kann oder die Beutetiere abstürzen. Mitunter läßt sich ein Steinadler in ein Opfer verkrallt 100 m weit mitschleifen. Gemsenmütter verteidigen ihre Jungen gegen den Adler durch Schläge mit den Vorderbeinen. Der Steinadler vermag mit einem Griff in die Hirnschale ein Rehkitz sofort zu töten.

Die Beuteliste des Steinadlers ist reichhaltig: Murmeltier, Hase, Gemse, Reh, Rothirsch, junges Weidevieh und deren Kadaver, Füchse, Dachs, Luchs, Eichhörnchen, Wiesen, Marder, Igel, Katze, Ratte, Wühlmaus und Maulwurf spielen die wichtigste Rolle. Unter den Vögeln werden vor allem Rauhfußhühner erbeutet. Viele weitere Arten spielen nur eine untergeordnete Rolle auf der Speisekarte.

Über den Nahrungsbedarf des Steinadlers bestehen immer noch abenteuerliche Vorstellungen. Geht man davon aus, daß nicht alle geschlagene Beute auch tatsächlich verzehrt wird, muß man jährlich mit 320 kg lebender Beute oder Aas pro Brutpaar rechnen einschließlich des Beutebedarfs der Jungen und noch nicht brütender Jungadler. In Schottland, wo die Beutetierliste besonders gut bekannt ist, wären das im Jahr 2 Schafe, 70 Schneehasen, 140 Moorschneehühner, ein Hirsch, 110 Kaninchen und 160 Schneehühner. In der Ernährung unserer Alpenadler spielen in zunehmendem Maße auch verwilderte Haustiere eine Rolle.

Früher gab es an vielen Orten Steinadler. Sie wurden als Nahrungskonkurrenten des Menschen rücksichtslos verfolgt, und so blieb der kleine Rest im Hochgebirge der Alpen von etwa fünfzehn bis siebzehn Brutpaaren. Unvorstellbare Zahlen von Steinadlern wurden in der Vergangenheit erlegt, allein im Allgäu von 1875 bis 1925 200 Adler von einem sogenannten »Adlerkönig«.

Leider gehört die Verfolgung des Steinadlers nicht der Vergangenheit an. Trotz gesetzlichen Schutzes wurden in der Schweiz Bruten zerstört, Adler abgeschossen und vergiftet und von 1959 bis 1965 in Österreich mindestens 100 Steinadler erlegt, gefangen, tot aufgefunden oder ausgehorstet. Ja, es werden hier sogar Genehmigungen zum Abschuß erteilt. Auch in Bayern haben sich in den letzten Jahren immer wieder einzelne Steinadler in Fuchseisen gefangen. Zudem wird der bayerische Bestand durch die Anlage von Bergbahnen, Truppenübungsplätzen im Hochgebirge, Hubschrauberflüge, Tourismus und Tierfotografen immer stärker bedroht.

Sehr empfindlich reagiert der Steinadler auch auf Rückstände von Schädlingsbekämpfungsmitteln. Dies wurde in Schottland mit überzeugenden Ergebnissen untersucht. Vor der Einführung des Mittels Dieldrin betrug der Anteil erfolgreich brütender Paare 72%, nach seiner Einführung 1961 bis 1965 dagegen nur 30%. Nachdem man im Januar 1966 das Dieldrin in Schottland verboten hatte, stieg der Bruterfolg wieder auf 69% an.

Der Steinadler ist aus folgenden Gründen in unserer Welt besonders gefährdet:
Er geht gern an Aas und fängt sich dabei in Fuchseisen oder wird vergiftet;
er wird erst in hohem Alter geschlechtsreif;
er hat nur wenig Nachwuchs, von dem bis zur Geschlechtsreife 75% umkommt;
er reagiert sehr empfindlich auf Gifte und auf Störungen am Brutplatz.

Uhu:
In vielen Ländern ausgerottet

Der Uhu ist unsere größte Eule und mißt von Flügelspitze zu Flügelspitze 1,50 bis 1,70 m. Der merkwürdige Name stammt von seinem Gesang, der sich wie u-ho anhört und in stillen Nächten weit zu hören ist. Mit ihrem Gesang locken ledige Männchen unverheiratete Weibchen an.

Die Jagdzeit des Uhus ist die Abend- und die Morgendämmerung. Von einer Warte aus oder niedrig über das Land fliegend, wird Beute gesucht. Dabei verläßt sich der Uhu vor allem auf sein vorzügliches Gehör, mit dem er völlig unsichtbare Beute orten und greifen kann. Seine Beuteliste macht deutlich, daß er eigentlich mehr auf dem Feld als im Wald jagt: Ratten, Mäuse, Igel, Hamster, Eichhörnchen, Kaninchen, halbwüchsige Hasen, Krähen, Rebhühner, Tauben, Bläßhühner, Enten und andere Eulen, Mäusebussarde und Falken, ja auch Frösche und Fische bilden einen reichhaltigen Speisezettel. Der Uhu tötet seine Beute mit seinen langen spitzen Krallen oder mit einem Biß in den Nacken.

Eulen verzehren im Gegensatz zu den Greifvögeln kleinere Beutetiere oft unzerteilt und ungerupft. Nach einigen Stunden Verdauungszeit würgen sie das unverdauliche Gewölle wieder heraus. Diese Gewölle sehen wie kleine Würstchen aus und setzen sich aus Haaren, Federn und Knochen zusammen. Da Eulen, wiederum im Gegensatz zu den Greifvögeln, die Knochen nicht mitverdauen, kann man anhand der Gewölle genau feststellen, welche Beutetiere der Uhu gefangen hat. Auch die Zahl der Beutetiere jeder Art kann der Spezialist durch sorgfältiges Auszählen der Knochenreste ermitteln. Diese Untersuchung der Gewölle gibt uns nicht nur Aufschluß über den Speisezettel verschiedener Eulen, sondern häufig auch über das Vorkommen bestimmter Mäusearten, die man sonst selten sieht oder fängt. Das Ausspeien von unverdaulichen Resten ist bei Vögeln übrigens weit verbreitet und nicht nur auf die Eulen beschränkt. Auch Singvögel

Bei Erregung stellt der Uhu zwei kleine Federbüschel an seinem mächtigen Kopf auf, die wie Ohren wirken. Das eigentliche Ohr sitzt jedoch verborgen von kleinen Federn an der Seite des Kopfes.

Ein Uhu auf seinem Rupfplatz. Federn und Gewölle mit Resten der Knochen der Beutetiere verraten uns eine Menge über den Speisezettel dieser größten einheimischen Eule.

entledigen sich so der unverdaulichen Chitinteile der Insekten.

Im allgemeinen ist der Uhu in seinen Ansprüchen nicht sehr wählerisch. Er brütet in den Felswänden des Mittelgebirges, in den Waldgebieten des Flachlandes, in den Tundren Nordeuropas und sogar in der Sahara-Wüste. Wesentlich für ihn ist nur, daß der Lebensraum genügend Nahrung, Verstecke und Sicherheit vor Störungen bietet. Im Gebirge scharrt er auf Felsbändern oder in Höhlen eine Mulde, in der Ebene oft auf dem Waldboden. Dann legt er zwei bis vier Eier. Im Flachland können auch Baumhorste von Greifvögeln oder Reihern benutzt werden.

Nie baut der Uhu ein eigenes Nest. Während der fünfunddreißigtägigen Brütezeit wird das Weibchen vom Männchen mit Nahrung versorgt. Die Jungen schlüpfen im Abstand von mehreren Tagen, da das Weibchen schon nach Ablage des ersten Eies richtig zu brüten beginnt. Daher sind die Jungen einer einzigen Brut sehr verschieden

groß. Wenn einmal nicht genügend Nahrung vorhanden ist, geht das kleinste Junge zugrunde. Somit stellen sich die Eulen in ihrer Nachwuchszahl sehr genau auf das Nahrungsangebot ihrer Umgebung ein. Ist von vornherein nicht genügend Nahrung vorhanden, werden schon weniger Eier gelegt, oder die Brut fällt einmal ganz aus. Wird während der Aufzucht die Nahrung knapp, müssen eben die Schwächsten daran glauben. Dieses grausame Spiel der Natur ist wiederum als Beitrag des Überlebens zu sehen. Für die Arterhaltung ist es sicher besser, wenn weniger, aber dafür kräftige Junge großgezogen werden. Mehr Junge, die ohnehin nicht vollwertig die auf sie zukommenden Schwierigkeiten des Lebens meistern können, nützen der Erhaltung der Art nichts. Sie sind eher eine Belastung.

Erst im Alter von neun Wochen können die Uhu-Jungen fliegen. Sie werden aber noch lange von den Eltern mit Nahrung versorgt, bis sie das Brutrevier verlassen und in der Umgebung ein

Mit großen Augen, die noch das kleinste Dämmerlicht ausnützen können, startet der Uhu zu seinen Beuteflügen in der Abenddämmerung.

181

günstiges Nestrevier suchen. Unter Umständen wandern auch Junge weit weg. Die alten Uhus sind ausgesprochene Standvögel.

In der Bundesrepublik wurde der Uhu in vielen Gegenden ausgerottet, so in Hessen, Rheinland-Pfalz, Nordrhein-Westfalen und Schleswig-Holstein. Ein ähnliches Schicksal erlitt der Uhubestand Dänemarks, Großbritanniens, Hollands, Belgiens und Luxemburgs.

Als Nahrungskonkurrent wurde der Uhu jahrhundertelang verfolgt. Dazu kam, daß man junge Uhus aushorstete für die Hüttenjagd. Bei dieser Jagdform wird ein lebender Uhu auf einen Holzblock angebunden ins Gelände gesetzt. Die freisitzende Eule lockt bald Krähen oder Greifvögel an, die die Eule fürchten und auch andere Greifvögel auf sie aufmerksam machen. Von einem Versteck aus ist es dann ein leichtes, Krähen und Greifvögel um den Uhu abzuschießen. Eine neue große Gefahr für Eulen ist durch die Drahtleitungen entstanden, die unser Land immer dichter überziehen. Nicht nur der Uhu, sondern auch Waldohreule und Waldkauz müssen der Verdrahtung unserer Landschaft großen Tribut zollen.

Man konnte den Uhubestand durch Bewachung der Brutplätze teilweise schützen. Möglicherweise ist eine Folge des verbesserten Uhuschutzes – auch weite Kreise der Bevölkerung wurden über die bedrohliche Situation des Königs der Nacht informiert – der Grund dafür, daß sich vor allem die Bestände im Mittelgebirge in Bayern wieder recht gut erholt haben. Wiedereinbürgerungsversuche haben wahrscheinlich noch zu keinem sehr wesentlichen Erfolg beigetragen, doch ist es mittlerweile gelungen, den Uhu an einigen Stellen wieder auszusetzen, an denen er in historischer Zeit verschwunden ist. Erst in einigen Jahren werden wir wissen, ob sinnvolle Wiedereinbürgerung zu festen Ansiedlungen des Uhus geführt hat.

Der Uhu wurde als Nahrungskonkurrent des Menschen verfolgt und zum Anlocken von Krähen bei der Hüttenjagd genutzt. Dadurch wurde er in vielen Ländern ausgerottet.

Blick in die Kinderstube des Uhus. Die beiden grauwolligen Dunenjungen sind etwa 3 Wochen alt.

Kolkrabe:
Ein kluger Vogel, doch gegen Gift, Falle und Flinte ist er wehrlos

Der Kolkrabe erreicht mit 1,25 kg das Gewicht eines Mäusebussards. Er ist damit unser größter Singvogel. Sein weites Verbreitungsgebiet von Grönland bis in die Sahara Afrikas, von England bis Ostsibirien, von Kanada bis Mittelamerika läßt schon ahnen, daß wir es mit einem sehr anpassungsfähigen Vogel zu tun haben. Das Fertigwerden mit so verschiedenen Bedingungen, wie sie in Grönland, in der Saharawüste und in den Wäldern Mitteleuropas herrschen, gelingt dem Kolkraben nicht nur mit seinem Instinkt, sondern auch mit einer erstaunlichen Lernfähigkeit. Auch überrascht uns dieser Vogel durch seinen Spieltrieb. So benutzten freifliegende, handaufgezogene Kolkraben eine schrägliegende Kunststoffplatte als Rutschbahn, auf der sie halb fliegend, halb auf den Zehen rutschend abwärts glitten; oder sie hängten sich segelnd an den Schwanz eines davonrasenden Schafes. Der Kolkrabe segelt im Gebirge besonders gern in

Aufwinden. Dabei zeigt er mit vielerlei Flugkünsten, wie ausgezeichnet er sein Flugvermögen anwenden kann.

In der Nahrungsbeschaffung sind Kolkraben außerordentlich vielseitig. Sie nehmen Aas, Insekten, Würmer und Schnecken, Fische und Muscheln, die mitunter durch Abwerfen auf Felsen zertrümmert werden. Auf Weiden fressen sie die Nachgeburten des Weideviehs, verschmähen aber auch Pflanzen, Obst und Körner nicht. Besonders in den nordischen Vogelkolonien holen sie sich Eier und Junge aus den Nestern anderer Arten, wobei sie sogar mit den Angriffen der wehrhaften großen Möwen fertig werden. In seinem Kehlsack kann der Kolkrabe erstaunlich viel Nahrung aufnehmen und transportieren. Hat er reichlich Nahrung, versteckt er sie.

Der Kolkrabe baut sein Nest entweder in Felsnischen oder in den Kronen hoher Bäume. Da die Nester immer wieder benutzt werden, können sie

einen Meter hoch und 1¹/₂ m breit werden. Die Äste für den Unterbau reißen die Raben von den Bäumen ab oder sammeln sie auf dem Boden auf. Der Transport eines Astes im Schnabel ist gar nicht so leicht, denn der Schnabel muß dabei genau im Schwerpunkt ansetzen. Es bedarf einiger Zeit, bis Kolkraben, die zum ersten Mal ein Nest bauen, das genau taxieren können. In der Mitte des Reisigbaues wird die Mulde mit weichem Material ausgepolstert: mit Tang, Flechten, Gras, Schafwolle, Rehhaaren, Lumpen und Mistplacken, je nachdem, was die Umgebung bietet. Schon im Januar beginnen die Kolkraben mit dem Nestbau. Ende Februar werden die ersten Eier gelegt. Das Vollgelege besteht aus fünf bis sechs Eiern, die allein vom Weibchen achtzehn bis neunzehn Tage bebrütet werden. Während dieser Zeit füttert das Männchen sein Weibchen. Einen Tag vor dem Schlüpfen werden die Weibchen sehr unruhig, stehen häufig auf, stochern im Nest umher und wenden die Eier viel öfter als sonst.

Das Junge im Ei durchstößt mit dem Eizahn, einem kleinen Kalkhöcker auf der Schnabelspitze, ein Loch in die Schale und trennt die Kappe des stumpfen Eipols ringförmig ab. Wenn das Junge dann seinen Hals streckt, ist die Kappe abgehoben. Das Weibchen hilft dabei, indem es das Ei immer so dreht, daß die arbeitende Schnabelspitze des Jungen nach oben zeigt. Die Eischalen, die Eihäute und die Eiflüssigkeit werden vom Weibchen verschluckt; das Junge wird sorgfältig vom klebrigen und häutigen Ei-Inhalt gesäubert.

Gleich nach dem Schlüpfen kümmern sich die Eltern besonders intensiv um die Nestpolsterung, die durch Zupfen immer wieder aufgelockert wird. An kühlen Tagen werden die Jungen im Polstermaterial regelrecht vergraben. Der frühe Bruttermin macht diese Fürsorge vor allem in rauhen Gegenden dringend notwendig.

Nach dem Schlüpfen der Jungvögel reinigen die Altvögel ihre Zehen und Krallen vor jedem Nestbesuch. Bei nassem Wetter meiden sie schmutzige Stellen. Alle Verunreinigungen in der Nestmulde werden von den Eltern aufgepickt und verschluckt, ebenso wird durch Kot verschmiertes Polstermaterial beseitigt. Meistens ist das allerdings gar nicht erst nötig, denn nach dem Füttern dreht sich das Junge um und gibt den umhäuteten Kot ab, der von den Eltern sofort nach dem Erscheinen aufgefressen wird.

Die Singvogeljungen werden fast nackt geboren. Sie müssen von ihren Eltern gewärmt werden. Man nennt das Hudern. Die mit dem Futter aufgenommenen Energien können auf diese Weise fast vollständig für das Wachsen verwendet werden. Der hudernde Altvogel hilft dem Jungen, die notwendig hohe Körpertemperatur aufrechtzuerhalten. In einem Nest, das in den Kronen hoher Bäume oder auf Plattformen von Felsen steht, kann aber nicht nur Unterkühlung, sondern auch Überhitzung durch intensive Sonneneinstrahlung gefährlich werden. Die Altvögel begegnen auch diesem Problem instinktiv mit besonderen Verhaltensweisen: Sie stellen sich mit abgewinkelten Flügeln über die Jungen und beschatten sie, ferner bringen sie im Kehlsack Wasser herbei und tränken ihre Jungen; schließlich können sie auch ihr Bauch- und Brustgefieder in Wasser eintauchen, um sich damit auf die Jungen zu setzen. Während das Beschatten von vielen Vogelarten als Hitzeabwehr benutzt wird, sind Tränken und Benetzen Besonderheiten des Kolkraben.

Die jungen Kolkraben bleiben lange im Nest, nämlich vierzig Tage. Sie werden danach noch zwei bis drei Monate von den Eltern betreut.

Kolkraben waren früher in allen waldreichen Gebieten Deutschlands heimisch. In den 1940er Jahren gab es im Gebiet der heutigen Bundesrepublik Deutschland nur noch in Schleswig-Holstein und Bayern brütende Kolkraben. Durch konsequenten Schutz breitete sich der Kolkrabe von Bayern, Schleswig-Holstein und Mecklenburg wieder aus. In kleinen Beständen brütet er heute wieder in Baden-Württemberg, Niedersachsen und vereinzelt in Westfalen.

Die Verfolgung durch die Jagd und Vergiftungen waren die Hauptursachen des Rückganges. Der Kolkrabe benötigt nach wie vor ganzjährige Verschonung von der Jagd. Diese Forderung stößt allerdings nicht überall auf Verständnis, denn in den Bayerischen Alpen will man immer wieder durch Abschuß der angeblich starken Vermehrung begegnen.

Sowohl an Felsen als auch auf hohen Bäumen beginnen die Kolkraben schon sehr früh im Jahr mit ihrer Brut.

Kolkraben sind wahre Flug-
künstler, die sich bei ihren
Flugspielen gerne auf den
Rücken werfen.

Ein mächtiger Schnabel ist
das Kennzeichen des Kolk-
raben, des größten unserer
Singvögel.

Lebensraum
Dörfer,
Hof und Garten

Die Naturauffassung des modernen Menschen läßt sich am besten dort ablesen, wo er sich mit eigener Hand das schafft, was er für Natur hält: in seinem Hausgarten. Es ist schwer, darüber keine Satire zu schreiben. Prunkstück und Mittelpunkt ist immer der Rasen. Als Kunstgrassorte aus Tüten in dem tischeben planierten Boden eingebracht, gereicht ihm in den Augen seines stolzen Besitzers ein Gänseblümchen zur Schande, ganz zu schweigen von einem Löwenzahn oder gar dem schon fast ehrenrührigen Ampfer. Unter Albrecht Dürers »Rasenstück« an der Wand, in dem noch kunterbunte Pflanzenvielfalt waltet, liegen in gartenbewußten Häusern die Prospekte der Unkraut-Bekämpfungsmittelfabrikanten auf, hochkarätige Gifte als wahrhaft grüne Riesen preisend, die jeden Rasen chemisch rein auch von solchen Pflanzenfrechlingen halten, die sogar den motorisierten Bürstenschnitt zweimal die Woche überlebten. Schmetterlinge, Bienen und anderes unnütze Getier wenden sich mit Grausen.

Eingefaßt ist solch ein Rasen mit den teuren Nachschöpfungen der Hochglanzgärten aus jenen Illustrierten, die uns das schönere Wohnen auch im Grünen beizubringen versuchen: exotische Gräser und Ziergehölze, dazu Rosensorten, die so sensibel sind, daß sie schon beim Anblick einer Blattlaus die Blätter von sich werfen. Mitgeliefert von solchen Gartenbauanleitungen werden juristische Ratschläge, wie man einem Nachbarn beikommen kann, der die Unverschämtheit besitzt, seinen Garten nach dessen eigner Fasson glücklich werden zu lassen und aus welchem deshalb so mancher »Unkraut«-Same als unliebsamer Flüchtling in die eigene gepflegte Gartenwelt eindringt.

Was Wunder, daß in solchen Gärten das Mähgut, die pflanzlichen Abfälle und das Laub der Bäume in die Mülltonne wandern, statt zu neuem, an Mikroorganismen und Mineralstoffen reichen Humus verkompostiert zu werden. Leidenschaftliche Kompostierer, wie einst der verstorbene Autobahnbegrüner Alwin Seifert, werden, falls man je von ihnen las, als Naturapostel angesehen, die die bequemen Segnungen aus dem Kunstdüngersack sektiererisch verschmähen. Daß ihre Bäume und ihr Gemüse, ihre Blumen und ihre Wiesen frei bleiben von tierischen Schmarotzern und Pflanzenkrankheiten, führt man auf Klimagunst oder Zufall oder auch bloß auf eine glückliche Gärtnerhand zurück.

Auf gesetzlich ungeschützten Grundstücken ist die Rodung von Bäumen meist die erste Maßnahme eines neuen Besitzers: Er braucht Platz, um den teuren Grund möglichst kostengünstig, das heißt durch ein großes Bauvolumen, nützen zu können. Die verbleibenden freien Flächen werden, nach dem Geschmack der Zeit, meist zu Kunstrasen gemacht und mit Exoten bepflanzt. Man bedenkt nicht, daß man

damit auch viele Vögel vertreibt, die an die gerodeten Bäume und die ausgerissenen Sträucher in Brutverhalten und Nahrungsbedarf angepaßt waren. Man stellt im Winter nun Futterhäuser auf, mästet in ihnen die nicht gefährdeten Meisen und ist sehr stolz auf seine Naturverbundenheit. Unzählige Schmetterlingssträucher – um nur sie zu nennen – wurden zugunsten immergrüner modischer Fremdlinge gerodet und so unseren Faltern, die die Pestizide der Landwirtschaft noch überlebten, wichtige Nahrungsquellen entzogen. Solche Abhängigkeiten sind kein Lehrfach der Gartenarchitektur. Und wo man von ihnen weiß, vernachlässigt man sie oft aus Furcht, den Auftrag an einen Kollegen zu verlieren, der dem Ungeschmack des Bauherrn nachgibt.

Im ländlichen Raum geht es kaum sehr viel natürlicher zu. Was eine Billighausarchitektur mit ihren monotonen, vorfabrizierten Bauformen an unseren Dorfbildern zwischen Flensburg und München ohne jede Rücksicht auf landschaftliche Unterschiede verdarb, versucht man nun mit Wettbewerben nach dem Motto »Unser Dorf soll schöner werden« zu kaschieren. Aber die alten Bauerngärten, die mit ihrer bunten Blumenvielfalt, ihren Kräuter- und Gemüsebeeten die Dörfer schön und die Mitesser aus der Vogelwelt satt machten, sind weitgehend dahin. Auch in die um neue Schönheit bemühten Dörfer hielt der Rasen Marke »Pflegeleicht« Einzug.

So wie die Bauern die alten Möbel ihrer Vorfahren an Antiquitätenhaie verscherbelten und sich aus den Möbelkatalogen der Versandhäuser einrichteten, wie es ihnen das Fernsehen tagtäglich als fortschrittlich zeigte, so übernahmen sie auch den pervertierten Naturgeschmack der Stadt. Es beeinflußt nicht mehr der Landmann den Städter in seiner Naturanschauung, sondern umgekehrt die Stadt das Land. Die Folge ist nicht allein eine Uniformität der Bauformen und des Gartengeschmacks. An Bequemlichkeit, Tempo und Leistung orientierte städtische Lebensformen griffen längst auch auf die Dörfer über.

Mit dieser Feststellung ist keine Kritik verbunden. Wo alle Welt sich nur an Nützlichkeitserwägungen, Gewinnstreben und Freizeitdenken orientiert, kann niemand vom Bauern erwarten, daß er altväterlich wirtschaftet und der Industriegesellschaft um Gottes Lohn Nahrung und Erholungslandschaft bereitstellt. Wir zeigen nur die Gefährdungen auf, die durch die Technisierung der Landwirtschaft und die Modernisierung ihrer Dörfer der Tierwelt im allgemeinen und den Vögeln im besonderen entstehen, damit man uns glaubt, wenn wir sagen, daß man auch diesen Vertriebenen eine neue Heimat geben muß in Gestalt von Freiräumen, die der Landwirtschaft entbehrlich sind.

Die Liste der Vertreibungsgründe ist lang: Viehhaltung ohne Streu und ohne Weidegang, in fabrikähnlichen Massentierhäusern auf Draht- oder Spaltenböden. Und wo es noch herkömmliche Ställe gibt, helfen Lindanstreifen, die Insekten zu vernichten, die einst die Vögel ernährten. Fenster werden geschlossen gehalten, die Entlüftung geschieht durch automatische Ventilatoren. Scheunen werden geschlossen und durch Silos ersetzt. Die Wege und Straßen sind asphaltiert, die Dorfbäche unterirdisch verdolt, die Dorfteiche zugeschüttet oder zu Löschwasserbecken zementiert. Und selbst der Pfarrer läßt seinen Kirchturm für Schleiereulen und Fledermäuse sperren; ihr Kot ist lästig, und hygienebewußte Gläubige könnten Anstoß nehmen.

Von der Flurbereinigung haben wir schon gesprochen, wir wollen uns nicht wiederholen. Vom Straßenbau ist noch zu reden. Alte Obstbäume sind überall im Wege, in Kurven und auf neuen verbreiterten Trassen. Man sägt sie um, zum Wohle der Autofahrer. Sollen die Käuze und die Spechte sehen, wo sie mit ihren Jungen bleiben! Und wo die alten Bäume nicht den Straßen geopfert werden, da fallen sie der Umwandlung des Obstanbaus in Plantagen aus niedrigen Hochleistungsbäumchen zum Opfer.

Immer mehr Dörfer werden den Städten zugeschlagen. Sie werden eingemeindet. Ihre Freiflächen sind willkommene Baulandreserve. Als Köder für die Dörfler dienen immer wieder bessere, breitere Straßen, Baulanderschließungen mit der Aussicht auf Gewinn aus Landverkauf, Auffüllung von Wiesengründen zu Sportplätzen, Ausbau von Weihern zu Schwimmbädern und so fort. All dies sind Verlockungen, die Dorfgemeinden nie finanzieren könnten. So stimmen sie, vom Staat noch geschoben, der Aufgabe ihrer Selbstständigkeit zu. Was sie an oft zweifelhaftem Wohlstand gewinnen, verliert die Natur an Vielfalt.

Es ist dahin gekommen, daß der sogenannte Urlaub auf dem Bauernhof, der als Form einer natürlichen, einfachen Ferienverbringung gepriesen wird, sich nicht selten zur Farce entwürdigt. Es gibt Bauernhöfe, die auf eine einzige Tierart so hochspezialisiert sind, daß sie die von den Urlaubern bei ihnen erwarteten Tiere eigens für diesen Nebenerwerbszweck anschaffen: einen Esel, zwei Ponys, eine Kiste voll Kaninchen, eine kleine Schar Hühner. Schwalbennester im Stall und unterm Dach, das Kalb bei der Mutterkuh, Mümmelmann frühmorgens im Garten der Bäuerin und den Kauz im alten Birnenwildling, das gibt es bald nur noch im Märchenbuch. Die Tierhaltungsformen der neuen Zeit sind auf Abwesenheit des Menschen angelegt, er stört hier nur, bringt den ausgeklügelten Leistungsrhythmus durcheinander. Eine schlagende Tür in einer Massenhühnerhaltung kann zur Katastrophe werden, ein nicht desinfizierter Schuh im Schweinemaststall mit 500 Sauen auch. Und in den Dunkelställen der Kälber können Kinder nichts lernen, das sie menschlicher machen würde gegenüber der Kreatur.

Wahrlich, wir haben es weit gebracht. Wer Tiere heute retten will, muß den Menschen einreden, die Rettung geschähe um des Heils der Menschen willen: »Rettet die Vögel, wir brauchen sie!« Rettet die Vögel, dies allein ist nicht genug. Nur was uns nützt, darf leben. Nun, wenigstens das.

Horst Stern

Vögel in Dörfern und Gärten: Vertreibung aus einem Paradies

Dörfer, Hof und Garten sind eine vom Menschen geschaffene Kunstlandschaft. Dennoch sind manche Vogelarten so eng mit ihr verbunden, daß es schwerfällt zu ergründen, aus welchem Lebensraum sie ursprünglich stammen. Das gilt zum Beispiel für Schleiereule und Haussperling.

Viele Arten haben in und an Gebäuden des Menschen günstige Brutmöglichkeiten gefunden: Haussperling, Mehlschwalbe, Rauchschwalbe, Mauersegler, Hausrotschwanz, Gartenrotschwanz, Grauschnäpper, Bachstelze, Schleiereule, Waldkauz, Turmfalke und Weißstorch. Davon sind Mehlschwalbe, Rauchschwalbe und Hausrotschwanz ehemalige Felsbrüter, die sich nicht eigens umzustellen brauchten, um sich im Bereich des Menschen zu behaupten. Mauersegler und Turmfalken sind ursprünglich sowohl Fels- wie Baumbrüter gewesen und sind dies auch heute noch. Gartenrotschwanz, Grauschnäpper und Waldkauz stammen eigentlich aus dem Wald. Sie finden als Höhlen- oder Halbhöhlenbrüter ebenfalls günstige Nistbedingungen an und in Gebäuden.

Viele ehemalige Waldvögel können nur dann in den Siedlungen leben, wenn genügend viele Gärten, Parkanlagen, Friedhöfe, Alleen und Einzelbäume die Häuser auflockern. Alte Bäume sind für viele Arten besonders wichtig, weil sie mehr Nahrung und Nistmöglichkeiten für Vögel bieten als junge Bäume. Die für Baumbeseitigung oft gehörte Entschuldigung: Wir pflanzen für gefällte alte mehrere neue junge Bäume, geht am Problem vorbei: Junge Bäume sind erst in fünfzig bis hundert Jahren Ersatz für alte.

Zu den Gartenvögeln, die aus dem Wald eingewandert sind, zählen Blaumeise, Kohlmeise, Sumpfmeise, Kleiber, Heckenbraunelle, Rotkehlchen, Mönchsgrasmücke, Gartenbaumläufer, Star, Amsel, Singdrossel, Buntspecht, Ringeltaube und Waldkauz.

Alte Bäume wachsen langsam nach, darum ist ihr Schutz im Weichbild unserer Dörfer und Städte ganz besonders wichtig.

In der alten Scheune finden Vögel Zuflucht und die Möglichkeit, ihre Jungen großzuziehen.

Von Savannen in unsere Gärten eingewandert: der Wendehals.

Aus mehr park- bis savannenartigen Lebensräumen sind Bluthänfling, Stieglitz, Elster, Feldsperling, Steinkauz und Wendehals in die Gärten eingewandert.

Einer unserer häufigsten Gartenvögel, die Amsel, ist erst vor etwa achtzig Jahren in die Ortschaften eingedrungen. Singdrossel und Heckenbraunelle brüten heute noch nicht in allen geeigneten Siedlungen. Ringeltaube, Rabenkrähe und Elster sind erst nach dem letzten Weltkrieg in einem Teil der Siedlungen als Brutvögel aufgetaucht.

Eine wichtige Zufluchtstätte bilden menschliche Siedlungen auch im Winter. Eine Reihe von Vogelarten hält sich sogar in großen Schwärmen dort auf, z. B. Lachmöwe, Star, Finkenvögel und Enten. Lachmöwen und Stare benutzen den Siedlungsbereich auch als günstigen Schlafplatz. In New York schätzt man die Zahl der in der Stadt schlafenden Stare auf fünfzig Millionen. Reiches Vogelleben lockt auch Greifvögel an. Früher kamen im Winter in Großstädten auch regelmäßig Wanderfalken vor, die von Kirchtürmen aus auf verwilderte Haustauben Jagd machten.

Die Ortschaften bieten vielen Vogelarten Vorteile, die aber durch Nachteile erkauft werden müssen. Für Nischenbrüter liegen die Vorteile auf der Hand: Die Gebäude der Menschen enthalten viele Nistmöglichkeiten, die vor Feinden sicher sind, Hausgärten und Parkanlagen stellen oft ein reiches Angebot an Früchten und Beeren. Sehr viele Vögel nutzen das für sie ausgestreute Futter. In den Ortschaften ist die Temperatur oft um mehrere Grade höher als in der Umgebung. Das ist besonders im Winter für kälteempfindliche Vögel bedeutungsvoll: für Star, Rotkehlchen, Heckenbraunelle und Zaunkönig. Die durch Straßen- und Geschäftsbeleuchtung verlängerte Tagesdauer hat einen früheren Brutbeginn zur Folge; dadurch können manche Arten

Die Bachstelze ist fast in allen Dörfern als Brutvogel anzutreffen.

In Parks und Obstgärten ist der Gimpel zu Hause.

Der Gartenrotschwanz, hier das farbenprächtige Männchen, findet an den Gebäuden des Dorfes Nistmöglichkeiten.

Ein junger Grünspecht schaut aus der Bruthöhle. Bald wird er das Nest für immer verlassen.

Der Star lebt in engster Nachbarschaft des Menschen. Er ist einer der ersten Zugvögel, der aus dem Winterquartier an seine Brutplätze zurückkommt.

Im Gegensatz zu seinen Verwandten, dem Haussperling, brütet der kleinere Feldsperling bevorzugt in Baumhöhlen und Nistkästen.

191

Rauchschwalbe mit Nist-
material. Insektengifte und
zunehmende Verstädterung
unserer Dörfer machen ihr
das Leben schwer.

Treffpunkt Dorfpfütze: Hier
holen sich Mehlschwalben
feuchte Erde zum Mörteln
ihrer Nester.

Mit künstlichen Nestern kann
man die Wohnungsnot der
Mehlschwalben beheben.

Eben ausgeflogene Rauch-
schwalben sitzen zunächst
noch auf Federkontakt.

eine Brut mehr machen als in natürlicher Umgebung.

Demgegenüber stehen als Nachteile z. B. Nahrung, die zwar gerne angenommen wird, aber für
die Aufzucht der Jungen ungeeignet ist und dadurch zu hohen Verlusten führt. Das ist z. B. ein
Grund, warum Vögel nur im Winter bei Schnee
und Frost gefüttert werden sollten. Ferner wird
die große Zahl von Glasscheiben für viele Vögel
zum Verhängnis, die auf den sich in der Scheibe
spiegelnden Busch zufliegen und sich dabei den
Schädel einschlagen. Besonders katastrophal
wirken sich verglaste Gänge aus, die dem Vogel
freien Durchflug suggerieren. Mattierte Scheiben
verhindern, daß Glas zur Vogelfalle wird. Auch
Drähte fordern einen hohen Todeszoll. Viele
Vögel kommen zu Tode, weil sie bei Nacht oder
bei Nebel gegen Drähte fliegen, dabei getötet
werden oder sich die Flügel zerschlagen. Die einzige wirkungsvolle Gegenmaßnahme ist die Ver-

kabelung von Leitungen unter der Erde. Schließlich kommt ein Teil der Vögel in unseren
Ortschaften durch den Straßenverkehr zu Tode,
besonders im Frühjahr, wenn die Vögel während
der Balz und der Reviergründung oft nur auf den
Partner oder den Rivalen achten und nicht auf
Autos.

In den ländlichen Siedlungen wirkt sich die zunehmende Verstädterung immer ungünstiger auf
manche Arten aus. Während früher z. B. Mehl-
und Rauchschwalbe als Glücksbringer angesehen
wurden, halten heute manche Hausbesitzer durch
Stanniolstreifen unter den Dachvorsprüngen
Mehlschwalben vom Nestbau ab. Die Besitzer
solcher Häuser fürchten, die makellose Hausfas-
sade könnte Schaden nehmen.

Die Gebäude der Landwirte sind bevorzugte
Nistplätze der Rauchschwalbe, die in den Ställen
bei Schlechtwetterperioden genügend Fliegen
findet, um überleben zu können. Die Anwen-

Problemvogel Schleiereule.
Die Vergitterung vieler Kirch-
turmluken und das Fehlen
alter Speicher nimmt ihr mehr
und mehr Brutmöglichkeiten.

dung von Insektiziden schmälert jedoch ihr Nahrungsangebot. Auch dadurch, daß viele Landwirte
ihren Betrieb aufgegeben haben, wurden die Bedingungen für die Rauchschwalbe ungünstiger.

Eine andere Problemart der Ortschaften ist die
Schleiereule. Sie ist auf Einschlüpfe in Speicher,
Türme, Taubenschläge und Gemäuer angewiesen, um brüten zu können. Bei Renovierungen
von Kirchtürmen und alten Gebäuden wird auf
die Erhaltung der Brutmöglichkeiten der Schleiereule sehr oft nicht geachtet.

Schwer zu beurteilen ist die Einwirkung von
Feinden auf die Vogelwelt der Ortschaften. Normalerweise wirken sich Nesträuber wie Eichelhäher, Elster, Rabenkrähe sowie Greifvögel und
Eulen auf den Bestand anderer Arten nicht
nachteilig aus, weil alle Arten einen Überschuß
von Nachkommen produzieren. Unter unnatür-
lichen Verhältnissen kann jedoch folgender Fall
eintreten: Die in den Ortschaften brütenden
Vögel haben so hohe Verluste, daß die Jungen
diese nicht ausgleichen können. Unter solchen
Bedingungen würde der Lebensraum Siedlung zu
einem Zuschußgebiet, in dem sich der Vogelbe-
stand nur halten kann, weil z. B. aus dem Wald
ein Teil des Nachwuchses in die Ortschaften
zieht. Einiges spricht für diese Annahme, denn
manche Arten haben nur wenig Nachwuchs. Andererseits ist aber auch sicher, daß viele Arten in
unseren Siedlungen genügend Junge für den
Ausgleich der Verluste aufziehen. Manche haben
sich so gut angepaßt, daß sie gerade in der Nähe
des Menschen besonders günstige Bedingungen
vorfinden.

Aber auch in der Nähe vogelfreundlicher
Menschen entstehen für die Kulturfolge der Vögel ernste Lebensraumprobleme. In Süddeutschland hatten die Dorfbewohner um ihre Dörfer
herum einen breiten Gürtel von Obstbäumen ge-
pflanzt. Er lieferte die Äpfel für den beliebten
Apfelmost. Diese Streuobstflächen waren der
Lebensraum von sehr vielen Vogelarten, z. B.

Gartenrotschwanz, Stieglitz, Baumpieper,
Grauammer, Halsbandschnäpper, Braunkehlchen, Raubwürger, Rotkopfwürger, Grauspecht,
Grünspecht, Wendehals und Wiedehopf. Durch
die ausufernde Bebauung an den Ortsrändern,
durch die Flurbereinigung und durch Rodeprä-
mien für abgeschlagene alte Obstbäume wurden
diese wertvollen Streuobstflächen ganz oder
vollständig zerstört. Damit verschwanden auch
viele der hier beheimateten Vogelarten.

Früher war ein Eulenloch im
Giebel für viele Hausbesitzer
selbstverständlich.

Zu unseren eifrigsten Mäuse-
jägern zählt die Schleiereule.

Schleiereulen unterm Dach,
in vielen Gegenden Deutschlands bereits zur Seltenheit
geworden.

Weißstorch: Ein drastisches Beispiel – Baden-Württemberg 1948: 252 Paare, 1977: 17 Paare

Der Weißstorch, der wohl schon Hunderte von Jahren in der Nähe des Menschen lebt, ist einer der bekanntesten Vögel, und auch die Wissenschaft hat sich schon sehr früh intensiv mit der Erforschung seiner Lebensweise befaßt, so daß wir über das Leben der Störche mehr wissen als über das der meisten anderen Vogelarten.

Anders als die Reiher fliegen Störche immer mit ausgestrecktem Hals. Gerne segeln sie kreisend im Aufwind; und mit dieser Vorliebe hängt wahrscheinlich auch ihre Abneigung gegen die Überquerung der Alpen und des Mittelmeeres zusammen, die sich ihnen auf ihrem Zug nach dem Süden entgegenstellen.

Das ungeliebte Meer umgehen die Weißstörche über Landbrücken und Meerengen, im Westen über die Iberische Halbinsel und die Straße von Gibraltar, im Osten über die Türkei und Israel. Wer unter den Störchen auf welcher Zugstraße wohin zieht, bestimmt in erster Linie

die Lage des Geburtsortes. Westlich einer Linie, die von Holland über die Bundesrepublik Deutschland führt, fliegen die meisten Störche nach Südwesten die Südwestroute, östlich dieser Zugscheide nach Südosten. Dementsprechend liegen auch die Winterquartiere in Afrika weit auseinander. Viele Hunderte von Wiederfunden beringter Störche haben uns ein gutes Bild über das Zugverhalten und den Winteraufenthalt des Weißstorches geliefert.

Auf Wiesen, Äckern und im seichten Wasser sucht der Weißstorch, langsam schreitend und manchmal auch hastig rennend, seine Nahrung, die keineswegs nur aus Fröschen besteht, sondern auch Regenwürmer, Schnecken, Käfer, Engerlinge, Heuschrecken, Mäuse und gelegentlich Schlangen umfaßt. Ein Weißstorch, der eine Stunde lang beobachtet wurde, fing vierundvierzig Mäuse, zwei junge Hamster und einen Frosch, ein anderer in einer Minute fünfundzwanzig Grillen.

Mitte März bis Anfang April treffen die Störche in Süddeutschland ein, zuerst meist die Männchen, die sofort ein altes Nest besetzen, und zwar in der Regel das vom vergangenen Jahr. Da auch die Weibchen nesttreu sind, kommt es über das Nest häufig zu einer mehrjährigen Ehe, die eigentlich nur eine Saisonehe ist, so wie bei anderen Vogelarten auch. Möglicherweise erkennen sich aber auch die Partner eines Paares im folgenden Jahr wieder.

Sobald ein Weibchen erscheint, wirft das Männchen seinen Kopf zurück und beginnt mit dem Schnabel zu klappern, wobei es seinen Hals langsam nach vorn bis in die Normalhaltung bewegt. Dann schnellt der Kopf erneut zurück, bis er auf den Rücken zu liegen kommt. In dieser Haltung klappert das Männchen weiter. Auch die Partner eines Paares begrüßen sich regelmäßig in dieser Weise. Gegenüber fremden Störchen klappern sie ebenfalls, allerdings mit abgewinkelten Flügeln, die wie pumpend auf und ab be-

wegt werden. Dies ist unzweifelhaft als Drohung zu verstehen.

Schon eben geschlüpfte Junge klappern andeutungsweise; kaum einen Tag alt, können sie es fast vollkommen, nur hören kann man das Klappern nicht, weil die Schnäbel noch zu weich sind. Da auch im Brutschrank erbrütete Vögel klappern, muß diese Verhaltensweise angeboren sein.

Im Laufe der Jahre kann ein Storchennest

FAUST

Immer weniger Dörfer sind »stolze Besitzer« von Weißstorchnestern.

Familienidyll im Weißstorchnest

Ansammlungen von Weißstörchen werden bei uns immer seltener.

zu einer Breite und Höhe von zwei Metern und einem Gewicht von neunzehn Zentnern anwachsen, denn seine Besitzer bauen jedes Jahr daran weiter. Dicke Äste werden als Grundlage eingetragen, dazu kommen feinere Äste, Erdklumpen, getrockneter Mist und auch Grasbüschel. Die Nestmulde wird mit Wurzeln, Blättern, Heu, Moos und Federn ausgepolstert.

Weißstörche müssen sehr viel Zeit für ihre Brut aufwenden: Einen Monat dauert das Brü-

ten, zwei Monate die Aufzucht, vierzehn weitere Tage werden die ausgeflogenen Jungen mit Nahrung versorgt. Wie die Reiher bringen auch die Störche das Futter niemals im Schnabel heran. Sie verschlucken es sofort und würgen es dann auf den Nestboden. Von dort nehmen es die Jungen in den ersten Lebenstagen auf.

Störche haben sehr lange Beine. Daher kann man sie auch mit Ringen markieren, deren Ziffern so groß sind, daß sie mit einem guten Fernglas abgelesen werden können. Somit wissen wir sehr viel über den Altersaufbau einer Storchensiedlung. Einzelstörche brüten schon als Zweijährige, die meisten aber erst mit drei bis fünf Jahren.

Je älter der Jahrgang, um so weniger Vögel treffen wir davon an. Die ältesten Weißstörche wurden um die zwanzig Jahre alt. In der Zeit nach dem Ausfliegen bis zum Ende des ersten Lebensjahres treten die größten Verluste auf: vierundsiebzig Prozent der Todesfälle im Heimatgebiet und fünfundfünfzig Prozent der Verluste im Winterquartier betreffen diesen Jahrgang. Dies zeigt, welch hohen Tribut die Unerfahrenheit der Jungvögel fordert.

Obwohl dem Weißstorch hierzulande kaum jemand etwas zuleide tut, ist die Geschichte seiner Bestandsentwicklung ein trauriges Kapitel. Im Nordrheingebiet ist der Weißstorch 1947 ausgestorben, im Saarland 1965, in Rheinland-Pfalz brütet noch ein Paar, in Westfalen sind es vier, in Hessen fünf, in Baden-Württemberg siebzehn. Etwas größere Storchen-Restbestände befinden sich noch in Bayern mit 150, in Niedersachsen mit 406 und in Schleswig-Holstein, dem klassischen Storchenland, mit 433 Paaren. Zwei Beispiele mögen zeigen, wie stark die Bestände bei uns zurückgegangen sind. In Niedersachsen zählte man um 1900 4500, 1973 nur noch 350 Paare, in Baden-Württemberg 1948 252 und 1977 nur noch 17.

Die Ursachen des Rückgangs liegen hauptsächlich in der Zerstörung des Lebensraumes. Hier stehen obenan die Entwässerung und Dränage feuchter Wiesen und Flußbegradigungen.

Notwendige Schutzmaßnahmen sind demnach Anlage eines Netzes von bewässerten Wiesen, etwa nach dem Modell Dümmer (s. S. 217), die Mitarbeit an Wiederansiedlungsprogrammen, wie sie in der Schweiz und im Elsaß durchgeführt werden, und natürlich auch die Erhaltung und Neuanlage der Nester auf Dächern und Schornsteinen.

Eine alte Nestburg des Weißstorches auf einem abgestorbenen Baum

Um Storchennester gibt es oft Auseinandersetzungen. Hier versucht ein Eindringling zu landen.

Steinkauz:
Kein Platz zum Nisten –
keine Chance zum Überleben

Gegenüber anderen Eulen ist der Steinkauz mit seinen etwas mehr als zwanzig Zentimetern Körpergröße ein Zwerg. Es ist lustig anzusehen, wie sich die gedrungene, dickköpfige Gestalt bei Aufregung fast waagerecht duckt und dann gleich wieder hoch aufrichtet. Schon früher scheint der Steinkauz sehr beliebt gewesen zu sein, denn bei den Griechen galt er als der Vogel der Weisheit und als Symbol der Göttin Athene, die ihm auch zu seinem wissenschaftlichen Gattungsnamen »Athene« verholfen hat. Unsere Vorfahren dichteten ihm allerdings die Verkündigung des Todes an, denn sein Ruf »kuwit« wurde mit »komm mit« übersetzt. Steinkäuze sind sehr ruffreudig und kamen früher auch in den Ortschaften sehr häufig vor. Sicher fiel die Todesstunde mancher Menschen mit dem Ruf des Vogels zusammen. In einer abergläubischen Zeit war damit der Zusammenhang zwischen Tod und Rufen schnell hergestellt, zum Nachteil des harmlosen Vogels.

Steinkäuze jagen wie andere Eulen auch bevorzugt in der Abend- und Morgendämmerung, und zwar nur in freiem Gelände, nie im Wald. Ihre bevorzugte Beute sind Insekten, vor allem Laufkäfer, Mistkäfer, Ohrwürmer und Raupen, ferner Tausendfüßler, Regenwürmer, Mäuse und gelegentlich Kleinvögel und Frösche. Sogar mit Maulwürfen und Ratten wird ein Steinkauz fertig.

Junge Steinkäuze, eben flügge geworden

Die Partner eines Paares leben in Dauerehe und halten, wenn nichts dazwischenkommt, an dem einmal gewählten Ort fest. Höhlen in alten Obstbäumen, Kopfweiden, Mauern, Felsen und auch Kaninchenlöcher oder alte Scheunenwinkel werden als Brutplatz ausgewählt. Vier Wochen brütet das Weibchen die drei bis fünf Eier aus. Die Fütterung der Jungen spielt sich im Dunkeln ab. Tast- und Gehöreindrücke spielen dabei die entscheidende Rolle.

Etwa dreißig Tage bleiben die Jungen in der Bruthöhle, und noch weitere fünf Wochen werden sie mit Nahrung versorgt. Meist siedeln sie sich dann in der Umgebung des Brutortes an, sofern es dort genügend Höhlen gibt.

Unter den natürlichen Verlustursachen sind vor allem lange und schneereiche Winter zu nennen, die den Steinkäuzen sehr zusetzen. In solchen Zeiten verhungern viele. Wie bei anderen Vögeln, die unter hartem Winter zu leiden haben, dauert es oft Jahre, bis solche Verluste wieder ausgeglichen sind, aber ernsthaft wird dadurch der Bestand einer Art nie in Gefahr gebracht. Gleichwohl hat der Steinkauz in den letzten zwanzig Jahren in vielen Gebieten sehr stark abgenommen. Diese bedauerliche Entwicklung hängt eng mit den Ansprüchen der kleinen Eulen an ihren Lebensraum zusammen.

Steinkäuze lieben offenes Gelände, das ihnen gerade die Kulturlandschaft in großer Reichhaltigkeit bietet. Aber offenes Gelände allein reicht nicht aus. Einzelne alte Bäume und Baumgruppen in der freien Landschaft und ganz besonders alte Obstbäume rund um die Dörfer boten dem Kauz früher genügend Möglichkeit zum Nisten. Mit dem Wirtschaftsaufschwung in den fünfziger Jahren kam der Steinkauz nicht mehr mit. In weiten Teilen unseres Landes wurden Flurbereinigungen durchgeführt, die fast immer mit einer totalen Ausräumung der Landschaft geendet haben. Dazu kamen besondere Rodeaktionen von alten Obstbäumen, für die von der Europäischen

Der Steinkauz zählt zu unseren kleinsten Eulen.

Alte Obstgärten sind ein bevorzugter Lebensraum des Steinkauzes. Ihre Beseitigung hat für ihn zu großen Wohnungsproblemen geführt.

Wirtschaftsgemeinschaft sogar Prämien bezahlt wurden. Ziel dieser Aktion war die Stabilisierung oder Steigerung der Preise für Apfelsorten, die als Niedrigstämme angebaut werden. Wegen ihrer Anfälligkeit gegen Krankheiten sind diese Sorten sehr pflegebedürftig. Ein immer öfter wiederholter Giftregen wurde damit in diesen Obstanlagen versprüht. Die alten, bewährten Apfelsorten, die oft viel wertvoller und weniger anfällig gegen Krankheiten sind, sollten zugunsten der neuen Sorten ausgeschaltet werden. Auf

die Preise hatte diese Rodeaktion zwar nicht die gewünschte Wirkung, aber für die Vögel fatale Folgen, die bevorzugt in alten Obstanlagen brüteten. Fast fünfzig Vogelarten, darunter viele gefährdet wie Steinkauz, Wiedehopf, Raubwürger, Rotkopfwürger, Neuntöter und Wachtelkönig, waren von dieser Aktion betroffen.

Dem Steinkauz wird bereits kräftig geholfen. Durch Aufhängen von Spezialnistkästen konnte er an manchen Orten wieder vermehrt werden. Das zeigt, daß in unserer ausgeräumten Landschaft vor allem die Möglichkeit zum Nisten fehlt, weil alte Bäume verschwunden sind. Spezialkästen für den Steinkauz sollten nur dort aufgehängt werden, wo einzelne Paare leben und die Kästen regelmäßig fachkundig betreut werden können. Bei starker Besetzung spezialisieren sich nämlich gerne Marder auf diese Kästen. Sie können so schnell eine ganze Steinkauzbevölkerung auslöschen.

Mit Spezialnistkästen ist dem Steinkauz schon an vielen Orten geholfen worden.

Der Steinkauz kehrt mit Beute, einer Maus, zu seiner Bruthöhle zurück.

Kopfweiden entstehen durch regelmäßiges Schneiden oder Absägen der Äste. Da heute kaum noch jemand Weiden in dieser Form nutzt, sägen Naturschützer die Äste ab. Auf diese Weise entstehen durch Ausfaulen neue Steinkauzhöhlen.

Wiedehopf:
Ein Opfer unseres Ordnungswahns

Auffallende Gefiederfärbung und -zeichnung, der aufstellbare Federfächer auf dem Kopf und der lange, gebogene Schnabel verleihen dem Wiedehopf ein so einmaliges Aussehen, daß man ihn mit keiner anderen Vogelart verwechseln kann. Sein Flug vermittelt den Eindruck eines riesigen bunten Schmetterlings.

Überhaupt macht der Wiedehopf sehr viel mehr her, als er wirklich an Körpergröße zu bieten hat. Ohne weiteres würde man ihn etwa in die Größenordnung eines Eichelhähers einstufen, tatsächlich bleibt er mit sechzig Gramm noch weit unter dem Körpergewicht einer Amsel.

Während der Fortpflanzungszeit hört man dort, wo Wiedehopfe regelmäßig zu Hause sind, den einförmigen gereihten Gesang: ein oft stundenlang vorgetragenes, schnell gereihtes up up up . . .

Der lange, gebogene Schnabel des Wiedehopfes ist hervorragend geeignet, Insekten und deren

Larven aus Dungfladen, Kothaufen, zwischen Steinen und Gestrüpp hervorzustochern oder auch vom Boden abzulesen. Besonders beliebt sind die Weiden von Rindern und Schafen, auf denen er den Dung nach Käfern und Larven absucht. Gern nimmt er auch Feldgrillen, Schnecken, Spinnen und Ameisen. Die Beute wird entweder mit dem Auge oder den Tastorganen am Schnabel wahrgenommen. Größere Nahrungstiere mit viel Chitin werden zunächst auf festem Untergrund so lange bearbeitet, bis die harten Teile von den weicheren getrennt sind. Die harten Flügel und andere ungenießbare Teile bleiben liegen, die weichen Körperteile werden verschluckt. Wie Versuche gezeigt haben, ist den Jungen das richtige Stochern im Boden bereits angeboren. Genauso beherrschen sie die Verhaltensweise, einen mit der Schnabelspitze gefaßten Nahrungsbrocken mit einem Ruck in den Schlund zu werfen.

Der Wiedehopf an seiner Bruthöhle im alten Obstbaum

Auch der Wiedehopf ist Höhlenbrüter. Er legt seine Eier in Spechthöhlen. Gelegentlich nimmt er auch Nistkästen an oder Mauerlöcher, Holzstapel und Reisighaufen. In Südeuropa brütet er regelmäßig in Schuppen und Viehställen. Das Nest in der Höhle besteht meistens nur aus wenigen Halmen oder Federn, das vom Weibchen mit fünf bis sieben Eiern belegt wird, die es allein bebrütet. In dieser Zeit wird das Weibchen vom Männchen vollständig mit Nahrung versorgt. Das Weibchen scheint das Nest während der sechzehntägigen Bebrütungzeit ohne Störung ganz selten zu verlassen. Auch nach dem Schlüpfen der Jungen hält sich das Weibchen zehn bis zwölf Tage in der Höhle auf, um seine Jungen zu wärmen. Das Männchen schafft in dieser Zeit für die ganze Familie das Futter heran. Vierundzwanzig bis siebenundzwanzig Tage bleiben die Jungen im Nest, sie nehmen in dieser Zeit von drei auf fast achtzig Gramm zu. Kurz vor dem Ausfliegen werden sie wieder etwas leichter, sie haben dann ein Gewicht von sechzig bis achtundsechzig Gramm.

Gegen Nestfeinde können sich die Jungen mit verschiedenen Abschreckungsmethoden verteidigen: Sie fauchen zischend; wenn sich der Feind dennoch weiter nähert, spritzen sie ihm fünfzig bis sechzig Zentimeter weit dünnflüssigen Kot entgegen. Außerdem geben sie bei Gefahr ein stinkendes Sekret aus der Bürzeldrüse ab, das Raubsäugern wie Marder und Wiesel wahrscheinlich Ungenießbarkeit vortäuscht. Auch das Weibchen verfügt über die stinkende Flüssigkeit, nicht aber das Männchen, das weder brütet noch die Jungen hütet.

Der Wiedehopf war früher in Deutschland weit verbreitet. Der schon in den 1930er Jahren

Wiedehopfe brüten mitunter an ausgefallenen Stellen. Dieser Vogel hat sich einen alten Ofen dafür ausgesucht.

Die Beutetiere werden so in die Luft geschleudert, daß sie in den Rachen fallen.

festgestellte Rückgang hat sich weiter fortgesetzt. In zwei Ländern ist er ausgestorben, im Saarland 1966 und in Nordrhein-Westfalen 1973. In den übrigen Bundesländern sind die Bestände auf Reste zusammengeschrumpft.

Die Bilanz der wenigen heute noch vorhandenen Brutpaare zeigt, daß der Wiedehopf zu den am stärksten gefährdeten Vogelarten gehört. Die Ursachen dieser Entwicklung lassen sich auf einen Nenner bringen: Der Wiedehopf ist weitgehend ein Opfer des »Zwanges«, alles aufzuräumen, der bei uns Mitteleuropäern besonders ausgeprägt ist. Im einzelnen lassen sich dabei als Faktoren anführen: Rückgang der Weideviehhaltung, Rückgang des Anteiles der Wiesen an der landwirtschaftlich genutzten Fläche, Beseitigung von hohlen Bäumen, zerfallenen Mauern, wenig gepflegter Gebäude, Beseitigung alter Obstbäume, Ausräumung der Landschaft bei der Flurbereinigung.

Maulwurfsgrillen zählen zu den wichtigsten Beutetieren des Wiedehopfes. Mit seinem spitzen Schnabel holt er sie aus ihren Erdlöchern heraus.

Lebensräume
aus zweiter Hand

So gut wie kein Flecken in unserem Land ist vom Menschen unbeeinflußt. Damit stammt letztlich alles, was Vögel heute vorfinden, aus zweiter Hand. Das gilt ganz besonders für die Städte, die von Grund auf ein Kunstprodukt sind, aber auch für Dörfer und Bauernhöfe. Der Wald, der von uns aus Mangel an Natur als schlechthin natürlich angesehen wird, ist eine Wirtschaftsfläche, die in erster Linie der Produktion des Rohstoffes Holz dient. Wiesen, Weiden und Felder sind Lebensräume aus zweiter Hand, die es nicht gab, bevor der Mensch mit Viehzucht und Ackerbau begann. Sie besaßen früher für viele Vogelarten große Bedeutung. Das hat sich jedoch mit der intensiven Bewirtschaftung landwirtschaftlicher Flächen grundlegend geändert. Die Erhaltung wenigstens von Resten dieses Kulturlandes, wie zum Beispiel der Lüneburger Heide, der Wacholderheiden der Schwäbischen Alb, der Streuobstflächen und Streuwiesen in Süd-

deutschland, sind wichtige Ziele des Vogelschutzes. Brachland, das sich als Waldrest an Stellen halten konnte, die für die Bewirtschaftung ungeeignet sind, ist in der sonst meist sehr eintönigen Feldflur ein ganz besonders wertvolles Landschaftselement mit einer reichhaltigen Vogelwelt.

Ersatz für den Wald sind Parkanlagen, Friedhöfe und Gärten. Sie beheimaten eine um so größere Zahl von Vogelarten, je älter ihre Bäume sind. In solchen Lebensräumen können ebenso viele oder gar mehr Vögel brüten als im Wald. Das liegt vor allem an ihrer starken Gliederung in verschieden alte Gehölze und Freiflächen und an der Einbeziehung von Gebäuden, die Felsbrütern zusätzlich die Existenz ermöglichen. Die Anpflanzung von beeren- und samentragenden Sträuchern erhöht das Angebot an Nahrung und trägt ebenfalls zur Vielfalt bei. Nachteilig wirken sich die Verluste aus, die im Bereich mensch-

Parkanlagen mit alten Bäumen sind Ersatzlebensräume für Waldvögel.

licher Siedlungen durch Todesfälle an Fensterscheiben, Glasgängen, Drähten und im Straßenverkehr entstehen.

Lebensräume von besonders großem Wert sind Kies-, Sand- und Tongruben. Schon während der Ausbeutung entstehen hier Brutmöglichkeiten, vor allem für Flußregenpfeifer und Uferschwalbe, die so einen Ersatz für die früher an den Flüssen immer wieder neu entstandenen Kiesbänke und Steilufer finden. Nach der Ausbeutung bieten die Gruben Lebensstätten für zahlreiche Vogelarten. Aufgelassene Gruben sind deshalb von unschätzbarem Wert für den Schutz der Vögel, wenn sie sich selbst überlassen oder für Zwecke des Naturschutzes gestaltet werden. Häufig entstehen mit der Anlage von Bodenentnahmestellen Teiche und Seen: Sie sind zwar ein geringer, aber wichtiger Ersatz für die fast vollständig verlorengegangenen natürlichen Auenlandschaften.

Friedhöfe werden von vielen Waldvögeln besiedelt.

Baggerteiche sind Lebensräume aus zweiter Hand für Vögel der Flußlandschaft.

Ausgebeutete Kies-, Sand- und Tongruben bieten Lebensstätten für eine Fülle von Vogelarten.

Steinbrüche:
Brutplätze für Felsbrüter

Steinbrüche sind nicht nur Wunden in der Landschaft, sondern können auch wertvolle Lebensräume sein.

Steine werden für vielerlei Zwecke benötigt, zum Beispiel Sandstein für Platten und Mauern, Kalkstein zur Zementherstellung und Wegebau, Basalt für Eisenbahnschotter und Wasserbau. Die durch den Abbau von Steinen entstandenen Brüche sind Lebensräume aus zweiter Hand für Felsbewohner. Hier brüten unter anderen Turmfalke, Steinkauz, Dohle und Hausrotschwanz. Der Mauerläufer bezieht in Steinbrüchen sein Winterquartier.

Sogar Uhus nisten im Steinbruch.

Buhnen:
Nahrungsgründe für Strandvögel

Buhnen werden von vielen See- und Wattvögeln gerne als Sitzwarte angenommen, wie hier vom Steinwälzer, Meerstrandläufer und der Eiderente.

An der Nordseeküste und auf den Inseln baut man in großem Umfang Steinbuhnen. Sie werden an der sonst sandigen Küste von meeresbewohnenden Pflanzen und Tieren besiedelt, wie Grün- und Braunalgen, Muscheln, Schnecken, Krebsen und Seesternen. Damit entsteht für Strandvögel eine Nahrungsquelle, die z.B. von Silbermöwe, Eiderente, Austernfischer, Steinwälzer und Meerstrandläufer genutzt wird.

Flugplätze: Vögel unerwünscht

Flugplätze ziehen viele Vögel an. Für die Flugzeuge sind sie aber eine große Gefahr.

Wir befragten den Vogelschlagbeauftragten des Flughafens Frankfurt/Main, Dr. Herbert Fürbeth.

In den Anfängen der Luftfahrt galt die Kollision mit Vögeln als normale Gefahr beim Fliegen. Schnell gewöhnten sich zumindest die Standvögel, die »Hausvögel« der Flugplätze, an Lärm und Geschwindigkeit von Luftfahrzeugen und lernten, ihnen auszuweichen. Mit der Umstellung des Luftverkehrs auf Strahltriebwerke in den sechziger Jahren hat das Problem des Zusammenstoßes von Flugzeugen mit Vögeln neue Formen angenommen. Mit der Größe der Flugzeuge, dem Sog der leistungsstärkeren Triebwerke, den ganz erheblich gesteigerten Fluggeschwindigkeiten und der Dichte des Luftverkehrs ist auch die Gefahr von »Vogelschlägen« gewachsen. Solche Kollisionen ereignen sich täglich in aller Welt und können zu mehr oder weniger starken Beschädigungen an Luftfahrzeugen führen. Wenn auch der wirkliche Schaden oft unbedeutend und die Sicherheit meist nicht beeinträchtigt ist, so zeugen doch Beulen an Rumpf- und Tragflächenvorderseite sowie zerbrochene Scheinwerfergläser von den Kräften, die beim Aufschlag eines Vogels auf ein Luftfahrzeug wirken. Diese sind abhängig vom Aufschlagwinkel, der Auftreffgeschwindigkeit und dem Gewicht des Vogels.

Krähen, Tauben, Möwen, Kiebitze, Enten, Falken, Bussarde und eine Reihe anderer kleinerer und größerer Vögel sind in Europa an Zusammenstößen mit Luftfahrzeugen beteiligt. Allerdings gibt es im Hinblick auf die beteiligten Vogelarten erhebliche regionale Unterschiede, die von den ökologischen Verhältnissen auf dem Flughafen selbst, vor allem aber von seiner landschaftlichen Umgebung abhängen. Entsprechend vielfältig wie die ökologischen Verhältnisse müssen auch die Maßnahmen zur Verringerung der Vogelschlaggefahr sein, die Aufgabe vor allem der Flughafenunternehmen sind. Voraussetzung für solche Maßnahmen ist aber die möglichst genaue Kenntnis der ökologischen Verhältnisse auf dem Flugplatz und seiner näheren Umgebung, die in ihrer Komplexität den Lebensraum für die Vogelwelt bilden. Hier bedarf es mehrjähriger Beobachtungen, Untersuchungen über die Verhaltensweisen, die Nahrungsgrundlage, die durch den übrigen Tierbesatz und die Vegetation bestimmt wird. Diese wiederum sind abhängig von Boden, Hydrologie, Klima und örtlichem Witterungsverlauf, aber auch von Einflüssen, die im weitesten Sinne von den menschlichen Nutzungsansprüchen, der Bewirtschaftung ausgehen. So bieten Flugplätze »Lebensräume von zweiter Hand«; sie sind in die Landschaft hineingeplant und müssen in der Verflechtung der ökologischen Systeme mit ihren Wechselwirkungen und Nebenwirkungen betrachtet werden.

Wenn sich auch die Zahl der Vogelschläge auf den deutschen Flughäfen in den vergangenen Jahren nicht verringert hat, so darf doch gesagt werden, daß das Problem überall erkannt wurde und die Anstrengungen der Flughafenunternehmen und aller Beteiligten, gemessen an der Zahl der Flugbewegungen, durch beachtliche Erfolge belohnt wurden.

Der Deutsche Ausschuß zur Verhütung von Vogelschlägen im Luftverkehr, DAVVL, dem u. a. Vertreter aller Institutionen des Luftverkehrs und der Staatlichen Vogelschutzwarten angehören, hat ebenso wie andere nationale und internationale Gremien Pionierarbeit geleistet und eine ganze Reihe von Maßnahmen gegen die Vogelschlaggefahr empfohlen.

Der Bundesminister für Verkehr hat zur Koordinierung und Intensivierung dieser Anstrengungen im Jahre 1974 Richtlinien »Vogelschläge im Luftverkehr« erlassen, die sich rechtlich auf die Sicherheitsbestimmungen des Luftverkehrsgesetzes stützen, grundsätzlich aber an Verständnis und guten Willen der Beteiligten, besonders auch der Naturfreunde appellieren. Es ist kein Geheimnis, daß an diesen Richtlinien maßgebliche Fachbiologen mitgearbeitet haben: sie fordern nicht Vernichtung und Ausrottung der Vogelwelt, sondern vorbeugende Maßnahmen der Verdrängung durch Änderung des Lebensraumes, Minderung der Ernährungsgrundlage auf dem Flugplatz selbst, aber auch in seiner unmittelbaren Umgebung, die einheitlich fixiert ist durch die äußere Hindernisbegrenzungsfläche und die um fünf Kilometer verlängerte An- und Abflugfläche.

Wenn früher eine friedlich weidende Schafherde, oft auch sonstige landwirtschaftliche Nutzungen mit ihren gefiederten Begleiterscheinungen, zum gewohnten Bild eines Flugplatzes gehörten, so heißt es heute umdenken: Ackerbau und Viehwirtschaft haben auf einem modernen Flughafen keinen Bestand, weil beide Wirtschaftsformen für Vögel anziehend wirken. Ein wilddichter Zaun soll Wirbeltiere von den Flugbetriebsflächen fernhalten, denn Haarwild ist nicht nur eine unmittelbare Gefahr für den Flugbetrieb: die Losung lockt auch Vögel an. Ein gleiches gilt für Insekten und Weichtiere. Greifvögel treten besonders dort auf, wo es zu einer starken Vermehrung von Mäusen kommt.

Für jeden Flughafen soll ein »Biotop-Gutachten« unter Beteiligung des DAVVL und der Naturschutzbehörde ökologische Erkenntnisse erarbeiten als Planungsgrundlage von Maßnahmen zur Minderung der Vogelschlaggefahr auf dem Flughafen selbst und in seiner Umgebung.

Nichts bleibt unversucht, Vögel von Flugplätzen zu vertreiben. Sogar mit abgerichteten Falken wird es versucht.

Müllplätze:
Tischlein-deck-dich für Allesfresser

Viele Silbermöwen und Lachmöwen decken einen großen
Teil ihres Nahrungsbedarfs
auf Müllplätzen.

Auf unseren Müllplätzen liegen große Mengen von fortgeworfenen Lebensmitteln und Lebensmittelresten herum, die eine ganze Reihe von Vogelarten anlocken, besonders Alles- und Aasfresser. Der Schwarzmilan kann sich zu Hunderten und mehr an einem Müllplatz versammeln. Viele Silbermöwen und Lachmöwen decken einen großen Teil ihres Nahrungsbedarfes auf Müllplätzen und stellen sich hier in großen Scharen ein. Auch Rabenkrähe und Elster sind als Müllplatzgäste Nutznießer unseres Wohlstandes. Fast alle Arten, die in größerer Zahl auf Müllplätzen nach Futter suchen, sind im Bestand nicht

gefährdet. Die Silbermöwe wurde sogar zu einem Problemvogel, die empfindliche Arten von ihren Brutplätzen an der Küste verdrängt, seitdem sie sich sehr stark vermehrt hat. Der Grund für das Anwachsen des Silbermöwenbestandes sind Müllplätze, Fischereihäfen und Futterplätze in den Städten. Während früher viele Silbermöwen im Winter aus Nahrungsmangel umkamen, ist ihr Tisch heute so reich gedeckt, daß die Silbermöwen jetzt im Durchschnitt älter werden als früher und damit im Laufe ihres Lebens mehr Junge produzieren. Das hat ein starkes Anwachsen ihres Bestandes zur Folge.

Rieselfelder:
Wahre Vogelparadiese

Manche Städte haben früher ihre Abwässer zunächst mechanisch gereinigt, das heißt die groben Bestandteile ausgesiebt, und dann auf kleinparzellierte Felder geleitet. Hier steht das Wasser flach über dem Boden, wobei die organischen Bestandteile der Abwässer von winzig kleinen Lebewesen abgebaut werden. So findet hier der gleiche Vorgang statt wie in der biologischen Stufe einer Kläranlage. Das Abwasser auf den Feldern sickert langsam durch den Boden und wird dort in Drainagerohren aufgefangen, die das Wasser in Gräben und von dort in Bäche und Flüsse leiten. Ein Teil der Rieselfeldparzellen liegt jeweils trocken. Hier wird der Boden regelmäßig umgepflügt, zum Teil auch landwirtschaftlich genutzt.

Die flachen Wasserbecken der Rieselfelder ziehen große Scharen von Wasservögeln an, die hier günstige Nahrungsbedingungen vorfinden. Zu den berühmtesten Rieselfeldern gehören die der Stadt Münster, die früher einmal 500 Hektar groß waren, mit 400 Rieselfeldparzellen. Es wurden hier bis zu 1000 Krickenten, 800 Knäkenten, 4000 Bekassinen, 1500 Kampfläufer und 4000 Kiebitze an einem Tage während der Zugzeit im Spätsommer und Herbst beobachtet. Auch als Brutplatz sind die Rieselfelder Münster für viele Vogelarten von Bedeutung. Nach dem Bau einer Kläranlage wären sie nicht mehr zur Klärung der Abwässer nötig gewesen. Mit Hilfe des Landes Nordrhein-Westfalen soll ein Teil der Rieselfelder für den Vogelschutz erhalten bleiben. Die Chronik der Unterschutzstellung ist ein Beispiel dafür, wie schwierig es ist, in unserem Land Naturschutz zu betreiben.

Ebenso berühmt wie die Rieselfelder Münster ist auch der Ismaninger Speichersee, in dem die Abwässer der Stadt München geklärt werden. In diesem Speichersee werden an einem Tage bis zu 10 000 Reiherenten, 20 000 Tafelenten und 3500 Schnatterenten gezählt.

In dem flachen Wasser der Rieselfeldparzellen werden die organischen Bestandteile abgebaut.

Die Abwässer werden auf kleinparzellierte Felder geleitet.

Für die Kampfläufer sind die Rieselfelder Münster ein wichtiger Umschlagplatz zwischen ihrem Brutgebiet in Nordeuropa und ihrem Winterquartier in Afrika.

Von der Bekassine rasten bis zu 4000 in den Rieselfeldern bei Münster.

Kiesgruben:
Angebot für den Naturschutz

Begradigte Donau unterhalb von Ulm. Durch die Anlage von Kiesgruben wurde der unersetzliche Auenwald zerstört.

Kiesgruben in der Agrarlandschaft . . .

. . . tragen wesentlich zur Bereicherung der Landschaft bei und sind für freilebende Tiere oft die letzten Lebensräume.

Dieselbe Kiesgrube, die seit einigen Jahren sich selbst überlassen ist. Es stellen sich dort viele Pflanzenarten ein. In Tümpeln herrscht ein reges Insekten- und Amphibienleben.

Männchen des Plattbauchs, das an Tümpeln dieser Kiesgrube beheimatet ist.

Während das Männchen des Plattbauchs durch seine wunderschöne blaue Färbung auffällt, ist das Weibchen unscheinbar gefärbt. Das Weibchen hält sich die meiste Zeit im Schilf verborgen auf. Libellenlarven sind eine der Nahrungsgrundlagen vieler Vögel.

Kies- und Sandgruben sind oft die letzten Rückzugsgebiete von Eidechsen und Schlangen, die zum Beispiel von Weißstorch, Graureiher und Turmfalke gefangen werden. Auf diesem Bild ist die seltene Schlingnatter zu sehen.

Seitdem große Maschinen eingesetzt werden können, werden gewaltige Mengen von Kies und Sand abgebaut und zum Straßenbau verwandt oder zu Beton verarbeitet. Die Fläche, die dafür in zehn Jahren bei uns in Anspruch genommen wird, entspricht etwa der Größe des Bodensees, der 539 Quadratkilometer groß ist. In etwa zwei Drittel der Gruben tritt nach der Baggerung Grundwasser auf. Ganze Landstriche werden heute von Kies- und Sandabbau entscheidend geprägt, wie zum Beispiel das Donautal bei Ulm. In den beiden Bildern sind von der Kiesgrubenlandschaft nur kleine Ausschnitte zu sehen. Mit dem Kiesabbau werden häufig sehr wertvolle Landschaften vernichtet, wie die einzigartigen Auenwälder des Donautals. Es entstehen aber auch mit der Anlage von Kiesgruben oft wertvolle sekundäre Naturlandschaften, die in eintönigen Agrargebieten als landschaftsbelebende Oasen wirken. Selbst kleine Tümpel in Kiesgruben werden von Tierarten besiedelt, deren Lebensraum anderswo immer mehr eingeengt wird. Zu den ersten Pionieren, die neue Gewässer besiedeln, gehören Libellen, Frösche, Eidechsen und Schlangen, die ihrerseits von Vögeln als Nahrung benötigt werden. Es ist deshalb ein Gebot der Stunde, ausgebeutete Kies- und Sandgruben in viel größerem Umfang als bisher für den Naturschutz zu gestalten und zu sichern. Damit steht der Naturschutz im Interessenkonflikt mit anderen Ansprüchen, denn die in den Gruben entstehenden Baggerseen sind auch zum Baden, Angeln und Bootsfahren interessant, also gerade mit jenen Nutzungsformen, die für Brutvögel tödlich sind. Der Ausweg aus den gegensätzlich gelagerten Interessen kann nur in einer Teilung liegen: Ein Teil der Baggerseen sollte allein für Zwecke des Naturschutzes zur Verfügung gestellt werden, der andere Teil kann für andere erschlossen werden. Leider stehen für Naturschutzzwecke nur wenige Baggerseen bereit.

Streuwiesen:
Nur durch Mähen zu erhalten

Streuwiesen machen einen sehr natürlichen Eindruck. Sie gehören zu jenen naturnahen Landschaften, die durch Menschen bei der Landbewirtschaftung entstanden sind. Wo heute Streuwiesen sind, war früher Erlenbruchwald. Die Erlen wurden abgeschlagen und als Brennholz genutzt, gleichzeitig wurde der Bruchwald beweidet. Nach der Beseitigung der Gehölze nutzten die Landwirte diese Flächen zur Gewinnung von Streu. Sie wurden früher im Winter von Hand gemäht, das Mähgut wurde auf die Höfe geschafft und dort in die Viehställe gestreut. Im Winter bestand die Arbeit der Landbevölkerung in Teilen Süddeutschlands wochenlang im Mähen solcher Streuwiesen.

Im Zuge der Revolution in der landwirtschaftlichen Bewirtschaftung verloren die Landwirte um 1950 herum das Interesse an den Streuwiesen. Werden die Streuwiesen mehrere Jahre nicht gemäht, verändert sich die Zusammensetzung der Pflanzen sehr stark: Anstelle der Artenvielfalt nehmen wenige Pflanzen überhand, die empfindliche Arten unterdrücken. Es entsteht eine sehr einseitige Pflanzendecke. Über längere Zeit stellen sich Büsche ein, und die Streuwiesen verwandeln sich wieder in Bruchwald zurück. Da sich an die Bewirtschaftung der Streuwiesen viele Pflanzen- und Tierarten angepaßt haben, die anderswo nur wenig Lebensraum haben, werden heute Streuwiesen vom Naturschutz aus gemäht. Das Mähgut wird an besonders empfindlichen Pflanzenstandorten von Hand auf Haufen gesetzt und aus den Streuwiesen herausgeschafft. Zu den Pflanzenarten, die an die Streunutzung angepaßt sind, gehören Schlauchenzian, Fleischfarbenes Knabenkraut, Sumpfgladiole und Sibirische Schwertlilie. Vogelarten, die Streuwiesen brauchen, sind Graureiher, Weißstorch, Brachvogel, Uferschnepfe, Rotschenkel, Kampfläufer, Bekassine und Viehstelze.

Auf Streuwiesen, die mehrere Jahre nicht gemäht werden, ist der Pflanzenwuchs sehr einseitig. Einige robuste Pflanzenarten unterdrücken die empfindlichen.

Zur Erhaltung des Lebensraums Streuwiesen werden heute vom Naturschutz große Flächen gemäht.

Auf empfindlichen Pflanzenstandorten können schwere Maschinen nicht eingesetzt werden. Hier wird mit einem zwillingsbereiften Handmähgerät gearbeitet.

Die Viehstelze ist eine typische Bewohnerin von Streuwiesen.

Empfindliche Pflanzenarten, die an die Streuwiesennutzung angepaßt sind: Schlauchenzian, Fleischfarbenes Knabenkraut, Sumpfgladiole und Sibirische Schwertlilie.

Brachland:
Der Natur eine Chance lassen

Die Blüten der Kohldistel ziehen viele Insekten an.

Brachland mit Kohldisteln, die nach Aufgabe der Bewirtschaftung an vielen Stellen besonders reichhaltig vorkommen.

Für viele Deutsche ist die Vorstellung, Urwald oder eine andere sich selbst überlassene Landschaft vor der Haustür zu haben, äußerst unbehaglich. Als in den 1950er und 1960er Jahren immer mehr landwirtschaftlich genutzte Flächen nicht mehr bewirtschaftet wurden, empfanden das viele als Makel, den es so schnell wie möglich zu tilgen galt. Fragt man diese Leute, was sie eigentlich an dem Brachland so schlecht finden, bekommt man meistens die Antwort, das Land würde verwildern.

Was heißt das eigentlich – verwildern? Sofort nach Aufgabe der Bewirtschaftung von Wiesen, Weiden und Äckern breiten sich bestimmte Pflanzenarten sehr stark aus, die bisher nur in geringer Anzahl vorkamen. Es entstehen Wiesen mit einem Blütenreichtum, den es sonst in unserer einförmigen Landschaft kaum noch gibt oder im Zuge der Bewirtschaftung zum Beispiel von Mähwiesen mit der Mahd mit einem Schlag beseitigt wird. Auf den Brachflächen werden die Pflanzen nicht abgemäht, sie können ausblühen und Samen bilden. Ihre Blüten liefern einer Fülle von Insekten Nahrung, die wiederum für Vögel willkommene Beute sind, z. B. für Braunkehlchen, Feldschwirl und Sumpfrohrsänger. Die Samen sind bei Körnerfressern sehr beliebt. Stieglitz, Bluthänfling und Grünfink stellen sich im Spätsommer und Herbst in großen Schwärmen ein, um die Samen abzuernten.

In der Regel wechseln die Pflanzengesellschaften auf den Brachflächen recht schnell. Bald stellen sich auch die ersten Büsche und Bäume ein, die ebenfalls sehr zur Bereicherung der Landschaft beitragen. Räubwürger finden hier Brutplätze und Möglichkeiten, ihre Nahrung auf Dornen oder Ästen aufzuspießen. Der Endzustand von Brachland ist in den allermeisten Fällen Wald, und zwar natürlicher Wald, wie er in der jeweiligen Gegend ohne die Bewirtschaftung des Menschen wachsen würde.

Gibt es also einen Grund, gegen Brachland vorzugehen? Keinesfalls, wenn man nicht wertvolle landwirtschaftliche Kulturlandschaften wie die Streuwiesen (vgl. S. 213), bestimmte Ausblicke oder offene Täler erhalten will.

Auf Brachland passiert nichts Verwerfliches. Im Gegenteil, es ist ein Geschenk für uns, das Leben in unsere sonst total verplante Landschaft bringt. An geeigneten Stellen liefert es gute Möglichkeiten, durch Gestaltung besonders wertvolle naturnahe Gebiete zu schaffen. Es besteht keinesfalls Anlaß, mit Feuer und Schwert gegen das Brachland vorzugehen.

Allein um Ordnung zu schaffen, werden jedes Jahr große Flächen von Brachland abgebrannt. Dabei gehen sehr viele Tiere zugrunde: Schmetterlinge, Ringelnattern, Eidechsen und Igel.

Braunkehlchen nutzen den Insektenreichtum des Brachlands und einzeln stehende Büsche als Singplatz und Ausguck.

Schaffung neuer Lebensräume:

Der Weg, bedrohten Vogelarten zu helfen
Teichgut Wallnau: Knotenpunkt auf den Zugwegen der Vögel

Das Teichgut Wallnau ist 210 Hektar groß und im Bereich der Ostsee ein wichtiger Knotenpunkt für ziehende Vögel. Es liegt auf der Insel Fehmarn und wurde vor etwa hundert Jahren durch Eindeichung aus der Ostsee gewonnen. Dieser also künstlich gewonnene Lebensraum bietet jedoch nicht nur Zugvögeln günstige Rastmöglichkeiten, sondern es herrschen hier ideale Lebensbedingungen für viele Vogelarten. In den dichten Schilfbeständen und auf den feuchten Wiesen brüten Rothalstaucher, Rohrdommeln, Kolbenenten, Löffelenten, Rohrweihen, Trauerseeschwalben, Kampfläufer und Alpenstrandläufer. Alles Vogelarten, die stark gefährdet sind.

Die Planung sah vor, daß dieser wichtige Lebensraum in einen Unterhaltungspark für Touristen umgewandelt werden sollte. Um das Teichgut als Lebensraum für diese Vogelarten zu erhalten, hat der Deutsche Bund für Vogelschutz, der in Schleswig-Holstein mehrere wichtige Schutzgebiete betreut, innerhalb eines einzigen Jahres in beispiellosem Einsatz eine Summe von 1,2 Millionen DM zusammengebracht.

200 000 DM stiftete die Zoologische Gesellschaft von 1858, Frankfurt, und das Land Schleswig-Holstein sowie der Kreis Ostholstein beteiligten sich mit 400 000 DM an dem für den Naturschutz außerordentlich wichtigen Projekt. Die restlichen 600 000 DM, die für den Kauf des Gebietes fehlten, brachte der Deutsche Bund für Vogelschutz durch Sammlungen und Spendenaufrufe an seine Mitglieder auf.

Das Teichgut wurde gekauft und damit gerettet. Jetzt ist vorgesehen, den Lebensraum für die Vögel noch weiter zu verbessern. Außerdem soll interessierten Besuchern die Gelegenheit gegeben werden, die Vögel zu beobachten, ohne diese zu stören. Der Bau von Beobachtungsanlagen ist geplant. Im Verwaltungsgebäude des Teichgutes ist inzwischen ein Informationszentrum im Aufbau.

Das Teichgut Wallnau auf der Insel Fehmarn wurde für 1,2 Millionen DM für den Vogelschutz gekauft.

In der ganzen Bundesrepublik Deutschland brüten nur noch etwa 170 Rohrdommeln. Einer der Brutplätze ist das Teichgut Wallnau.

Die seltene Trauerseeschwalbe brütet auf den Wallnauer Teichen.

Borkum:
Auf der Nordseeinsel entstand ein See für Küstenvögel

Nach den Sturmfluten im November und Dezember 1973 wurde auf der Nordseeinsel Borkum im Sommer des nächsten Jahres mit dem Bau eines neuen Deiches begonnen. Der neue, sturmflutsichere Deich trennt Vorland und Watt von der Außenweide, die früher bei sehr hohen Fluten überschwemmt wurde. Der für den Deichbau benötigte Sand wurde mit einem Saugbagger aus der Außenweide entnommen. Dadurch entstand ein fast 20 Hektar großer See: der Tüskendörsee. Auf die Gestaltung des Sees als Lebensraum für bedrohte Vogelarten konnte gerade noch rechtzeitig Einfluß genommen werden. Das Bauamt für Küstenschutz in Norden ging erfreulicherweise auf die Vorstellungen und Vorschläge der Naturschützer weitgehend ein. Das Problem war, daß durch die Entnahme von Schlick aus dem Vorland zur Abdeckung des Deiches die Brutplätze zahlreicher Seevögel in Mitleidenschaft gezogen wurden. Betroffen hiervon sind zum Beispiel der Säbelschnäbler sowie viele weitere, in ihrem Bestand gefährdete Seevögel.

Es war deshalb beabsichtigt, den See so zu gestalten, daß er in erster Linie für Seevögel günstige Lebensbedingungen bietet. Da es nicht möglich war, im Tüskendörsee eine flache Insel von der Sandentnahme auszusparen, wurde ein Binnenpriel in die Gestaltung einbezogen. Mit Hilfe eines Durchstichs vom Tüskendörsee zu dem Priel entstand eine Insel. Sie ist für Menschen schwer erreichbar. Auf dieser Insel wurde die Landzunge, die weit in den Tüskendörsee hineinreicht, flach abgeschoben. Sie wurde 1977 vom Säbelschnäbler, vom Seeregenpfeifer und von der Küstenseeschwalbe als Brutplatz angenommen. Weiterhin wurden auf der Insel drei Senken ausgehoben, die flach mit Wasser gefüllt sind. Muschelfelder als Attraktion für Seeschwalben sollen noch angelegt werden.

Durch einen breiten Graben getrennt, können interessierte Besucher an einer Stelle bis an den See gelangen. Ein Palisaden-Sichtschutz soll Störungen vor allem für die Vögel, die sich auf dem See aufhalten, herabsetzen. Denn neben der Funktion als Brutplatz kommt dem Tüskendörsee eine große Bedeutung als Ruheplatz zu.

Der Tüskendörsee und seine unmittelbare Umgebung wurden inzwischen unter Naturschutz gestellt. Die Schutzverordnung sieht unter anderem ein Betretungs-, Jagd- und Angelverbot vor. Das Regierungspräsidium in Aurich muß in diesem Zusammenhang besonders gelobt werden, weil es das Unterschutzstellungsverfahren relativ schnell durchgezogen hat und Einwände von verschiedenen Seiten zurückgewiesen hat. Die Behörden wurden dabei vom Küstenbauamt, der Deutschen Sektion des Internationalen Rates für Vogelschutz und den Naturschützern und Jägern auf Borkum tatkräftig unterstützt.

Zwischen zwei aufgeschütteten Dämmen wurde mit einem Saugbagger Boden aus der Außenweide gepumpt. Damit wurde der Kern des entstehenden Deiches mit Sand gefüllt.

Durch die Bodenentnahme entstand ein großer See: der Tüskendörsee.

Das links neben dem See sichtbare Land wurde mit Durchstichen zu einem Priel zu einer Insel gemacht, die den Brutvögeln Sicherheit gibt. Die helle Landzunge ragt nur geringfügig über dem Wasserspiegel heraus. Sie wurde vom Säbelschnäbler sofort als Brutplatz angenommen. Die auf der Insel ausgehobenen Teiche sind flach mit Wasser gefüllt. Sie dienen den Brutvögeln als Nahrungsplatz.

Der Säbelschnäbler ist Brutvogel am Tüskendörsee.

Der Dümmer:
Ein Modell, wie man frühere Fehler behebt

Der Dümmer, ein 15 Quadratkilometer großer See im Landkreis Grafschaft Diepholz in Niedersachsen, wurde 1953 eingedeicht. Durch die Eindeichung sollten die am Rande des Dümmer liegenden Wiesen hochwassersicher gemacht werden. Im Anschluß daran sollten die Wiesen wie üblich in Äcker umgewandelt werden. Das Ziel, durch diese Maßnahmen gute Kulturböden zu schaffen, wurde jedoch nicht erreicht. Große Flächen fielen brach, da es sich nicht lohnte, sie zu bewirtschaften.

Der Mißerfolg war für die Landwirtschaft nicht tragisch, jedoch für die Natur stellten sich verheerende Folgen ein:

– Da das Wasser infolge der Eindeichung bei Hochwasser nicht mehr ausweichen konnte, kam es zu großen Wasserstandsschwankungen während der Brutzeit, die dazu führten, daß die Gelege vieler Vogelarten zerstört wurden. Die früher im Winterhalbjahr unter Wasser stehenden Feuchtwiesen blieben trocken und fielen damit für ziehende und überwinternde Wasservögel als Lebensraum aus. Dadurch wurde gerade der Bereich der Feuchtwiesen, der für viele Vogelarten lebensnotwendig ist, stark verkleinert.

– Früher wurden die mit den Flüssen in den Dümmer eingeschwemmten Stoffe zum großen Teil auf den überschwemmten Wiesen abgelagert, wo sie als Dünger wirkten. Nach der Eindeichung aber blieben diese Schwemmstoffe im Dümmer und verursachten dadurch Wassertrübung und Faulschlammbildung, die zum Absterben der Unterwasserpflanzen führte. Damit entfiel die Nahrungsgrundlage für bestimmte Vogelarten. Außerdem wurde der Schilfgürtel durch Überdüngung geschädigt.

Das Niedersächsische Landesverwaltungsamt stellte daraufhin ein Programm zur Renaturalisierung auf: Der Dümmer wurde vom Wasserwirtschaftsamt entschlammt. Innerhalb des Deiches wurde eine Fläche mit dem Namen »Vogelwiesen«, die früher als Viehweide benutzt wurde, mit einem Wassergraben umgeben. Der Grabenaushub wurde zu einem kleinen Damm aufgeschüttet, der die Vogelwiesen unabhängig vom Wasserstand des Dümmer macht. Mit einer Windpumpe kann der Wasserstand auf den Vogelwiesen gesenkt oder angehoben werden. Dabei wird das, was die Natur früher gemacht hat, nachgeahmt: Im Winter steht das Wasser flach über dem Gras, und zur Brutzeit wird das Wasser abgesenkt. Auch an anderen Stellen des Dümmers wurden erneut naturnahe Verhältnisse geschaffen, so daß der Dümmer seiner Aufgabe als Brut-, Rast- und Überwinterungsgebiet für viele Vogelarten wieder gerecht werden kann.

Bis zu 10000 Wasservögel hat man schon auf dem Dümmer gezählt, darunter so seltene wie Zwergsäger, Zwergschwan und Kranich.

Es brüten hier Rohrdommel, Rohrweihe, Wiesenweihe, Blaukehlchen, Haubentaucher, Schnatterente, Löffelente, Tüpfelsumpfhuhn, Wachtelkönig, Bekassine, Brachvogel, Uferschnepfe, Rotschenkel, Trauerseeschwalbe und Rohrschwirl. Zu den vielen Gastvögeln gehören Weißstorch und Graureiher.

Der Dümmer ist in die Liste der international bedeutsamen Feuchtgebiete aufgenommen und hat den Titel Europareservat vom Internationalen Rat für Vogelschutz verliehen bekommen.

Der Weißstorch erscheint auf den Feuchtwiesen am Dümmer regelmäßig zur Nahrungssuche.

Der Wasserstand auf den Vogelwiesen wird mit einer Windpumpe geregelt.

Ganz in der Nähe des Dümmers nisten Graureiher. Flache Ufer, Gräben und Wiesen sind ihre Beuteplätze.

Bucht des 15 Quadratkilometer großen Dümmers mit den Vogelwiesen. Im Hintergrund der Ort Hüde.

Wollmatinger Ried:
Eines der ältesten Schutzgebiete wird immer wertvoller

Durch Hochwasser gefährdete Flußseeschwalbennester wurden auf Styroporplatten umgebettet. Sie stiegen mit steigendem Wasser in die Höhe. Die Jungen wurden flügge. Ohne Hilfe durch die Vogelschützer wären die Eier fortgeschwemmt.

Das Wollmatinger Ried liegt bei Konstanz am Untersee des Bodensees. Das Naturschutzgebiet ist 430 Hektar groß. Es gehört zu unseren ältesten Naturschutzgebieten, denn es wurde bereits 1930, fünf Jahre vor Verkündung des Reichsnaturschutzgesetzes, unter Schutz gestellt. Das Wollmatinger Ried ist als Feuchtgebiet von internationaler Bedeutung anerkannt, hat vom Europarat das Europadiplom und vom Internationalen Rat für Vogelschutz den Titel Europareservat erhalten.

Der besondere Wert des Wollmatinger Rieds liegt in seiner breiten Flachwasserzone. Im Herbst sammeln sich hier bis zu 20 000 Wasservögel, die aus Nordeuropa, Osteuropa und sogar aus Sibirien kommen. Es wurden hier schon bis zu 15 000 Tafelenten, 8000 Reiherenten und 2000 Schnatterenten gezählt.

Aber auch an Brutvögeln beheimatet der Schilfgürtel des Wollmatinger Rieds viele Vogel-

arten: Schwarzhalstaucher, Zwergdommel, Schnatterente, Knäkente, Löffelente, Kolbenente, Flußseeschwalbe, Drosselrohrsänger und Rohrschwirl. Seit einigen Jahren brüten hier sogar Rohrweihe und Bartmeise.

Wenn die Wasserstandsschwankungen am Bodensee während der Brutzeit nicht so groß wären, würde der Schilfgürtel für Wasservögel, die ihr Nest in Bodennähe haben, noch anziehender sein. Aufgrund der guten Erfahrungen mit dem aus Versehen entstandenen Teich auf der Halbinsel Mettnau wurde im Februar 1976 ein Teichlabyrinth angelegt, das vom Wasserstand des Bodensees weitgehend unabhängig ist. Dieser Teich wurde sofort von der Kolbenente, von dem Zwergtaucher und der Wasserralle als Brutplatz angenommen. Er wird sicherlich einmal ebenso bedeutsam werden wie der Mettnauteich, denn auch neben dem Teich im Wollmatinger Ried bietet der nahe Bodensee Nahrung in großer Menge, während der Teich mit seinem konstanten Wasserstand und wenigen Störungen günstig zum Brüten ist. Auch im Wollmatinger Ried sahen die im Februar 1976 angelegten Teiche schon im Sommer desselben Jahres wie natürliche Gewässer aus. Der Eisvogel erscheint an dem Teich zur Zugzeit und im Winter.

Durch den Rückstau aus dem Teichbereich hat sich eine Flachwasserzone gebildet, die äußerst anziehend für Graureiher, Bekassine, Brachvogel, Zwergtaucher, Wasserralle und Knäkente ist.

Ein besonderes Sorgenkind der Vogelschützer war die Flußseeschwalbe, die zwar regelmäßig auf einer der Inseln vor dem Wollmatinger Ried brütet, aber seit 1971 keine Junge mehr großgezogen hat. Schuld daran waren Plünderungen durch Rabenkrähen, die systematisch alle Eier und kleinen Jungen absammelten, und die ungünstigen Wasserverhältnisse am Bodensee. 1976 war der Wasserstand außergewöhnlich niedrig. Vom Wasser her sah es also günstig aus, aber gerade das wurde dem Nachwuchs der Flußseeschwalbe zum Verhängnis: Eine Fuchsfamilie watete durch das flache Wasser zur Brutinsel und fraß alle Jungen. 1977 brüteten wieder 27 Paare. Viele von ihnen hatten ihr Nest sehr nahe am Wasser angelegt. Um die Eier vor dem Fortschwemmen zu bewahren, wurden ihre Nester samt den Eiern auf Styropor-Platten umgebettet. Die Altvögel nahmen daran überhaupt keinen Anstoß. Sie brüteten weiter und wurden mit steigendem Hochwasser in die Höhe gehoben. Die Rabenkrähen wurden von der Flußseeschwalben-Kolonie mit einem Beobachtungszelt abgehalten, das am Rand der Kolonie aufgestellt wurde. Sie flogen zwar regelmäßig über die Kolonie, trauten sich aber wegen des Zeltes nicht zu landen. Durch die intensive Betreuung wurden 1977 etwa 50 junge Flußseeschwalben flügge. Die Betreuung geht vom Deutschen Bund für Vogelschutz und vom Bund für Umwelt und Naturschutz Deutschland aus.

Der Drosselrohrsänger brütet im Schilfgürtel des Wollmatinger Rieds.

Im Schilfbestand des Wollmatinger Rieds wurde 1976 ein Teichlabyrinth angelegt.

Die Rohrweihe brütet erst seit einigen Jahren im Wollmatinger Ried.

Der Brachvogel ist Nutznießer der flach unter Wasser stehenden Wiesen.

Halbinsel Mettnau:
Ein Modell, das aus Versehen entstand

Die knapp zwei Quadratkilometer große Halbinsel Mettnau ragt weit in den Untersee des Bodensees hinein. Auf dieser Landzunge gibt es Sportanlagen, einen Jachthafen, einen Campingplatz, Strandbäder, ein Kursanatorium und einen neu angelegten Park. Etwa ein Drittel der Fläche steht unter Naturschutz. Der größte Teil des Naturschutzgebietes wurde früher als Streuwiese genutzt, das heißt: Die Landwirte mähten die Wiese im Winter und nutzten das Mähgut als Streu in ihren Viehställen.

Um 1964 entstand auf einer Fläche neben den Tennisplätzen ein 30 000 Quadratmeter großer Teich. Niemand hatte das beabsichtigt. Er bildete sich aus Versehen, nachdem bei Auffüllarbeiten Entwässerungsrohre verstopft wurden. Dieser Teich ist heute der beste Entenbrutplatz am ganzen Bodensee. Es brüten dort Kolbenente, Löffelente, Schnatterente, Knäkente, Tafelente, Reiherente und Stockente. Weitere Brutvögel

sind: Zwergtaucher, Zwergdommel, Wasserralle, Teichhuhn, Bläßhuhn, Drosselrohrsänger, Teichrohrsänger, Rohrschwirl, Rohrammer und gelegentlich sogar der Purpurreiher. Die Brutbedingungen für Wasservögel sind an den Teichen besonders günstig, weil der Wasserstand wenig schwankt, so daß Bodennester nicht zu Schaden kommen, da weder Angler noch Bootsfahrer die Vögel stören und da der nahe Bodensee Nahrung in großer Fülle bietet.

Der Mettnauteich wurde zum Modell für viele weitere, für den Naturschutz neu angelegte Teiche. Der Deutsche Bund für Vogelschutz hat am Rande des Teiches eine Plattform gebaut, von der aus jeder Interessierte aus nächster Nähe von April bis Juni bis zu hundert Kolbenenten und andere seltene Vogelarten beobachten kann. Da die Vögel von der Plattform aus nach allen Seiten ausweichen können, stören die dort stehenden Menschen nur wenig.

Von einer Plattform aus kann man die Vögel des Mettnauteiches aus der Nähe beobachten.

Von der Halbinsel Mettnau (Radolfzell) steht etwa ein Drittel unter Naturschutz.

In einem Jahr hat im Mettnauteich sogar der seltene Purpurreiher gebrütet.

Kolbenenten gehören zu den Kostbarkeiten des Bodensees. Am Mettnauteich kann man bis zu hundert Kolbenenten gleichzeitig beobachten.

Ehinger Ried:
Ein Beispiel für gute Zusammenarbeit

In dem 20 Hektar großen Ehinger Ried (Landkreis Konstanz) wurden 1976 vier Teiche angelegt.

Bisher war die Flurbereinigung für die Naturschützer ein Alptraum. Denn mit ihr war oft die totale Ausräumung der Landschaft verbunden. Was ökonomisch scheinbar überflüssig oder hinderlich war, wurde beseitigt: Hecken, Bäume, Obstwiesen und Wasserlöcher. Bäche und Flüsse wurden verdolt, betoniert oder kanalisiert, feuchte Wiesen und Moore entwässert.

Mit dem Umdenkungsprozeß, der inzwischen alle, die in die Landschaft eingreifen, mehr oder weniger stark ergriffen hat, verdient ein Flurbereinigungsverfahren herausgestellt zu werden, bei dem es zu einer mustergültigen Zusammenarbeit zwischen Flurbereinigern und Naturschützern gekommen ist. Dadurch konnte ohne Minderung des eigentlichen Zieles der Flurbereinigung zusätzlich Natur nicht nur erhalten, sondern auch im Sinne des Naturschutzes gestaltet werden.

Dieses Flurbereinigungsverfahren wird auf der Gemarkung der Gemeinde Mühlhausen-Ehingen im Landkreis Konstanz vom Flurbereinigungsamt Radolfzell durchgeführt. Dabei wurde das Ehinger Ried von etwa 20 Hektar als Fläche ausgewiesen, die mit ihren Grenzertragsböden nicht mehr landwirtschaftlich bewirtschaftet wird. Das Ehinger Ried besteht aus kleinen Restflächen von Streuwiesen mit wertvollen Sumpfpflanzen, Brachflächen – die zum Teil sehr stark verbuscht sind –, kleinen Äckern und Fettwiesen, die nach einer schon sehr alten Entwässerung bewirtschaftet wurden. In dem Ried befinden sich sehr ergiebige Quellen. Ein begradigter und vertiefter Bach fließt mittendurch. Am Rande wurde ein Müllplatz angelegt. Mittendrin befand sich ein kleiner Schrottplatz und ein hoch mit Maschendraht eingezäunter Fischteich.

Zur Renaturalisierung wurden vom Flurbereinigungsamt im Februar 1976 vier Teiche angelegt. Schon im selben Jahr wirkten die Teiche wie natürliche Gewässer.

Anlage eines Teiches im Ehinger Ried im Februar 1976

Im Sommer 1976 sieht derselbe Teich schon wie ein natürliches Gewässer aus. In der Mitte des Bildes ist eine künstlich errichtete Eisvogelsteilwand zu sehen.

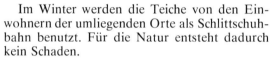

Der Wasserschlauch, eine fleischfressende Wasserpflanze, besiedelt die Teiche sofort. Ihre gelben Blüten bedecken Teile der Wasserfläche.

Eine Blüte des Wasserschlauches aus der Nähe

Mit einem Schlauchboot werden Einschalungsbretter auf die Insel eines Teiches gefahren . . .

. . . wo für den Eisvogel eine Steilwand errichtet wird.

Im Winter werden die Teiche von den Einwohnern der umliegenden Orte als Schlittschuhbahn benutzt. Für die Natur entsteht dadurch kein Schaden.

Auf einer Insel eines der Teiche errichteten Mitarbeiter des Bundes für Umwelt und Naturschutz Deutschland eine Steilwand, die dem Eisvogel die Möglichkeit gibt, seine Brutröhre anzulegen.

Sofort nach Anlage der Teiche stellten sich Wasserpflanzen ein, die von Wasservögeln von anderen Teichen her eingeschleppt wurden. Libellen erschienen in großer Zahl, im Jahre 1977 – ein Jahr nach der Anlage – explodierte ihr Bestand regelrecht. Die Larven der Libellen und anderer Wassertiere sind wiederum die Nahrungsgrundlage des Zwergtauchers, der schon 1976 erfolgreich gebrütet hat.

Das Ehinger Ried gehörte vor der Flurbereinigung 51 Besitzern. Nur über die Flurbereinigung ist es möglich, eine solche Fläche in einen Besitz zu bringen. Die meisten Landwirte haben ihr Land zu einem Preis von 20 bis 25 Pfennig pro Quadratmeter zur Verfügung gestellt, um damit einen Beitrag zur Erhaltung der Natur zu leisten. Der Bürgermeister von Mühlhausen-Ehingen hat sich voll für die Erhaltung und Gestaltung des Rieds eingesetzt. Sein Gemeinderat stellte den einstimmig gefaßten Antrag, das Ehinger Ried und das Bruckried, das in Gemeindebesitz ist, als Naturschutzgebiete auszuweisen. Da die Gemeinde den für den Kauf des Ehinger Rieds notwendigen finanziellen Anteil nicht aufbringen konnte, hat der Bund für Umwelt und Naturschutz eine Spendenaktion durchgeführt: 130 Bürger und Institutionen spendeten fast 15 000 DM für Ankauf, Pflege und Gestaltung. 15 000 DM stellte der Jagdpächter für die Anlage der Teiche zur Verfügung. Vom Bund für Umwelt und Naturschutz erhielt die Gemeinde 10 000 DM aus Spendenmitteln als Eigenanteil. Daraufhin gab das Landesamt für Flurbereinigung und Siedlung Baden-Württemberg zum Ankauf 50 000 DM als Zuschuß. Besitzer wird die Gemeinde Mühlhausen-Ehingen. Im Grundbuch erhält der Bund für Umwelt und Naturschutz Grunddienstbarkeiten eingetragen, die die Erhaltung des Rieds auch zivilrechtlich absichern.

Eine der Libellenarten, die sich an dem Teich eingestellt hat, ist die große Pechlibelle. Auf dem Bild ist ein Paar in Kopulationshaltung zu sehen.

Der Zwergtaucher hat bereits 1976 auf einem der Teiche gebrütet. Die Libellenlarven, die im Wasser leben, gehören zu seiner Nahrungsgrundlage.

Rettet die Vögel

Sie warnen uns vor den schädigenden
Auswirkungen von Umweltgiften . . .
. . . die wir selbst durch den Einsatz
von Chemikalien heraufbeschwören.

Ihre Lebensräume stabilisieren
auch unsere Umwelt . . .
. . . doch wir vernichten sie
und nehmen ihnen die Lebenschance.

wir brauchen sie

Sie fressen Insekten und halten die
Nahrungsnetze im Gleichgewicht . . .
. . . ihr Tod zwingt uns deshalb,
noch mehr Giftstoffe gegen Schädlinge
einzusetzen.

Sie sorgen für Vielfalt
in der Natur . . .
. . . die wir durch die Einfalt
unserer Methoden zerstören.

Seit Menschengedenken erfreuen
sie uns mit ihrem Gesang . . .
. . . wenn sie jetzt aussterben,
droht uns der »stumme Frühling«.

Warum brauchen wir die Vögel?

Wir brauchen Arbeitsplätze, wir brauchen Industrie, wir brauchen Erholungsgebiete – niemand wird das in Frage stellen. Die Feststellung »Wir brauchen Vögel« nehmen dagegen die meisten Menschen nicht ernst. Was macht es, wenn Seeadler und Wanderfalke aussterben? Brauchen wir die Vögel wirklich? Die Fachleute antworten darauf: Ja, wir brauchen sie. Wie sie zu dieser eindeutigen Antwort kommen, soll zunächst an der Quecksilber-Geschichte aus Schweden erläutert werden.

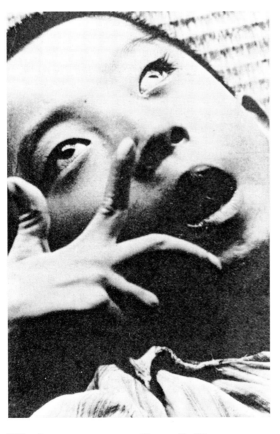

An Quecksilbervergiftung schwer erkrankter Japaner. Vögel haben die Schweden vor dem gleichen Schicksal bewahrt.

Vögel warnen uns vor Umweltgiften.
1963 fand man in Schweden ungewöhnlich viele tote Vögel auf den Feldern: Fasanen, Rebhühner, Tauben, Rabenvögel, Finken, Adler, Bussarde, Habichte, Falken und Eulen. Es waren also vor allem körnerfressende Vögel, aber auch Greifvögel und Eulen. Die Greifvögel und Eulen hatten sich offensichtlich von kranken, sterbenden oder toten Körnerfressern ernährt. Über die Ursache des Massensterbens konnte man nur Vermutungen anstellen.

Ein wichtiger Hinweis ergab sich in den folgenden Jahren: Die meisten Vögel starben jeweils ein bis zwei Monate nach der Getreideaussaat im Frühjahr und Herbst.

Aber die Getreidekörner selbst konnten schwerlich die Ursache der Todesfälle sein. Deshalb konzentrierten sich die Wissenschaftler nunmehr auf die Untersuchung der Stoffe, mit denen das Getreide vor der Aussaat behandelt wurde. Einer dieser Stoffe war Methylquecksil-

ber. Dieses Methylquecksilber wurde seit 1940 in immer größerem Umfang als Beizmittel von Getreide- und Rübensaat angewandt. Damit verhinderten die Landwirte durch Pilze verursachte Keimschäden an der Saat, denn das Quecksilber tötet die Pilze ab.

Quecksilber ist aber nicht nur ein Pilztöter, sondern überhaupt eines der stärksten Gifte für Lebewesen. In den Körpern der toten Vögel fand man Quecksilbermengen, die sehr gering im Hinblick auf ihre absolute Menge waren, aber sehr groß, wenn man ihre Gefährlichkeit berücksichtigt.

Nach jahrelangen Untersuchungen war die Beweiskette lückenlos: Das Quecksilber war die Ursache des Massensterbens. 1966 wurde die Verwendung von Methylquecksilber als Saatgutbeize in Schweden verboten. Ein Jahr danach kam ein Gesetz heraus, das auch die Verwendung von Quecksilber bei der Papierherstellung untersagte. Denn die Abwässer der Papierfabriken waren eine weitere Quelle für die Verseuchung der Umwelt mit diesem Gift.

In Schweden kamen die Verbote gerade noch rechtzeitig, bevor Menschen Schaden durch die Umweltbelastung mit einem gefährlichen Gift genommen hatten. Die Schweden verdanken das den tot aufgefundenen Vögeln, die den Menschen auf eine große Gefahr aufmerksam gemacht haben. Ohne diese empfindlichen Giftanzeiger wäre es in Schweden zu einer immer stärkeren Belastung der Umwelt durch Quecksilber gekommen und eines Tages zweifellos auch zu so tragischen Vergiftungen wie in Japan. Dort erkrankten und starben viele Menschen an quecksilberhaltiger Nahrung, die durch Abwässer von Industriebetrieben verursacht wurden. In Japan hatte man auf Vögel als Giftanzeiger nicht geachtet, oder es gab in dem Gebiet zu wenig Vögel.

Es besteht also ein öffentliches Interesse an einer Vielfalt von Vogelarten als erstes Warnsystem für Umweltbelastungen. Ausgestorbene Vogelarten können uns Gefahren, die ohne Absicht durch den Menschen verursacht werden, nicht mehr anzeigen. Wild lebende Vögel lassen sich auch nicht durch Apparate ersetzen, weil Apparate nur das anzeigen, wonach man sucht. In unserer Umwelt befinden sich aber bereits Zehntausende der künstlich vom Menschen hergestellten chemischen Verbindungen, die es in der Natur nicht gibt, deren Gefährlichkeit nicht bekannt ist und nach denen deshalb auch nicht mit Apparaten gefahndet werden kann.

Wie bedeutungsvoll gerade Vögel als Giftanzeiger sind, geht nicht nur aus dem Quecksilber-Beispiel hervor. Vögel haben uns in ganz ähnlicher Weise auf die weltweite Verseuchung mit Rückständen des Insektenbekämpfungsmittels DDT und mit PCB (Polychlorierte Biphenyle) hingewiesen, die in vielen technischen Bereichen verwendet werden.

Es waren gerade die eingangs erwähnten Vogelarten Wanderfalke und Seeadler, die uns auf diese Gifte aufmerksam gemacht haben. Würden sie aussterben, könnten sie in Zukunft Gefahren für den Menschen nicht mehr anzeigen – das gilt grundsätzlich für alle Vogelarten, oder mit anderen Worten: Je weniger Vogelarten in einer Landschaft vorkommen, um so gefährlicher ist das für die Menschen, die in dieser Landschaft leben.

Artenvielfalt sorgt für Stabilität.

Artenvielfalt ist aber auch noch aus anderen Gründen entscheidend wichtig für den Menschen: Je vielseitiger die Lebensbedingungen einer Landschaft sind, um so mehr Arten können dort vorkommen. Einseitige Lebensbedingungen verursachen artenarme Lebensgemeinschaften. Sterben Arten aus, die vorher in Konkurrenz mit anderen gelebt hatten, können sich die überlebenden Arten stärker vermehren. Das führt in der Regel zu einer Instabilität und sehr oft zu wirtschaftlichen Schäden. Wird etwa anstelle eines artenreichen Waldes nur eine Baumart angepflanzt, können sich einzelne Insektenarten sehr stark vermehren, weil ihnen die Konkurrenz durch andere fehlt, und weil für sie die Lebensbedingungen besonders günstig sind. Wo immer möglich, sollte deshalb der Artenreichtum erhalten und begünstigt werden.

Vögel beeinflussen die Vielfalt in den Lebensgemeinschaften der Pflanzen und Tiere aber nicht nur, indem sie Insekten in großen Mengen verzehren, sondern auch durch die Verbreitung von Kleinlebewesen, Fischeiern und Froscheiern von einem Gewässer zum anderen. Darüber hinaus gäbe es in der freien Landschaft und im Wald viel weniger Baum- und Straucharten, wenn Vögel nicht ganz entscheidend für ihre Verbreitung sorgen würden. Landschaftsprägende einzelne Eichen in der Feldflur und an Böschungen sind ebenso das Werk der Vögel wie beerentragende Hecken. Diese kostenlosen Dienstleistungen der Vogelwelt können gar nicht hoch genug eingeschätzt werden. Ohne Vögel wären unsere Wälder und Felder viel eintöniger, als sie es ohnehin oft schon sind.

Vögel können der Technik neue Wege öffnen.

Ein weiterer Grund für die Erhaltung von so vielen Vogelarten wie möglich liegt in folgendem: Die fossilen Energieträger Kohle, Erdgas und Öl werden nur noch für eine begrenzte Zeit zur Verfügung stehen. Schon unsere Kinder und Enkel werden in viel stärkerem Maße als wir von dem abhängen, was nachwächst. Je größer das Sortiment der Rohstoffe ist, also der Pflanzen- und Tierarten, die wir ihnen übriglassen, um so größer ist die Wahrscheinlichkeit, daß sie menschenwürdig leben können. Pflanzen und Tiere verfügen über hochleistungsfähige Produktionssysteme, die von einer weiter entwickelten Technik in heute nicht voraussagbarer Weise genutzt werden können. Das Hinüberretten möglichst vieler dieser Programme in die Zukunft, das heißt das Hinüberretten möglichst vieler Pflan-

Die Mistel gehört zu den Pflanzenarten, die vollständig auf die Verbreitung durch Vögel angewiesen sind.

Der Eichelhäher trägt ganz wesentlich zur Verbreitung der Eiche bei. Ohne den Eichelhäher wären sowohl die Feldflur als auch der Wald viel ärmer an Eichen und damit ärmer in der landschaftsprägenden Vielfalt.

zen- und Tierarten ist eine unserer vordringlichen Aufgaben.

Vögel als liebenswerte Geschöpfe

Wir brauchen aber auch deshalb Vögel, weil Vögel vielen Menschen unvergeßliche Erlebnisse liefern, für die es keinen Ersatz gibt. Und die Zahl derer, die auf diese Weise von den Vögeln Nutzen hat, wird ständig größer.

Zum Schluß dieses Kapitels sei noch eine Anmerkung gestattet: Die meisten Vogelschützer schützen Vögel nicht, weil sie uns nützen, sondern weil sie es als ethische Verpflichtung ansehen, zu erhalten, was die Natur in vielen Millionen Jahren hervorgebracht hat. Der Auftrag »Machet Euch die Erde untertan« bedeutet ja nicht, daß wir Mitlebewesen auf dieser Erde vernichten sollen oder dürfen. Dieser Auftrag kann nur heißen, pfleglich mit unserer Umwelt umzugehen, und das ist eine Aufgabe nicht nur für Vogelschützer, sondern für uns alle.

Warum sind die Vögel bedroht?

Die aktuelle Situation – eine traurige Bilanz!
Von den ehemals in der Bundesrepublik brütenden 208 Vogelarten sind 19 bereits ausgestorben. Weiteren 86 (das sind zusammen 105 Arten oder 44 Prozent!) droht das gleiche Schicksal, wenn nicht unverzüglich viel mehr getan wird, als bisher geschieht.

Um erfolgreiche Hilfsmaßnahmen einleiten zu können, müssen jedoch die Gründe der Gefährdung bekannt sein. Die nachstehende Zusammenfassung gibt deshalb einen Überblick über die wesentlichen Ursachen der Gefährdung.

Das Hauptproblem: die Zerstörung ihrer Lebensräume
Im Mittelpunkt dieses Buches stehen die Lebensräume der Vögel. Auf ihre Erhaltung kommt es im wesentlichen an, wenn die darin vorkommenden Arten vor dem Aussterben bewahrt werden sollen. Denn jede Vogelart stellt bestimmte Ansprüche an ihre Umgebung. Bestimmte Nahrungstiere und -pflanzen müssen vorhanden sein. Ein Nest muß in der arteigenen Weise gebaut werden können. Es muß Deckung zum Schutz vor Feinden oder freie Sicht vorhanden sein. Fehlt nur irgend etwas Wesentliches, so fehlt dem Vogel die Lebensbasis. Es können für uns kaum feststellbare Kleinigkeiten sein, die ein Überleben bestimmter Vogelarten im jeweiligen Lebensraum unmöglich machen.

Unwiderruflich wird Vogelarten jedoch die Existenz entzogen, wenn ihr Lebensraum ganz und gar verändert wird. Von solchen entscheidenden Eingriffen in die Landschaft sind leider immer größere Flächen betroffen.

Fichtenplantagen ersetzen gesunde Mischwälder.
Ursprünglich war Deutschland ein großes Waldland. Der Wald nahm fast die gesamte Fläche ein, sicherlich über 90 Prozent. Der prozentuale An-teil des Waldes nimmt heute nur noch 29 Prozent von der Gesamtfläche ein und wird bis auf wenige Ausnahmen intensiv bewirtschaftet. Im Laufe der Geschichte haben also Waldvögel durch Einrichtungen der Menschen über 60 Prozent ihres Lebensraumes verloren. Mit dieser Lebensraumreduzierung sank verständlicherweise die Zahl der Waldvögel erheblich.

Aber es ist nicht der Verlust der Waldfläche allein, es kommt die großräumige Umwandlung der Laubwälder in Nadelwaldforste hinzu. Diese Umwandlung hat zu einem weiteren Rückgang der an Laubbäume angepaßten Vogelarten geführt. Begünstigt wurden dagegen die Vogelarten, die an Nadelbäume angepaßt sind. Doch auch hiervon sind inzwischen einige Arten stark gefährdet, da sie z.B. die zum Brüten erforderlichen alten Bäume auf großen Flächen nicht genügend vorfinden.

Städte explodieren und vermindern den Lebensraum.
In den letzten Jahrzehnten haben sich die Städte auf Kosten aller Lebensräume ausgebreitet. In der Bundesrepublik sind heute bereits 10 Prozent der Gesamtfläche mit Straßen, Häusern und Fabriken überbaut und damit für die meisten Vogelarten unbewohnbar geworden. Täglich gehen über 100 Hektar auf diese Weise verloren. Das ist eine Fläche, so groß wie 1000 Hausgärten von 1000 Quadratmeter Größe.

Flurbereinigung macht intakter Kulturlandschaft ein Ende.
Zur landwirtschaftlich genutzten Fläche gehören Wiesen, Weiden, Felder, Buschland, Kopfweidenbestände und Rebgelände. Sie machen 57 Prozent der gesamten Fläche aus. Sie sind ursprünglich durch die Umwandlung von Flußauen, Wald und Mooren entstanden und haben wesentlich zur Vielfalt in der Natur beigetragen. Mit der Intensivierung der landwirtschaftlichen Nutzung stieg zwar die Produktion erheblich, die Vielfalt der Natur wurde jedoch drastisch vermindert – der ökologische Wert nahm ab. Die Flurbereinigung hat dazu wesentlich beigetragen. Buschland und Kopfweiden wurden an vielen Orten als störend beseitigt mit der Folge, daß die daran angepaßten Arten im Bestand zurückgegangen sind.

Bäche und Flüsse werden begradigt, das Land trockengelegt.
Während der Lebensraum Wald immerhin noch auf einer erheblichen Restfläche erhalten geblieben ist, sind die Flußauen der großen Flüsse fast vollständig vernichtet. Anfangs durch Auslichtung und Beweidung der Auwälder, später durch Begradigung und Kanalisierung der Flußläufe und Entwässerung der Auen.

Damit ging ein Lebensraum verloren, über dessen hohe Produktionsleistung uns nur noch alte Berichte eine Vorstellung geben. In der End-

phase des Bach- und Flußausbaues nahm die Belastung der Flüsse mit Abwasser und Giften ständig zu. Hinzu kam die Aufheizung des Wassers mit Abwässern von Kraftwerken.

Weite Strecken unserer Flüsse, die einst von Leben wimmelten, sind heute tot. Mit unzähligen Bachläufen wurde ähnlich umgegangen wie mit den Flüssen. Glücklicherweise ist jedoch noch ein erheblicher Teil halbwegs erhalten.

Seen und Teiche werden eingefaßt, die Ufer begradigt und bebaut.

Die flachen Uferbereiche der Seen und Teiche gehören zu den produktivsten Lebensräumen für freilebende Pflanzen und Tiere. Dementsprechend haben sich auf diesen Raum viele Vogelarten spezialisiert. Die Ufer der Seen waren jedoch von jeher beliebtes Siedlungsland. Dies führte schon immer dazu, daß über kurz oder lang die natürliche Ufervegetation vernichtet wurde.

Nach dem letzten Weltkrieg kam es zu einer zunehmenden Belastung der Seegrundstücke durch Häuser, Uferpromenaden und Häfen, die immer noch anhält. Dies ist eine der Hauptursachen für die Vernichtung des Lebensraumes. Hinzu kommt, daß Seen es wesentlich schwieriger haben als Flüsse, mit Abwasser und Giftstoffen fertig zu werden.

Die letzten Heiden und Moore werden vernichtet.

Die Heide, ehemals durch Holzschlag, Brandrodung und Beweidung mit Schafen entstanden, hatte sich zu einer wertvollen sekundären Naturlandschaft entwickelt. Heute droht ihr durch den Rückgang der Schafhaltung die vollkommene Umwandlung. Nicht mehr beweidete Heideflächen werden allmählich wieder zu Wald. Hinzu kommt die Umwandlung der Heide in landwirtschaftliche Nutzflächen sowie ihre Aufforstung mit Kiefern.

Nicht besser sieht es mit den Mooren in der Bundesrepublik aus. Moore gehören zu den empfindlichsten Lebensräumen, die es auf der Erde gibt. Sie sind in Jahrtausenden entstanden, doch es hat nur wenige Jahrzehnte gedauert, um sie durch industriellen Torfabbau und durch Entwässerung nahezu auf Null zu vermindern. Der größte Teil unserer Moore ist heute bereits total vernichtet.

Das Wattenmeer – Refugium für viele Lebewesen – wird weiter eingedeicht.

Seit Beginn der Deichbauten um 1000 nach Christi bis heute wurde das Wattenmeer etwa um die Hälfte verkleinert. In absehbarer Zukunft sollen weitere vier bis fünf Prozent des deutschen Wattenmeeres eingedeicht werden. Wird dieser Plan realisiert, so ist sicher, daß damit der Lebensraum von mehreren Millionen Wat- und Wasservögeln und damit unser letzter großer Naturraum entscheidend beeinträchtigt wird.

Es steht fest, daß der Deichbau in dieser Form nicht durchgeführt werden muß, denn die Führung der Deiche für den notwendigen Küstenschutz ist auch anders möglich, ohne daß das Wattenmeer wesentlich in Anspruch genommen werden muß.

Die neu geplanten Deiche sind jedoch nur ein Problem. Das Wattenmeer ist weiterhin gefährdet durch die zunehmende Konzentration der Industrie im Mündungsbereich der Flüsse und an der Küste mit Atomkraftwerken, Industrieanlagen, Hafenprojekten und Erdölbohrungen sowie den davon ausgehenden Schadstoffen. Die Flußwatten der großen Flüsse Elbe, Weser und Ems sind bereits fast vollständig vernichtet.

Das Hochgebirge wird erschlossen, und dabei werden die wenigen ungestörten Lebensräume zerstört.

Die Erschließung der Alpen für den Tourismus sowie die Umwandlung von naturnahem Wald in intensiv genutzten Wald, die zu hohe Wilddichte, Truppenübungsplätze und Hubschrauberflüge führen zu einer immer stärker werdenden Beeinträchtigung des sonst noch relativ ursprünglichen Berglandes.

Dörfer werden industrialisiert, geben ihre Ursprünglichkeit auf.

Dem Lebensraum Dorf und Kleinstadt hatten sich im Laufe der Jahrhunderte viele Vogelarten angepaßt, die ursprünglich Wald- oder Felsbewohner waren. Die zunehmende Verstädterung der Dörfer, die Zersiedlung und der Rückgang der landwirtschaftlichen Betriebe haben heute eine negative Auswirkung auf die Vogelwelt. Wertvolle sekundäre Naturlandschaften um die Ortschaften wie Gärten, Buschraine oder Streuobstflächen wurden durch Flurbereinigung und Besiedlung an vielen Stellen beseitigt oder entscheidend beeinträchtigt. Gerade sie waren aber die Voraussetzung für eine reichhaltige Vogelwelt.

Umweltgifte in der Nahrung

Monokulturen in Land- und Forstwirtschaft begünstigen einzelne Pilz-, Pflanzen- und Tierarten sehr stark. Sie finden hier keine Konkurrenz anderer Arten, die sie in ihrer Vermehrung in Schach halten. Die Folge davon ist: Einige Arten treten in großer Zahl auf und können dann großen Schaden an den Kulturpflanzen anrichten. Dagegen wehrt sich der Land- und Forstwirt sehr oft mit Bekämpfungsmitteln, die für Schädlinge notwendigerweise giftig sind. In der Regel wirkt das Gift aber nicht nur gegen die Art, die bekämpft werden soll, sondern gegen andere auch. Die durch die Monokultur bedingte Artenarmut wird dadurch noch gefördert.

Wird die Bekämpfung regelmäßig durchgeführt, werden viele Schädlinge gegen das Gift unempfindlich. Die Giftdosis wird dann erhöht, aber auch das hilft in der Regel auf die Dauer nicht.

Aus Kostengründen wird das Gift in hohen Konzentrationen verkauft. Der Praktiker muß dieses Konzentrat in genau vorgeschriebene Prozentanteile verdünnen. Dabei entstehen zwangsläufig Fehler in der Dosierung. Wird zu hoch dosiert, kommt es oft zu direkten Vergiftungen von Vögeln.

Wesentlich schlimmer als direkte Vergiftungen wirken sich jedoch Anreicherungen von Giftstoffen im Körper aus. Das heißt, mit der Nahrung werden Giftspuren aufgenommen, von denen ein Teil im Körper abgelagert wird. Durch die Anreicherung von derartigen Giften sind verschiedene Vogelarten beinahe ausgestorben. Die Ursache waren vor allem chlorierte Kohlenwasserstoffe wie das DDT, das bei starker Anreicherung im Körper direkt als Gift wirkt, die Küken im Ei schädigt oder die Eierschalen so verdünnt, daß die Eier beim Brüten zerbrechen. Die Belastung mit Rückständen von Pflanzenschutzmitteln ist bei allen untersuchten Vogelarten in der Bundesrepublik hoch, besonders betroffen sind die Endglieder von Nahrungsketten, wie manche Greifvogelarten.

Ähnlich wie DDT wirken die PCBs (Polychlorierte Biphenyle), die durch Abwässer, Müllverbrennung und Industrierauch in unsere Umwelt und damit in natürliche Kreisläufe kommen.

Wie sich die hohen Konzentrationen von Schwermetallen im Schlamm der Flüsse auf Wasservögel auswirken, ist bisher nicht bekannt. Quecksilbervergiftungen über Saatgutbeize und Fische haben schon zu Massensterben von Vögeln geführt. Auf den Seiten 224/225 wurde hierüber ausführlich berichtet.

Konzeptionslose Erschließung des Landes für Tourismus und Freizeitsport

Zunehmende Freizeit und höherer Wohlstand führten zu einer intensiven Entwicklung des Tourismus und vieler Freizeitsportarten wie Angeln, Motorsport und dergleichen mehr. Dies

führt dazu, daß an vielen Orten durch zu viele Störungen die Vögel bedauerlicherweise ihre Gelege aufgeben. Das gilt vor allem für Flußufer, Küsten, Inseln, Seen und Teiche, aber auch für Waldzonen, Gebirgslandschaften und viele andere Lebensräume. Ohne Ruhezonen für die Tierwelt ist ein wirksamer Vogelschutz nicht möglich.

Die Fischerei ist eine uralte, vom Menschen ausgeübte Tätigkeit. Die damit verbundenen Rechte wurden auch auf die sogenannte Sportfischerei übertragen, die zu einem immer größeren Problem wird. Intensives Angeln, der Überbesatz bestimmter Nutzfische und die Verdrängung nicht nutzbarer Fischarten führt zu Artenarmut in vielen Gewässern, die sich auch auf die Vögel negativ auswirkt. Noch schwerwiegender ist für die Vögel jedoch allein die Anwesenheit von vielen Anglern. Gerade Wasservögel werden in vielen europäischen Ländern gejagt. Sie sind deshalb gegenüber dem Menschen sehr vorsichtig, indem sie ständig einen bestimmten Abstand einhalten. Nur wenige Angler rund um ein Gewässer können durch ihre Anwesenheit zur Verdrängung gerade der seltenen Entenarten führen.

Vogelhaltung und Vogelhandel

Allein in Baden-Württemberg werden mindestens 40 Wanderfalken, 17 Seeadler und 18 Steinadler in Gefangenschaft gehalten. In der ganzen Bundesrepublik gibt es dagegen freilebend nur noch 50 Paar Wanderfalken, 4 Paar Seeadler und 15 Paar Steinadler. Aus dieser Gegenüberstellung wird klar, wie stark bedroht bestimmte Greifvogelarten durch Handel und Hal-

tung sind. Großen Auftrieb hat die Greifvogel-haltung durch die Falknerei bekommen, die von einer verschwindend kleinen Minderheit betrieben wird. Die illegale Aushorstung junger Wanderfalken ist nach wie vor die größte Gefährdungsursache für diese Vogelart. Der Wanderfalke wäre bei uns längst ausgestorben, wenn nicht die meisten Horste rund um die Uhr bewacht würden.

Vogeljagd und Vogelfang

Der Mensch war auf die Jagd vollständig angewiesen, bevor er Vieh züchtete und Äcker bestellte. Wer kein guter Jäger war, mußte verhungern. Heute wären bei uns alle Kochtöpfe auch dann gefüllt, wenn kein einziger Vogel geschossen würde. Können wir also auf die Vogeljagd verzichten? Oder brauchen wir die Jagd zur Verringerung von Ringeltaube und Silbermöwe – also Vogelarten, die immer häufiger werden? Die Jagd ist dafür in der Regel ein untaugliches Mittel. Arten, die sich sehr stark vermehren, lassen sich durch die Jagd nicht wirksam vermindern. Davon abgesehen, muß nicht jede Vogelart vermindert werden, die sich stark vermehrt. Oder brauchen wir die Jagd zur Verminderung der Eierräuber Rabenkrähe, Eichelhäher und Elster? Also von Arten, die auch die Gelege und Jungen gefährdeter Arten fressen? Diese drei Vogelarten halten während der Brutzeit Reviere ein mit beschränktem Angebot an Nahrung. Übervermehrung wäre für sie selbst tödlich. Der Einfluß von Rabenkrähen und Elstern ist nur lokal für sehr stark gefährdete Arten bedeutungsvoll. Die Jagd kann hier hilfreich sein. Allgemein notwendig ist sie jedoch nicht.

In der Vergangenheit hat die Jagd auch bei uns sehr stark zur Verminderung einzelner Vogelarten beigetragen. Betroffen waren hiervon vor allem die Greifvögel. Fischadler, Schlangenadler und Schreiadler sind auf dem Gebiet der Bundesrepublik Deutschland durch rücksichtslose Verfolgung ausgerottet. Seeadler, Kornweihe und Steinadler sind nur noch in kleinen Restbeständen vorhanden. Selbst Allerweltsvögel wie Sperber und Habicht waren regional bereits verschwunden. Inzwischen hat der Gesetzgeber alle Greifvögel von der Jagd verschont. Damit ist eine längst überfällige Regelung getroffen, die bereits zu einer Zunahme der Rohrweihe geführt hat. Auch der Graureiher nimmt wieder zu, seitdem er nicht mehr bejagt wird.

Erfreulicherweise sehen immer mehr Jäger ihre Hauptaufgabe in der Erhaltung der Artenvielfalt.

Jagd und Naturschutz sind miteinander vereinbar, wenn folgende Grundsätze berücksichtigt werden:
– Die Jagd ist eine Form der Nutzung von Naturgütern, die bei uns nicht mehr zur Ernährung des Menschen notwendig ist. Greifvögel sind nicht mehr Nahrungskonkurrenten des Menschen.
– Die Jagd darf nur ausgeübt werden, wenn sie ökologisch unbedenklich ist.
– Die Hauptaufgabe des Jägers ist die Erhaltung der Vielfalt. Jagd und Vogelschutz stimmen hierin vollständig überein.
– Vögel, die sich in Massen vermehren und Schaden verursachen, können durch die Jagd in der Regel nicht wirksam vermindert werden.

Auswüchse der Jagd

Auswüchse der Jagd hat es auch bei uns vor kurzem noch gegeben. In manchen Ländern, vor allem in Südeuropa, werden Vögel aber auch heute noch in großen Mengen geschossen und gefangen. Für den Naturhaushalt ist dabei entscheidend, ob von einzelnen Arten mehr Vögel getötet werden als heranwachsen. Solche Übernutzung entspricht der Handlungsweise eines Kaufmanns, der nicht vom Ertrag, sondern vom Kapital lebt. Es ist hohe Zeit, diesem Treiben ein Ende zu setzen.

Verdrahtung des Landes, Verkehr und sonstige Ursachen

Die eingangs erwähnte Überbauung des Landes als Lebensraumzerstörung betrifft leider jedoch nicht nur die Ballungszentren, sondern fast alle Lebensräume einschließlich der Feuchtgebiete. Das Straßennetz mit dem starken Verkehr, Hochspannungsleitungen und viele andere Gründe tragen mit zum Rückgang der Vogelarten bei. Vieles ist bekannt, doch immer wieder werden neue Probleme entdeckt. So hat man zum Beispiel erst 1977 festgestellt, daß unter Hochspannungsleitungen mit sehr hoher Spannung fast keine Vögel brüten, und zwar in einem Bereich von 100 m rechts und links der Hochspannungstrasse. Es ist zu befürchten, daß dies für alle derartigen Energiestraßen gilt. Die Verdrahtung des Landes wurde damit zu einem doppelten Problem. Bisher war nur bekannt, daß viele Vögel sich an den Leitungen zu Tode fliegen.

Wie ist die Gesamtsituation?

Eine von Wissenschaftlern erstellte Rote Liste der in der Bundesrepublik gefährdeten Vogelarten gibt Auskunft.

Das Jahr 1970 hatte der Europarat zum Naturschutzjahr erklärt. Dadurch erhielt der Naturschutz einen großen Auftrieb an Aktionen und Ideen. Eine dieser Ideen war die Aufstellung einer Roten Liste der gefährdeten Vogelarten. Sie erschien 1971 zum ersten Mal. Seitdem wurde sie mehrfach überarbeitet. 1977 kam die vierte Fassung heraus.

Sie basiert auf Zählungen von mehreren tausend Vogelkundigen über die Bestandsentwicklung der einzelnen Arten und gibt Auskunft auf die Fragen: Welche Vogelarten sind gefährdet? Wodurch sind sie gefährdet? Diese Fakten, in der Roten Liste zusammengefaßt, sind für wirkungsvollen Vogelschutz von großer Bedeutung. Sie ist inzwischen zum Ratgeber für Politiker, Behörden, Planer und Vogelschützer geworden.

Die nachstehende Tabelle bietet einen Überblick über 137 Vogelarten. 19 hiervon (graues Feld) sind bereits ausgestorben. 40 vom Aussterben bedroht (rotes Feld), 46 (orangefarbenes Feld) sind potentiell bedroht, und für 32 Vogelarten (gelbes Feld) ist die Bedrohung zu befürchten.

Die Ursachen der Gefährdung zeigen die Bildzeichen am Kopf der Tabelle und die jeweils zugeordnete Farbe in der Tabelle an. Sie machen deutlich, wie ernst die Situation für die Vogelwelt ist.

Vogelart	1	2	3	4	5	6	7	8	9
Alpenbraunelle				●					
Alpendohle				●					
Alpenschneehuhn				●					
Alpensegler									●
Alpenstrandläufer				●					
Auerhuhn	●			●			●		
Bartmeise			●						
Baumfalke					●		●	●	
Bekassine			●	●					
Beutelmeise			●						●
Birkenzeisig	●								
Birkhuhn			●	●		●			
Blaukehlchen			●		●				
Blauracke									
Brachpieper		●							
Brachvogel		●	●			●			
Brandseeschwalbe				●	●				
Braunkehlchen		●							
Bruchwasserläufer			●						
Doppelschnepfe									
Dreizehenmöwe				●					
Dreizehenspecht	●								
Drosselrohrsänger			●	●					
Eissturmvogel				●					
Eisvogel			●	●		●			
Felsenschwalbe									●
Fischadler									
Flußseeschwalbe				●	●	●			
Flußuferläufer			●	●					
Gänsegeier									
Gänsesäger			●				●		
Goldregenpfeifer			●						
Grauammer		●	●						
Graureiher				●				●	●
Großtrappe									
Habicht						●	●	●	
Habichtskauz									
Haselhuhn	●			●			●		
Heidelerche	●								
Hohltaube	●						●		
Kampfläufer				●	●				
Kleines Sumpfhuhn				●					
Knäkente			●	●				●	
Kolbenente				●	●			●	
Kolkrabe								●	
Kormoran								●	
Kornweihe			●	●		●		●	●
Kranich				●					
Krickente				●			●		
Küstenseeschwalbe					●	●			●
Lachsseeschwalbe					●				●
Löffelente				●			●		
Mauerläufer									●
Mittelsäger					●				●
Mittelspecht	●								
Moorente				●				●	
Mornellregenpfeifer									
Nachtreiher					●		●		
Neuntöter		●							
Ortolan		●							
Papageitaucher									
Purpurreiher				●	●		●		
Raubseeschwalbe									
Raubwürger				●	●				
Rauhfußkauz	●					●			
Ringdrossel	●								●
Rohrdommel				●	●				
Rohrschwirl				●					
Rohrweihe				●		●		●	
Rosenseeschwalbe									

Grad der Bedrohung

- ⬜ Ausgestorben
- ⬛ Vom Aussterben bedroht
- ◼ Bedroht
- ▫ Bedrohung zu befürchten

Ursachen der Gefährdung

- 🌲 Nadelwald – Monokulturen
- 🌾 Landwirtschaftliche Monokulturen
- ➤ Flußbegradigungen – Entwässerungen
- 👤 Tourismus – Freizeitsport
- ☠ Umweltgifte
- ▥ Vogelhaltung – Vogelhandel
- ⚒ Vogeljagd – Vogelfang
- ⊤⊤ Verdrahtung, Sonstiges

Vogelart	Nadelwald	Landwirtsch.	Flußbegr.	Tourismus	Umweltgifte	Vogelhaltung	Vogeljagd	Verdrahtung
Rothalstaucher				●			●	
Rothuhn								
Rotkopfwürger		●						
Rotmilan	●			●				
Rotschenkel			●					
Saatkrähe							●	
Schellente	●						●	
Schilfrohrsänger			●					
Schlangenadler								
Schleiereule				●				●
Schnatterente			●	●			●	
Schneefink								●
Schreiadler								
Schwarzhalstaucher			●				●	
Schwarzkehlchen		●						
Schwarzkopfmöwe								●
Schwarzmilan	●				●		●	
Schwarzstirnwürger		●						
Schwarzstorch	●		●	●			●	
Seeadler	●			●	●		●	
Seeregenpfeifer				●				
Seggenrohrsänger								
Sperber					●		●	
Sperbergrasmücke		●						
Sperlingskauz	●							
Spießente			●				●	
Sprosser	●		●					
Steinadler					●	●	●	
Steinhuhn				●				●
Steinkauz		●			●			●
Steinrötel								
Steinschmätzer		●						
Steinsperling								
Steinwälzer								
Sumpfohreule			●	●				●

Vogelart	Nadelwald	Landwirtsch.	Flußbegr.	Tourismus	Umweltgifte	Vogelhaltung	Vogeljagd	Verdrahtung
Tordalk					●			
Trauerseeschwalbe			●	●				
Triel								
Trottellumme					●			
Tüpfelsumpfhuhn			●					
Turteltaube		●					●	
Uferschnepfe		●	●				●	
Uferschwalbe			●					
Uhu					●	●	●	●
Wachtel		●					●	
Wachtelkönig		●	●					
Waldrapp								
Waldschnepfe	●		●				●	
Waldwasserläufer			●					
Wanderfalke					●	●	●	●
Wasseramsel			●		●			
Wasserpieper								●
Wasserralle		●	●					●
Weißrückenspecht	●							●
Weißstorch			●	●		●	●	●
Wendehals		●						●
Wespenbussard	●				●			●
Wiedehopf	●	●						●
Wiesenweihe		●	●		●		●	
Zaunammer		●						●
Ziegenmelker		●						●
Zippammer								●
Zitronengirlitz								●
Zwergdommel			●		●			
Zwergschnäpper	●							
Zwergseeschwalbe			●	●	●			
Zwergsumpfhuhn			●					

Wie können wir helfen?

Der Ruf nach dem Staat wird immer laut, wenn etwas nicht richtig funktioniert. Der Staat soll helfen, soll eingreifen, soll endlich dafür sorgen, daß es besser wird.

Im Vogelschutz ist dies nicht anders. Viele Vertreter verlangen bessere und schärfere Gesetze und erwarten, daß vom Staat mehr finanzielle Mittel für den Vogelschutz zur Verfügung gestellt werden. Diese Forderungen sind ohne Zweifel angebracht, doch andererseits ist der Wunsch nach mehr Eigeninitiative des einzelnen ebenso berechtigt.

Was ist zu tun? Wie lassen sich die in diesem Buch geschilderten Probleme am besten lösen?

Maßnahmen des Staates:
national und international notwendig.

Der Staat hat die Aufgabe, die Voraussetzungen für unser Leben – also Boden, Wasser, Luft, Pflanzen und Tiere – vor den egoistischen Ansprüchen von Interessengruppen zu schützen. Er hat im Bereich des Vogelschutzes viele Möglichkeiten, dieser Aufgabe gerecht zu werden: Durch Gesetze, durch die Überwachung der Einhaltung der Gesetze, durch die Förderung der Naturschutzforschung und durch die Bereitstellung von Mitteln für Kauf, Pflege und Betreuung.

– Da Zugvögel keine Grenzen kennen und durch viele Staaten mit verschiedenen Jagdgesetzen ziehen sowie überwintern, sind grenzübergreifende Vereinbarungen, sogenannte internationale Konventionen, erforderlich, um die Gesetze der verschiedenen Staaten aufeinander abzustimmen.

– Neben der Erarbeitung von Gesetzen für den Vogelschutz müssen von seiten des Staates Geldmittel zum Ankauf, zur Betreuung und Pflege wichtiger Naturschutzgebiete bereitgestellt werden. Die Finanzierung solcher Projekte überschreitet die Möglichkeiten der Verbände. Zur Sicherung der Gebiete ist weiterhin eine formelle Unterschutzstellung notwendig, um damit den öffentlichen Schutz zu garantieren.

– Von seiten des Staates ist die Förderung der Forschung für den Naturschutz notwendig. Nur wenn wir über die Situation umfassend informiert sind, können die Schutzmaßnahmen wirkungsvoll gestaltet werden.

– Schließlich ist der Staat auch für die Überwachung und Einhaltung der Naturschutzgesetze und Verordnungen zuständig.

In allen angeführten Bereichen bleibt noch sehr viel zu tun. Vor allen Dingen besteht ein großes Vollzugsdefizit, wie es so wenig schön in der Amtssprache heißt, was bedeutet: Wir haben ganz gute Gesetze, sie werden nur sehr oft nicht eingehalten, weil viele Behörden mit zu wenig Fachkräften ausgestattet sind und weil die Behörden immer mehr politisiert werden, das heißt durch Politiker gezwungen werden, unsachgemäße Entscheidungen zu treffen. Dies ist ein Problem, das für die Wirksamkeit des Naturschutzes von großer Bedeutung ist.

Maßnahmen der Vereine:
eine wichtige Hilfe.

Der Staat wäre mit der Wahrnehmung der Interessen des Naturschutzes völlig überfordert, wenn es nicht die Naturschutzvereine geben würde, die ihm wohlwollend kritisch zur Seite stehen. Naturschutzvereine sind das Bindeglied zwischen dem naturschutzinteressierten Bürger und dem Staat. Von seiten des Staates wäre es unmöglich, ein so dichtes Netz von Mitarbeitern aufzubauen, über das die Naturschutzvereine verfügen.

Die Erfahrungen aus der Praxis ermöglichen es den Naturschutzvereinen, die Gesetzgeber zu beraten. Außerdem werden durch Aktionen Geldmittel für den Kauf von Schutzgebieten gesammelt, Bestandsaufnahmen von Pflanzen und Tieren durchgeführt, die Einhaltung von Gesetzen überwacht und Eingriffe in wertvolle Landschaften verhindert.

Darüber hinaus sehen Naturschutzvereine ihre Aufgabe auch in einer gezielten Information der Öffentlichkeit. Sie führen Veranstaltungen durch, geben Bücher und Schriften heraus und arbeiten gemeinsam mit der Presse. Wichtig ist auch ihre Funktion im praktischen Naturschutz. Vereine sorgen dafür, daß eingerichtete Schutzgebiete ihren Wert auch in Zukunft erhalten.

Alle Bemühungen werden jedoch langfristig wenig erfolgreich sein, wenn nicht jeder einzelne Bürger Verantwortung entwickelt und im Naturschutz aktiv wird. So wenig wie der Staat ohne Naturschutzvereine, so wenig werden Naturschutzvereine ohne aktive Mitglieder wirkungsvoll tätig sein. Es ist aus diesem Grunde wünschenswert, daß möglichst viele interessierte Bürger in einem Naturschutzverein Mitglied werden. Wer keine Möglichkeit sieht, den Naturschutz als Mitglied in einem Verein oder durch eine Spende zu unterstützen, ist jedoch nicht freigesprochen von der Verpflichtung, im Rahmen seiner Möglichkeiten einen Beitrag zur Erhaltung der Vogelwelt zu leisten. Letzten Endes würden viele Maßnahmen des Staates und der Vereine langfristig nicht erfolgreich sein, wenn sich nicht jeder einzelne in der Natur richtig verhalten würde.

Richtiges Verhalten des einzelnen:
der entscheidende Beitrag.

Jeder Bürger unseres Staates hat die Möglichkeit, ja die Verpflichtung, selbst möglichst viel zum Schutz und zur Erhaltung der bedrohten Natur beizutragen. Im Bereich des Vogelschutzes gibt es viele Ansatzpunkte. Sie lassen sich zu den nachstehenden Regeln, den »10 Geboten des Vogelschutzes«, zusammenfassen. Sie sollte jedermann beherzigen:

① Lassen Sie die Natur so weit wie möglich in Ruhe – im Park, im Wald, im Garten, an Seen, Flüssen und Bächen.

② Verwenden Sie keine chemischen Schädlingsbekämpfungsmittel im Garten und auf Veranden. Für den Hobbygärtner gilt der Rat, Obst-

sorten anzubauen, die wenig empfindlich für Schädlinge sind.

③ Lassen Sie im Garten das Laub unter Bäumen und Büschen liegen. Viele Vögel finden dort ihre Nahrung. Gerade verwilderte Gärten sind für Vögel Paradiese.

④ Hängen Sie Nistkästen auf. Sie erhalten mit der Beobachtung der nistenden Vögel einen Naturkundeunterricht aus erster Hand.

⑤ Füttern Sie Vögel nur in extrem harten Winterzeiten. Überfluß schadet nur. Bei einer Untersuchung in einem Großstadtgebiet wurde festgestellt, daß auf rund 200 Meisen 3319 Futterstellen kamen, das heißt für jede Meise sechzehn Futterplätze. Die Folgen sind nicht positiv: Kohlmeisen legen weniger Eier. Viele werden mit unzuträglichem Futter gefüttert. Sie sterben daran. Füttern in harten Winterzeiten ist sinnvoll, wenn dadurch jungen und alten Menschen die Gelegenheit zur Beobachtung der Vögel geboten wird.

⑥ Bleiben Sie im Wald auf den Wanderwegen. Besonders von März bis Juli ist die Zeit kritisch. Vor allem Greifvögel reagieren in dieser Zeit sehr empfindlich an ihrem Horst und geben bei Störungen sehr leicht das Gelege auf.

⑦ Nehmen Sie gefundene Jungvögel nicht mit. Junge Vögel können sich gar nicht so weit vom Nest entfernen, daß die stets aufmerksamen Altvögel sie nicht wiederfinden würden.

⑧ Holzen Sie keine Hecken ab; sie sind der ideale Lebensraum für viele Vogelarten. Setzen Sie sich für die Erhaltung alter Bäume in der Stadt und auf dem Land ein.

⑨ Halten Sie im Boot – mit oder ohne Angel – Abstand zum bewachsenen Ufergelände, sonst vertreiben Sie dort rastende und brütende Wasservögel.

⑩ Werden Sie aktiv. Unterstützen Sie den Naturschutz. Mobilisieren Sie Freunde und Mitbürger. Schließen Sie sich an den Bund für Umwelt und Naturschutz Deutschland an.

Die bundesweite Vogelschutzaktion:
»Rettet die Vögel – wir brauchen sie«

Titelseite des Prospektes, der vom Bund für Umwelt und Naturschutz Deutschland e.V. in Kooperation mit Radio Luxemburg herausgegeben wurde

Titelseite HÖR ZU Nr. 38 vom 17. Sept. 1977 zum Start der Aktion »Rettet die Vögel« mit einem Beitrag von Horst Stern

Beispiel einer Sammelseite der 84 bedrohten Vogelarten, die in der HÖR ZU in über 40 Ausgaben abgebildet wurden

HÖR ZU-Sammellexikon »Bedrohte Vögel unserer Heimat«

Angesichts der kritischen Situation und vielfältigen Ursachen der Bedrohung von Umwelt und Vogelwelt ist die Frage verständlich, ob eine Vogelschutzaktion wie diese überhaupt sinnvoll ist und etwas bewirken kann.

»Die Vögel sind sowieso nicht mehr zu retten«, »Die Italiener sind an allem schuld«, »Das ist Sache des Staates«, solche und ähnliche Kommentare erster HÖR ZU-Leserbriefe flogen uns auf den Tisch.

Hier ausführlicher darauf einzugehen, wäre fehl am Platz. Es ist jedoch notwendig, den Standpunkt klarzumachen und über den Hintergrund der Aktion zu berichten, denn wir glauben, daß nur umfassende Maßnahmen dieser Art langfristig zum Erfolg führen werden.

Im Naturschutz ist ein Umdenken erforderlich. Er darf nicht länger als Randerscheinung betrachtet, sondern muß durch neue Ideen und Strategien zur Selbständigkeit geführt werden. Der Schutz der Umwelt und damit der Vogelwelt als Teilbereich des Gesamtproblems ist eine vordringliche Aufgabe, die den Einsatz eines jeden einzelnen erfordert.

Wir können aus der falschen und teilnahmslosen Einstellung heraus, der einzelne könne nichts zur Lösung beitragen, die Verantwortung nicht dem Staat, einigen Vereinen und einer Handvoll Wissenschaftler aufbürden. Heute ist jeder Bürger dieses Staates gefordert, seinen Beitrag zur Erhaltung unserer Lebensgrundlagen zu leisten. Sei es durch richtiges Verhalten in der Natur, durch einen finanziellen Beitrag, durch aktive Mitarbeit in einem Verein oder nur durch richtige Entscheidungen im privaten oder beruflichen Einflußbereich.

Denn eines der größten Probleme ist mangelndes Wissen. Viele Bürger, Politiker und Verwaltungsfachleute treffen hinsichtlich der Erhaltung von Umwelt und Vogelwelt völlig falsche Entscheidungen – nicht aus schlechter Absicht,

sondern häufig aus Unkenntnis über die komplizierten Reaktionen der Natur.

Hier setzt die Aktion »Rettet die Vögel – wir brauchen sie« ein: Aufklärung und Bewußtseinsweckung ist ein wichtiges Ziel. Von Anfang an waren wir deshalb an enger Zusammenarbeit mit Presse, Rundfunk und Fernsehen interessiert. Als einer der ersten Pressepartner berichtete das ZEIT-Magazin 1975 über die allgemeine Situation der Vogelwelt. Radio Luxemburg folgte mit Live-Sendungen über bestimmte Einzelthemen, und der Bund für Umwelt und Naturschutz Deutschland e. V. verschickte an interessierte Hörer einen Prospekt über die Probleme und Möglichkeiten des Vogelschutzes. Breites Interesse und eingehende Spendengelder, die den Kauf der Schutzgebiete unterstützen, über die auf den nächsten Seiten berichtet wird, waren Bestätigung genug, weitere Kooperationen einzugehen.

Viele Verhandlungen wurden geführt. Mit Verlagen und Firmen, mit Einzelpersonen und Vereinsvorständen. Doch die meisten waren erfolglos. Warum? Weil erstens eine Aktion erst dann akzeptiert wird, wenn sie schon eine ist, und zweitens das eigene Interesse, der eigene Vorteil im Vordergrund stehen. Erst durch die Aufgeschlossenheit von HÖR ZU und der Deutschen Lufthansa AG machten wir den wesentlichen Schritt nach vorn. Ihrem Engagement ist es zu verdanken, daß unser Anliegen national bekannt wurde.

Durch Artikel von Dr. Horst Stern, Professor Bernhard Grzimek, Heinz Sielmann, Dr. Hans Löhrl und weiteren Autoren sowie einer Sammelseite über bedrohte Vogelarten in über vierzig HÖR ZU-Ausgaben und einer hierfür herausgegebenen Broschüre gewann die Aktion in der breiten Öffentlichkeit an Bedeutung. Im Fernsehen und im Funk wurde geworben. Der Erfolg blieb nicht aus. Schon nach kurzer Zeit stapelte

sich die Leserpost, und im Mai 1978 waren durch die HÖR ZU-Aktion bereits DM 150 000.– eingegangen, mit denen ein Teich des Meißendorfer Teichareals nördlich von Celle gekauft wurde. 12,5 Millionen Leser sind eben doch eine Gemeinschaft, die etwas bewegen kann.

Die Herausgabe dieses Buches, lange Zeit ein unüberwindliches Problem, da ein Bildband dieses Umfanges üblicherweise wesentlich teurer verkauft werden muß, um die Kosten zu decken, ermöglichte die Deutsche Lufthansa AG durch finanzielle Unterstützung der Produktionskosten.

Das Buch dient der umfassenden Aufklärung sowie durch einen Beitrag vom Verkaufspreis den effektiven Vogelschutzmaßnahmen, wie dem Kauf von Schutzgebieten, dem Bau eines ersten Vogellandes, einem neuen, für internationale Vogelschutzmaßnahmen interessanten Modell.

Ein weiteres Beispiel für kooperative Zusammenarbeit ist die Herausgabe einer Tellerserie für bedrohte Vogelarten von Villeroy & Boch. Mit dekorativen Motiven wird so für die Aktion geworben und ein finanzieller Beitrag geleistet.

Diese Maßnahmen sind beispielhaft für unser Vorgehen. Wir fordern jedermann auf: Beteiligen Sie sich aktiv, leisten Sie Ihren Beitrag. Sei es durch Aneignung von Wissen, um Verständnis für die Natur zu bekommen, sei es durch eine direkte Spende oder indirekte Finanzierung durch den Kauf eines Schmucktellers oder eines weiteren Buches. Vielleicht entschließen Sie sich dazu, Mitglied im Bund für Umwelt und Naturschutz Deutschland e. V. zu werden.

Was will und ist der Bund für Umwelt und Naturschutz Deutschland e. V. (BUND)?
Der BUND ist eine private Umweltschutzvereinigung mit einzelnen Mitgliedern. Er wurde 1975 gegründet und gliedert sich in Landes-, Kreis- und Ortsgruppen. Einzelne Landesver-

bände sind jedoch wesentlich älter. Heute hat der BUND mit allen Zugehörigen zu den Landesverbänden über 40 000 Mitglieder.

Zentrales Bemühen des BUND ist es, sich für eine Synthese zwischen Ökonomie und Ökologie, also für eine Überlebenspolitik einzusetzen. Der BUND vertritt kein Nullwachstum, sondern propagiert ein qualitatives Wachstum (zum Beispiel energiesparende Technologie, neue Umwelttechnologien, Luft- und Gewässersanierung, Wiederverwertung). Weiterhin setzt sich der BUND für die Erhaltung von soviel Ackerland, Wiesen, Wald und Naturlandschaften wie möglich ein. In der Öffentlichkeitsarbeit kommt es dem BUND darauf an, Politiker und Behörden mit Nachdruck auf geplante Umweltzerstörungen hinzuweisen und Alternativen anzubieten. In der aktiven Arbeit erhält, gestaltet und betreut der BUND Lebensräume für freilebende Tiere und bedrohte Pflanzenarten.

Da der Erwerb von Land die sicherste Methode des Naturschutzes ist, liegt hier ein Ziel der Aktion. Doch über die Maßnahmen der Aktion Vogelschutz hinaus werden Alternativ-Energiemodelle zur Verminderung der Umweltbelastungen gefördert.

Wenn Sie mit diesen Zielen und Auffassungen übereinstimmen, so fordern wir Sie auf, Mitglied im Bund für Umwelt und Naturschutz Deutschland e. V. zu werden. Der BUND braucht Sie, um erfolgreich zu sein. Auf den Seiten 216, 218 und 220 informieren wir Sie über bereits durchgeführte Aktivitäten des BUND im Zusammenhang mit der Aktion »Rettet die Vögel«. Seit 1976 wurde Land gekauft und für den Vogelschutz hergerichtet.

Die Beispiele auf den Seiten 215 bis 221 zeigen Ihnen, wie wirkungsvoll Vogelschutz durch die Erhaltung von neuen Lebensräumen durchgeführt werden kann. Solche Beispiele machen Hoffnung.

Titelseite des ZEIT-Magazins vom 19. Sept. 1975

Wenn Sie Mitglied im Bund für Umwelt und Naturschutz Deutschland e. V. werden möchten, schreiben Sie bitte an:
Bund für Umwelt und Naturschutz Deutschland e. V., Oskar-Walzel-Straße 17, 5300 Bonn.

Der BUND fordert zur Mitarbeit auf; je mehr Mitglieder eintreten, desto wirkungsvoller können Anliegen des Naturschutzes vertreten werden.

Sollten Sie an dem Erwerb des Vogeltellers interessiert sein, gibt es zwei Möglichkeiten, ihn zu bestellen:
1. Sie zahlen DM 40.– (incl. Porto, Verpackung und DM 2.– Spende) beim Postscheckamt Frankfurt Nr. 20202-602 (Empfänger siehe unten) mit vollständiger Angabe Ihres Absenders ein.
2. Sie senden einen Verrechnungsscheck an die untenstehende Adresse mit vollständiger Angabe Ihres Absenders auf der Rückseite des Schecks.

Versandadresse:

Versand-Service »Rettet die Vögel«
Postfach 1350 · 6057 Dietzenbach 1

Bitte geben Sie bei Ihrer Bestellung auch deutlich den Artikel und Preis an:

– Schmuckteller Eisvogel DM 40.–

Nach Eingang Ihrer Bestellung wird Ihnen der Schmuckteller innerhalb kurzer Zeit porto- und verpackungsfrei zugesandt.

Schmuckvogelteller: Motiv Eisvogel. Die Herausgabe dieses Tellers dient der Aktion »Rettet die Vögel – wir brauchen sie«. Vom Verkaufserlös werden DM 2.– pro Teller an die Aktion abgeführt.

Dieser Teller aus Farbporzellan der höchsten Qualitätsstufe wurde im keramischen Buntdruck durch Aufglasurverfahren mit 24 Farben hergestellt. Ein Wandschmuck mit anspruchsvollem Sammlerwert. Durchmesser: 25 cm.

Die Aktion soll helfen, ein international bedeutsames Netz von Schutzgebieten zu realisieren

Modellübersicht des Projektes Vogelland. Das Gelände wird der jeweiligen Landschaft angepaßt. Im gezeigten Modell befindet sich in der rechten oberen Ecke der Parkplatz (s. Detailbild 1). Von hier aus gehen Besucher über einen Naturlehrpfad zum Informationszentrum (Bild 2) und durch einen Tunnel zum Inselcafé (Bild 3). Das rechte Drittel des Modells zeigt die Bootsroute zur unterirdischen Anlegestelle. Von hier aus führen Gänge zu Beobachtungsanlagen. Der Betrachter kann das Gelände überblicken, ohne die dort inzwischen heimisch gewordenen Vogelarten zu stören.
In Baden-Württemberg hat die Brauerei Alpirsbacher Klosterbräu zugesagt, zwei Gebiete finanziell zu unterstützen, wenn die Landesregierung geeignetes Land zur Verfügung stellt.

Die Beispiele auf den vorangegangenen Seiten zeigen eindrucksvoll, daß wirkungsvoller Vogelschutz durch die Einrichtung von Schutzgebieten möglich ist. Bedrohten Tieren und Pflanzen kann so eine neue Lebensmöglichkeit gegeben werden.

Die Grundlagenforschung für den Naturschutz ist inzwischen so weit fortgeschritten, daß die Ansprüche, die viele Tier- und Pflanzenarten an ihren Lebensraum stellen, bekannt sind. So können neue Lebensräume aufgrund dieser Kenntnisse optimal eingerichtet werden.

Gebiete dieser Art sind für viele bedrohte Vogelarten lebenswichtig. Besonders für Wasservögel sind solche Maßnahmen entscheidend. Ihre Lebensräume wie Moore, Feuchtwiesen, Seeufer, Flüsse und Bäche wurden zerstört, begradigt und entwässert.

Von dieser nachteiligen Entwicklung sind inzwischen nicht nur die in der Bundesrepublik vorkommenden Brutvögel betroffen, sondern auch die Durchzügler aus Nord-/Osteuropa und Asien.

Die Zugvögel, die früher in breiter Front über ganz Europa strömten, finden immer weniger geeignete Stellen zum Rasten. Und selbst diese letzten Rückzugsgebiete werden in immer stärkerem Maße entwertet.

Naturschützer fordern daher seit langem die Einrichtung eines Netzes von Schutzgebieten für Zugvögel. Hier soll ihnen die Möglichkeit gegeben werden zu rasten und neue Kraft für den Weiterflug zu sammeln.

Aufgrund internationaler Übereinkunft wurde die sogenannte Ramsar-Konvention geschaffen, die eine wichtige Grundlage für den Schutz ist. Zahlreiche Regierungen haben sich verpflichtet, die in ihrem Lande vorhandenen, international wichtigen Wasservogelschutzgebiete zu erhalten. Aber neben diesen hochgradig wichtigen Gebieten, zu denen in Deutschland beispielsweise das Wattenmeer, die Unterelbe, der Oberrhein, die Voralpenseen, der Bodensee und verschiedene andere Gebiete gehören, ist auch ein Netz kleinerer Schutzgebiete von besonderer Bedeutung.

Im Rahmen der Aktion »Rettet die Vögel« wurde ein Modell entwickelt, das nicht nur dem direkten Schutz der Vögel dienen, sondern auch die Bevölkerung mit den Schutzobjekten in engen Kontakt bringen soll.

Projekt Vogelland –
Verständnis durch Anschauung
Wie Raststätten an den Autobahnen soll auch für Wasservögel ein Netz von Schutzgebieten vom Norden Deutschlands bis zum Süden eingerichtet werden. Viele dieser Gebiete sind vorhanden, sie brauchen nur besser geschützt, betreut und zum Teil gestaltet werden. Doch wird es notwendig sein, die bisherigen Konzepte zu ergänzen. Hierfür sprechen mehrere Gründe. Zwei wesentliche seien hier aufgeführt:
– Es sind Modelle zu realisieren, die sich langfristig finanziell selbst tragen.
– Es kommt darauf an, die Bevölkerung nicht auszuschließen, sondern zu integrieren. Jemand, der mit der Natur keinen Kontakt hat, kann auch kein Verständnis und Gefühl für die Bedürfnisse frei lebender Tiere entwickeln.

Diese Überlegungen führten zur Entwicklung des Modells Vogelland. Eine Gruppe von Wissenschaftlern, Marketingfachleuten, Architekten und Landschaftsplanern hat in den letzten 1¹/₂ Jahren ein realisierbares Modell entwickelt. Die ökologische Zielsetzung ist die optimale Gestaltung des Lebensraums. Nach erfolgreicher Verwirklichung eines Modellgebietes würde sich dieses Konzept für einen Teil der Feuchtgebiete in der Bundesrepublik anbieten. Vogelland soll jedoch nicht nur ein Refugium für bedrohte Arten wie Graureiher, Entenarten, Rohrdommeln und viele andere werden, auch der Mensch soll in diesen Schutzgebieten zugelassen werden, ohne daß er die Natur stört.

Es ist erlaubt, in diesem Fall von einem umgekehrten Zooprinzip zu sprechen. Nicht die Tiere sind hinter Gittern, sondern der Mensch. Bei dem Modell ist vorgesehen, daß Besucher von einem unweit entfernt gelegenen Parkplatz über einen Naturpfad ein Informationszentrum erreichen, das Möglichkeiten zum Kennenlernen der Natur bietet, besonders der in dem Schutzgebiet vorkommenden Arten. In einem mittelgroßen Kino werden Naturfilme gezeigt und Vorträge gehalten. Ein Museum sowie ein Stand mit Büchern und Broschüren bietet weitere Möglichkeiten der Information. Vom Auffangzentrum gelangt der Besucher durch einen unter dem Wasser verlaufenden Gang, von dem aus das Leben unter Wasser – Fische und tauchende Vögel – beobachtet werden kann, zu einem Café, das sich auf einer innerhalb des Schutzgebietes gelegenen Insel befindet. Von hier kann bei gemütlicher Rast Einblick in das Schutzgebiet genommen werden. Von außen ist das Inselcafé jedoch kaum zu erkennen. Das Dach ist mit Grünpflanzen bedeckt, der Ausblick geschieht durch Einwegscheiben, d.h. durch Glasflächen, durch die man hinaus-, jedoch nicht hineinblicken kann. Die sich hier niederlassenden Vögel können folglich die Menschen nicht sehen.

Weiterhin ist geplant, interessierte Besucher von einer unterirdischen Bootsanlegestelle des Inselcafés durch ein kaum sichtbares Elektroboot, das mit Pflanzen bewachsen ist, durch die Insellandschaft zum eigentlichen Schutzgebiet zu fahren. Von hier aus besteht die Möglichkeit, durch ein System von Beobachtungsgängen und Türmen Einblick in den größeren Teil des Schutzgebietes zu nehmen, die Vögel aus nächster Nähe zu beobachten, ohne daß diese die Besucher bemerken.

Bei diesem attraktiven Gesamtkonzept, das sowohl eine Lösung für den Naturschutz als auch für die Integration der Bevölkerung bietet, ist mit größter Sicherheit anzunehmen, daß durch zu erhebende Eintrittsgelder und sonstige Einnahmen aus den verschiedenen Einrichtungen das Projekt Vogelland nicht zu einem lebenslangen Zuschußobjekt wird.

Ein wichtiger Aspekt der Betrachtungen ist hierbei, daß nicht der Nachteil vieler zoologischer Gärten anfällt, die aufgrund der vielen Tierarten und Pfleger hohe Unterhaltskosten haben. Diese Kosten fallen bei dem Projekt Vogelland vollkommen weg, da sich – wie beschrieben – die dort vorkommenden Vögel frei in einer scheinbar unberührten Natur bewegen.

Die Diskussion in den letzten Monaten über dieses Modell ist bei vielen Gesprächspartnern auf Interesse, aber auch auf Erstaunen gestoßen. Nicht weil die Einrichtung von Schutzgebieten neu oder fraglich wäre, sondern weil durch die Kombination der einzelnen Einrichtungen ein Modell geschaffen wurde, das sich als realistische Lösungsmöglichkeit herausstellt, um langfristig bei gesicherter Selbstfinanzierung die Chance für die Einrichtung weiterer Gebiete zu sichern.

Zunächst ist es jedoch notwendig, die wichtigsten Schutzgebiete durch Kauf und durch Anstellung hauptberuflicher Mitarbeiter zu sichern und zu betreuen. Wenn Sie dazu einen Beitrag leisten wollen, bitten wir um eine Spende auf die Konten des BUND: 232 Sparkasse Bonn, BLZ 38050000 oder Postscheckkonto Köln 6467/509. Stichwort: Rettet die Vögel.

Nachwort

Der aufmerksame Leser dieses Buches wird sicher gemerkt haben, daß es uns nicht nur um die Erhaltung der Vögel geht, sondern um die Bewahrung der letzten Reste von Natur- und Kulturlandschaft überhaupt. Die Vögel sind besonders geeignet, die für uns alle brennenden Probleme deutlich zu machen, weil ihre Biologie viel besser bekannt ist als die anderer Tiergruppen und weil Vögel den Menschen wie nur wenige andere Lebewesen ansprechen.

Mit diesem Buch und mit parallelen Kampagnen in Presse, Funk und Fernsehen wollen wir so viele Menschen wie möglich aufklären. Denn würde alle Naturzerstörung unterbleiben, die aus Unkenntnis geschieht, könnte die Natur aufatmen! Unkenntnis abbauen und die Augen öffnen – das ist ein zentrales Anliegen der Aktion.

Die Renaturalisierung kommt jedoch nicht von selbst. Dazu ist auch Geld notwendig – viel Geld. Um die notwendigen Mittel zu bekommen, muß der Naturschutz neue Wege beschreiten. Auch in dieser Hinsicht ist unser Vorgehen hoffentlich nicht nur ein erster Schritt, sondern der Anfang einer Kettenreaktion.

Zum Gelingen des Buches haben sehr viele engagierte Gesprächspartner beigetragen. Ganz besonderen Dank schulden wir dem Illustrator Berthold Faust, Dr. Einhard Bezzel für die Durchsicht der Texte, dem Ornithologen Norbert Jorek für die Bildbeschaffung, der Siemens AG für die Finanzierung der Luftaufnahmen, den Bildautoren, dem Verlag und der Deutschen Lufthansa AG, die die Herausgabe dieses Buches ermöglichte.

Die Anführung der benutzten Literatur würde den Rahmen dieses Buches sprengen. Am häufigsten wurde das vielbändige Werk »Die Vögel Mitteleuropas« von Glutz von Blotzheim, Bauer und Bezzel benutzt.

Die Autoren

238

Sachverzeichnis

Bildverzeichnis

Abel: 32 2. o., 58 u., 72, 77, 113 u., 131 m. r., 214 u. r., 215 u. r.;
Ahrends: 11 r.;
Arbeitsgemeinschaft Biologischer Umweltschutz, Soest: 74 m., 200 u. r.;
Bauer: 228 u.;
Belz: 74 u., 91 o. r.;
Bezzel: 49 u., 82 o., 90 u. r. l., 92 m. r., 153 3. o., 2. o., o., 162 m., 167 o., u., 175 o. r., u. r.;
Bink: 39 m. l., 63, 73 m. l., 92 o., 137, 179 o.;
Bogon: 110 o., 131 o.;
Bott: 123 u.;
Christiansen: 6/7, 45 u., 49 o., 102 o., 112, 115 r., 143 u., 144 l., 152 l.;
Curth: 55 l. m., 100, 101 o., 140 o., 166 u., 200 u. l.;
Dahmen: 27 o. r.;
Danegger: 39 o. r., 57 u., 117 o., 118, 119 u., 142, 194 u.;
Disser: 191 2. o., 218 u. r.;
Dürkop: 114 u., o., 154 m.;
Faust: 10 m. l., 13, 14. m., 15 r., 30/31, 36, 38 m. r., o. r., 40/41, 44, 57 2. l., 61, 68/69, 73 m. r., 186/187, 222/223, 227 o. r., 228 o. l.;
Fischer: 37 u.;
Frank: 73 u. l.;
Friedrich: 213 2. u. r., o., u. m., 218 o.;
Fürst: 37 2. u., 191 3. o.;
Glader: 160 o.;
Goos: 154 u., 228 o. r.;
Grimm: 233;
Gröger: 110 m.;
Gros: 208 o. r.;

Haas: 4/5, 219 r. u.;
Hambloch: 192 u.;
Harscher: 92 u., 124 u. l., r., 170/171, 203 u.;
Hildebrandt: 47 l.;
Hofmann: 38 o. l., 54 u. r., 66 o., 74 o., 90 o., 94 o., 97 o. l., 140 u., 159 o., 164 o. r., 197 o., 208 l., u., m., 211 u. r., 213 l. u.;
Hoffmann: 160 u.;
Hopf: 119 o.;
Hüttenmoser: 174 u., 178;
Jedicke: 66 u. l.;
Jerney: 23 u.;
Jorek: 25 u. l., u. r., 2. u., 35 u., 2. u., 3. u., 130 u., 141, 166 u. l., 211 o., 226;
Kötter: 35 3. o., 84 o. r.;
Kratz: 66 u. m.;
Krug: 9 u., 56 u., 84 u., 92 m. l., 95 u., 98 u. l., 2. u., 101 u., 125 u., 192 o. l., 200 o. r., 227 o. l.;
Kühnapfel: 210, 166 u. r.;
Labhardt: 111 l. u., u. r., 203 o.;
Landvogt: 38 u. r., u. l., 39 u. l., u. r., m. r., 48 o., 54 u. l., 55 u., o., 56 m., o., 62 o. r., 74 o., 75 u. r., 80 o. l., 82 u., 85 r., 86/87, 91 u. r., 94 u., 96 u. r., o., 97 o. r., 102 u., 104 o., 106/107, 111 o., 155 l., 116 o., 122 m., 125 l. o., 126/127, 130 o., 134 u., o. r., m. r., l., 135 u., 139 r., 143 o., 153 u., 161 o., 165 o., 168 o., 169 o., u., 175 m., u., l., 184., 185 r., 191 u. r., u. m., 196 u., 197 u., 199, 200 l., m., 211 u. l., 216 u. r., 217 o., m. l., 221 u.;
Layer: 79 o., 95 o., 104 u., 132 o., 165 m., 196 o. l., 229 u. l.;
Lodzig: 13 o., 145 r., 218 u. l.;
Loeding: 207 m.;

R. Mayr: 73 m. S. m., 191 u. l.;
Meisling: 73 o., 80 u. l.;
H. Meyer: 45 2. o. m., 97 u. l., u. r., 191 2. u.;
Miech: 190 r., 207 o.;
W. H. Müller: 35 o., 2. o., 45 o., 73 u. r., 174 o., 229 m. r.;
NASA: 17 m., 19 m.;
Oshowski: 164 u., o., 168 u., 192 o., 215 u. l.;
Panzke: Vorsatz, 137 u. r.;
Peabody-Museum: 22 u. l.;
Pölking: 17 o.;
Pollmann: 91 m., 2. o. r.;
Probst: 80 u. r., 147 u.;
Quedens: 19 u.;
Reimer: 57 r.;
Reinhard: 37 o., 38 m. l., 48 u., 62 o. l., 58 o., 60 u., 65 o., 177 o. r., 181, 182 o., 185 l., 193 l. o., 193 o. m., 219 l.;
Rummel: 25 o., 66 u. r., 179 u., 193 u., m., 194 o., 202 u. l., 208 o. l.;
Sach: 132 u.;
Sauer: 28 u. r., r. m.;
SBU: 18, 19 o., 22 u. l., 28 u. r.;
Schick: 60 o., 75 u., 91 o. l., 111 3. o., 122 u., 135 o., 152 o., 193 o. r., 211 2. o., 212 2. o., o., 215 2. o., 216 m. l., 217 u., 219 m., 227 u.;
Schiersmann: 144 r.;
Schimmel: 20, 21, 22, 23, 26, 27, 28, 29;
W. Schmidt: 163;
Schork: 21 u. r., 190 l.;
Schrempp: 45 o. r., 55 m. r., 56 o. l., 91 u. l., 96 u. l., 98 2. o. l., 156, 225 u., o.;
Schumann: 85 l.;
Söllner: 121, 182 u.;
Stahl: 84 o. l.;
Steinkamp: 105 o.;
Synatzschke: 45 2. u., 65 u., 157 u., 202 u. r., 207 u.;

Thielcke: 39 u. l., 57 o. r., o., 105 u., m., 157 o., 161 u., 212 u. m., u. l., 214 2. o., u. m., o., 216 m., o., 217 m. r., 220 m. u., 221 2. o. m., 2. r., 2. u., o., 2. l.;
Todt: 104 m., 148/149, 152 u., 162 o., u., 165 u.;
Vetter: 125 r. o., 196 o. r.;
Vohwinkel: 111 2. o., 191 o.;
Wirth: 206;
Wothe: 21 u. l., 46 o., u., 54 o., 67 o. r., o. l., 98 o. l., 99 u., 110 u. l., u. r., 116 u., 131 u. l., 146 u., o., 154 o., 159 m., 204/205, 218 m. l.;
Wuchner: 24 o., 209 r., 234, 235 o., 236, 237;
Wüstenberg: 122 o., 123 o., 212 u. r., 2. u., 213 r. u., u. m., 3. o., 2. o., 218 m. r., 219 o., 220 o., 139 l.;
Ziesler: 1, 131 u. r., Hintersatz;
Zölch: 50/51, 93 o.

Die Luftaufnahmen wurden freigegeben vom Regierungspräsidenten in Darmstadt, Freigabe-Nr.: 370/77, 373/77, 384/77, 386/77, 387/77, 389/77, 390/77, 394/77 und 1190/72.

Abkürzungen:
r. = rechts
l. = links
S. = Spalte
m. = Mitte
o. = oben
u. = unten
2. o. = 2. Bild von oben